ÉTONNANTS • CLASSIQUES

MANON LESCAUT

Abbé Prévost

Appareil pédagogique
par Jérôme Stéphan,
professeur agrégé de lettres modernes

Méthodologie par Laure Humeau-Sermage

Flammarion

SOMMAIRE

TOUT POUR COMPRENDRE
Pages 5 à 38

➤ **Découvrir le contexte**

➤ **Découvrir l'œuvre**

MANON LESCAUT

Pages 39 à 219

TOUT POUR RÉUSSIR

Pages 221 à 285

➤ **Le parcours**

➤ Vers le bac

TOUT POUR COMPRENDRE

DÉCOUVRIR
LE CONTEXTE
+
L'ŒUVRE

Une vie d'aventures

➤ Le choix de l'évasion

Antoine François Prévost d'Exiles (1697-1763), **dit l'abbé Prévost**, a connu une vie tumultueuse, marquée par des rébellions multiples, des errances lointaines et un refus permanent du conformisme. Hésitant entre **une carrière militaire et une carrière ecclésiastique**, il fréquente les jésuites [1] en 1717, s'engage dans l'armée puis déserte et rejoint les bénédictins [2] en 1720. Il suit des études de théologie (théorie religieuse) et fréquente plusieurs abbayes dans lesquelles il est formé, notamment à la traduction savante. **Ordonné prêtre** en 1726, il quitte son monastère sans autorisation à la suite d'une demande de transfert qui n'a pas abouti. Dès lors, **il embarque pour Londres**, où il reste quelques années en qualité de précepteur, avant de s'enfuir, en 1730, après avoir tenté de séduire la fille de son patron. Il pose alors ses valises à Amsterdam, poursuivant une **existence de pleine liberté** revendiquée jusque dans le nom qu'il se choisit, symbolisant l'arrachement et la fuite : Prévost *d'Exiles*. De retour en Angleterre en 1733, il fonde une revue et creuse des dettes qui le poussent à commettre des malversations pour lesquelles **il est emprisonné**. Un an plus tard, revenu en France, il tente de se rapprocher à nouveau des bénédictins.

....

1. **Jésuites** : membres de la Compagnie de Jésus, ordre religieux fondé par Ignace de Loyola au XVIᵉ siècle.
2. **Bénédictins** : membres de l'ordre fondé par saint Benoît au VIᵉ siècle.

Adepte des sauts, des gambades et des retournements, il est habité par **une passion du changement et du dépaysement** dont témoignent nombre de ses ouvrages, telle son *Histoire générale des voyages* (1746-1759), étendue sur quinze volumes.

➤ Prévost, écrivain des Lumières

Profondément ancré dans son siècle, Prévost est un **auteur brillant, reconnu des esprits les plus illustres**. Familier du salon de Mme de Tencin (1682-1749), il noue dès 1736 une amitié solide avec Voltaire (1694-1778). Dix ans plus tard, en marge de son travail sur l'*Histoire générale des voyages*, **il rencontre Jean-Jacques Rousseau** (1712-1778), avec lequel il maintiendra des liens étroits.

➤ Une passion pour la littérature

Prévost nourrit un amour inconditionnel pour la littérature. Touche-à-tout de génie, il est l'**auteur de pas moins de 112 volumes**, et se consacre autant à des travaux de traduction (de penseurs latins et anglais notamment), à des ouvrages encyclopédiques ou des journaux moraux « à l'anglaise [1] » qu'à une production

1. Prévost fonde *Le Pour et Contre* (1733-1740), revue qui s'étend sur vingt volumes et qui se propose, sur le modèle des journaux anglais comme le *Tatler* (1709), le *Spectator* (1711) ou le *Gentleman's Magazine* d'Edward Cave (1731), de publier des fragments littéraires – extraits de romans réalistes (*novels*) – et de collecter des informations diverses « touchant le génie des Anglais, les curiosités de Londres et des autres parties de l'île, les progrès qu'on y fait tous les jours dans les sciences et les arts ».

romanesque qui lui assure la célébrité dès 1740, notamment grâce à l'*Histoire d'une Grecque moderne*. Par ailleurs, cet écrivain intrépide et fougueux tire de sa vie mouvementée et truffée de rebondissements la matière de ses œuvres de fiction. Nous le voyons dans *Manon Lescaut* (1731), qui conduit le lecteur d'Amiens jusqu'en Amérique.

➤ Son roman génial : *Manon Lescaut*

Publié au tome VII (le dernier) des *Mémoires et aventures d'un homme de qualité*, *Manon Lescaut* provoque le scandale dès sa parution et est condamné à l'autodafé (à être brûlé). **Largement autobiographique** [1], ce roman à **visée philosophique** développe les aspirations sentimentales des individus dans un monde où règnent les excès du rationalisme. Il annonce *La Nouvelle Héloïse* de Rousseau (1761) et ce pré-romantisme qui explore la thématique du bonheur impossible dans une société corrompue et la dimension tragique de l'amour.

➤ Fin de vie

Définitivement protégé des soucis d'argent par l'intervention du pape Benoît XIV, qui, en 1754, lui procure la charge du prieuré de Saint-Georges de Gesnes, près du Mans (Sarthe), **Prévost s'adonne à l'écriture romanesque et à de multiples traductions** dans la tranquillité de sa retraite. Un peu plus de trente ans après la rédaction de son chef-d'œuvre et alors qu'il se promène en forêt de Chantilly, **il est victime, le 25 novembre 1763, d'une attaque d'apoplexie** qui lui est fatale. La cause de sa mort, longtemps mise en doute, suscitera de la part de ses ennemis des récits légendaires largement fantasmés.

....

1. Les termes surlignés sont définis dans le Glossaire, p. 284.

CONTEXTE HISTORIQUE

Crises et mutations sociales

En France, le XVIIIe siècle voit le règne de Louis XIV décliner puis s'éteindre. L'historien Albert Soboul parle d'un siècle de « crise de l'Ancien Régime [1] », phénomène qu'il décrit en analysant la dégradation du climat social et le désordre qui frappe les institutions. Enfin et surtout, c'est le siècle de la **Révolution française**, celui qui enfante l'espoir de la « Déclaration des droits de l'homme et du citoyen » (1789) et de la Nuit du 4 août 1789, mais également les monstres de la Terreur (1793-1794) ; celui qui sonne le glas de l'absolutisme monarchique au prix des têtes de Louis XVI et de Marie-Antoinette.

➤ Une société prise dans l'étau des crises et de la colère

Une suite de crises économiques

La fin du règne de Louis XIV (1643-1715), caractérisée par un profond sentiment de décadence lié au **déclin politique**, laisse un pays pressuré par les interminables guerres (dont la dernière, la guerre de succession d'Espagne, s'étale sur plus d'une décennie, de 1701 à 1714). Le royaume est financièrement exsangue (sans force). **La première moitié du XVIIIe siècle s'inscrit sous le signe des crises économiques à répétition**. À la mort de Louis XIV, en 1715, le ministre des Finances du régent Philippe d'Orléans, le duc de Noailles, constate

....

1. Albert Soboul, *La Révolution française*, Gallimard, coll. « Tel », 1984, introduction, p. 49-56.

que « le Trésor est absolument vide ». Le royaume de France fait appel à un économiste écossais, John Law [1], qui **crée la Banque générale dont l'objet est d'émettre du papier-monnaie contre de l'or**. Ambitieuse, cette aventure se solde par un échec cuisant et donne lieu au **premier krach boursier de l'histoire**. Les conséquences sociales ne se font pas attendre : Paris s'embrase sous le coup d'émeutes d'une extrême violence.

Une crise fiscale et des troubles sociaux

Sur le front extérieur, la reprise des guerres (guerre de succession de Pologne, guerre de succession d'Autriche, guerre coloniale avec l'Angleterre) plonge davantage encore les finances publiques dans le chaos. Le tiers état, le seul ordre à payer des impôts, se trouve accablé par des prélèvements de toutes sortes. **Une crise fiscale éclate**, à laquelle le pouvoir tente de répondre par la création d'un nouvel impôt, qui se veut universel : le Vingtième (1749). Néanmoins, le remède paraît fragile, et au poids de la fiscalité s'ajoute le problème d'une hausse générale des prix, qui a pour corollaire une **floraison sans précédent de « jacqueries » (révoltes paysannes) sur tout le territoire**, puis des émeutes de la faim (1775) débouchant sur la « guerre des farines » provoquée par la libéralisation par Turgot, ministre de Louis XVI, du commerce du grain.

➤ Ruralité archaïque et essor urbain

Sur les 28 millions d'habitants que compte la France à la fin du XVIIIe siècle, plus de 20 millions vivent à la campagne. Le monde rural est soumis à une organisation traditionnelle extrêmement rigide

....

1. **John Law** (1671-1729) : auteur de l'ouvrage *Considérations sur le numéraire et le commerce* (1705), cet économiste pense qu'une plus forte circulation de la monnaie permettrait de démultiplier les échanges commerciaux et la croissance économique.

dominée par le seigneur ou l'abbé. Si la petite noblesse et les propriétaires terriens (essentiellement laboureurs) connaissent une certaine aisance et profitent d'une relative amélioration des conditions d'exploitation de la terre, **l'immense majorité des ruraux (journaliers, fermiers...) est victime de la pauvreté.**

Pourtant, sous l'influence du commerce – notamment maritime (enrichissement des villes concernées par le commerce des esclaves, comme Bordeaux) – le XVIIIe siècle connaît un essor urbain majeur qui contribue à la **redéfinition de la hiérarchie sociale.** En effet, le développement des échanges favorise la bourgeoisie et entraîne une **crise du modèle aristocratique**, fortement contesté. Dans le roman de Prévost, le chevalier des Grieux s'amourache d'ailleurs d'une femme du peuple, vendue comme prostituée, et souffre tout au long de son parcours d'un manque d'argent qui le met à la merci de nombreux itinérants lui vendant leurs services.

La noblesse et le clergé sont de plus en plus regardés comme des ordres parasites qui apportent moins à la société qu'ils ne reçoivent d'elle. **Les bourgeois leur font concurrence et tendent à les déposséder de leur influence.** Dans *Le Mariage de Figaro* de Beaumarchais, le célèbre monologue de Figaro à la scène 3 de l'acte V se présente comme une formidable synthèse du ressentiment de l'époque contre une caste dominante qui concentre dans ses mains, sans justification, les privilèges et les richesses : « Noblesse, fortune, un rang, des places ; tout cela rend si fier ! Qu'avez-vous fait pour tant de biens ? Vous vous êtes donné la peine de naître, et rien de plus [1]. » Rédigée en 1778, cette pièce de théâtre appartient à ces œuvres du répertoire des Lumières qui contribuent à propager l'esprit révolutionnaire.

....

[1]. Beaumarchais, *Le Mariage de Figaro*, Flammarion, coll. « Étonnants Classiques », 2019, V, 3, p. 216.

Le renouveau des Lumières

➤ Lieux de sociabilité littéraire

Le XVIIIe siècle regorge d'espaces de sociabilité féconds que la postérité nomme « salons littéraires » et dont les plus célèbres sont tenus par des **femmes érudites qui allient aux traditions d'hospitalité les grâces d'un savoir-vivre à la française**. Véritables phénomènes culturels, ces salons, qui réunissent des esprits raffinés, encouragent l'émergence de consciences éclairées en faisant vivre l'émulation (saine compétition) entre lettrés et philosophes. Ainsi, la maison de Mme de Lambert (1647-1733), celle de Mme Geoffrin (1699-1777) ou encore celle de Mlle de Lespinasse (1732-1776) représentent autant de microcosmes favorables aux rencontres. **Les plus grands auteurs se retrouvent pour deviser, jouer ou débattre de sujets divers** piochés dans les arts ou les sciences et évoqués librement. La vogue des salons contribue à ériger le dialogue d'idées en modèle : Diderot (1713-1784)[1], mais aussi Rousseau[2], Voltaire[3], Marivaux (1688-1763)[4] et Montesquieu (1689-1755)[5] confrontent dans leurs textes une pluralité de points de vue.

....

1. Ses romans comme *Jacques le Fataliste* sont constitués de dialogues.
2. *Lettre à d'Alembert sur les spectacles*, *Rousseau juge de Jean-Jacques*.
3. Voir la prégnance du dialogue philosophique dans ses contes.
4. Dans le théâtre de Marivaux, le dialogue se construit dans une dynamique conflictuelle qui suscite l'avènement d'un nouvel ordre social.
5. Dans *Lettres persanes*, roman épistolaire mettant en scène des voix d'ici et d'ailleurs, Montesquieu cherche à faire réfléchir son lecteur.

➤ Le siècle des « philosophes »

Montesquieu, Voltaire, Diderot, Rousseau : ces personnages illustres se font tous appeler « philosophes ». Cette désignation est d'abord revendiquée par des hommes de lettres qui, dans les dernières années du règne de Louis XIV, **contestent un certain nombre de mesures autoritaires** décidées dans le sillage de la révocation de l'édit de Nantes, qui conduit à la persécution des protestants. À leurs yeux, le devoir des philosophes est de combattre l'arbitraire, les outrances et les injustices.

La pensée et l'action des hommes des Lumières se structurent autour d'un **projet central et majeur, celui de l'***Encyclopédie***,** dont le chantier, lancé en 1751, court sur vingt ans. Les philosophes agrègent à eux des personnalités diverses : des hommes politiques, des voyageurs célèbres, des économistes, des savants...

La philosophie des Lumières se construit *contre*. Elle revendique un certain nombre de refus symboliques, parmi lesquels celui du récit chrétien qui prétend tout ramener à l'unique source de la Bible. Ainsi, **l'esprit nouveau défait le principe d'autorité au nom de la liberté intellectuelle.**

Soucieux de parler au plus grand nombre et de transmettre à tous les idées nouvelles, **les philosophes misent sur la vulgarisation** (Voltaire popularise les thèses du physicien Newton) et ont recours à des formes d'expression simples, efficaces et populaires, tels les contes. L'enjeu est d'importance : il s'agit de donner au tiers état les armes nécessaires à sa propre libération.

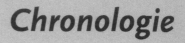

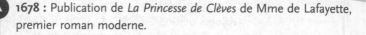

A **1678 :** Publication de *La Princesse de Clèves* de Mme de Lafayette, premier roman moderne.

1697 : Naissance d'Antoine François Prévost d'Exiles, dit l'abbé Prévost, à Hesdin (Pas-de-Calais).

1711 : Mort de la mère et de la sœur de Prévost. Engagement dans l'armée puis désertion.

1713 : Publication des *Illustres Françaises* de Robert Challe, source d'inspiration majeure de Prévost.

1715 : Mort de Louis XIV, fin du siècle classique. Régence du duc d'Orléans et enfoncement de la France dans la dette et les crises.

1720 : Prévost prononce ses vœux de bénédictin.

1726 : Prévost est ordonné prêtre.

1728-1732 : Publication des *Mémoires et aventures d'un homme de qualité*.

A   B

1731 : Prévost s'amourache d'une aventurière nommée « Lenki », qui pourrait bien être le modèle biographique de Manon Lescaut.

1731 : Publication de *Manon Lescaut* de Prévost (tome VII des *Mémoires et aventures d'un homme de qualité*).

1740 : Publication de l'*Histoire d'une Grecque moderne* de Prévost.

1746-1759 : Rédaction et publication des quinze volumes de l'*Histoire générale des voyages* de Prévost.

1749 : Création du Vingtième, nouvel impôt.

B **1751-1772 :** Rédaction et publication de l'*Encyclopédie*.

C **1761 :** Publication de *La Nouvelle Héloïse* de Rousseau, roman emblématique du pré-romantisme.

1763 : Mort de Prévost.

1775 : Guerre des farines : série d'émeutes.

1778 : Publication du *Mariage de Figaro* de Beaumarchais, œuvre annonciatrice de la Révolution française.

D **14 juillet 1789 :** Prise de la Bastille.

Nuit du 4 août 1789 : Abolition des privilèges.

GENÈSE
ET POSTÉRITÉ

Un roman de la sensibilité

➤ Un récit à part

Manon Lescaut est rédigé par l'abbé Prévost après l'achèvement des tomes V et VI des *Mémoires et aventures d'un homme de qualité* (1731), dont le succès fut considérable. L'écrivain conçoit l'*Histoire du chevalier des Grieux et de Manon Lescaut* – c'est le titre original de l'ouvrage, qui sera ensuite simplifié – comme un nouveau chantier, une **réalisation romanesque différente et inédite, isolée de ses écrits précédents**. Ainsi souhaite-t-il que ce texte soit publié à part et seul. Il n'est cependant pas écouté par les libraires de la Compagnie d'Amsterdam, désireux quant à eux d'intégrer cette narration aux *Mémoires et aventures d'un homme de qualité*, roman particulièrement rentable dont un lectorat étendu attend sans cesse la suite. Ils ont le dernier mot, et les aventures de des Grieux et de Manon Lescaut seront présentées comme le tome VII de cette saga. Le ressentiment de l'abbé Prévost se vérifie jusque dans l'« Avis de l'auteur », où, à travers les confidences de M. de Renoncour[1], nous pouvons lire ses réticences à inscrire l'œuvre qui nous occupe dans un ensemble qui lui est étranger : « Quoique j'eusse pu faire entrer dans mes *Mémoires* les aventures du chevalier des Grieux, il m'a semblé que n'y ayant point un rapport nécessaire, le lecteur trouverait plus de satisfaction à les voir séparément » (p. 41).

....
1. Auteur fictif des six premiers tomes des *Mémoires et aventures d'un homme de qualité*.

➤ Les influences à l'œuvre

Tradition romanesque

Le roman de l'abbé Prévost puise en premier lieu dans **une tradition littéraire qui remonte au** xvie **siècle** et qui restitue la dimension tragique de certains parcours individuels. Ainsi, des auteurs de la Renaissance et du monde baroque comme Marguerite de Navarre ou Jean-Pierre Camus sont autant de figures inspiratrices alimentant le travail romanesque de Prévost. Ce dernier est en effet un lecteur de *L'Heptaméron* [1], qui raconte – sous la forme de récits d'histoire pris en charge par des narrateurs internes – des amours crues, mais aussi des *Spectacles d'horreur* [2] qui restituent notamment **les ravages de la jalousie et des sentiments incontrôlés**. L'auteur de *Manon Lescaut* s'appuie sur un imaginaire violent et parfois sanguinaire dont nous trouvons certaines traces à travers les colères du héros. D'ailleurs, les fictions noires enfantées au xviie siècle par Mme de Villedieu (1640-1683) contribuent elles aussi à forger une conception de la passion que Prévost reprendra à son compte et conduira plus loin.

En second lieu, *Manon Lescaut* se nourrit du regard jeté par Prévost sur la littérature de son temps. Ainsi, le roman voit le jour après la découverte par son auteur, à la fin de 1730, du texte des **Illustres françaises** de **Robert Challe** (1659-1721), suite de sept nouvelles réalistes rédigées en 1713. Bouleversé par cet ouvrage, qui met en scène les passions violentes de sept héroïnes tentées par le libertinage (refus des contraintes, notamment morales) et confrontées aux désordres de l'amour, Prévost s'en inspire pour bâtir la structure de son œuvre et en établir l'ambition morale. D'une part, en effet, l'idée

....

1. Marguerite de Navarre, *L'Heptaméron* (1559).
2. Jean-Pierre Camus, *Les Spectacles d'horreur* (1630).

d'insérer **une multiplicité d'histoires prises en charge par des narrateurs internes dans une histoire cadre** provient directement du modèle narratif érigé par Challe. D'autre part, la volonté de tirer de la fiction racontée un **exemple moral** est commun aux deux écrivains, Prévost présentant sa narration comme « un traité de morale, réduit agréablement en exercice » ou encore « un exemple terrible de la force des passions » (« Avis de l'auteur », p. 44 et 42).

Registre tragique et tradition philosophique

Roman de l'amour fou, *Manon Lescaut* est un **plaidoyer de la passion amoureuse qui consume l'être**. En cela, Voltaire y voit la manifestation d'une « langue naturelle » confinant à ce « langage des passions » qui est le propre du genre tragique[1] auquel Prévost ne s'est jamais prêté, mais qu'il ne néglige pas pour autant, la structure de son texte épousant le schéma des grandes pièces raciniennes[2]. Plus encore, en opposant ses personnages à la Providence, instance rigoureuse qui impose à l'homme le long ballet de ses errances, mais aussi en les livrant à l'ivresse des plaisirs éphémères, Prévost se rattache à la philosophie de Malebranche (1638-1715) pour qui **la recherche du bonheur individuel dans l'amour entraîne la perdition des hommes**[3].

➤ Regards sur l'œuvre et sa réception

Si les contemporains de Prévost ont souvent envisagé *Manon Lescaut* comme un roman de mœurs développant les tendances

....

1. Lettre du 28 décembre 1735, citée par Jean Sgard dans Prévost, *Manon Lescaut*, Flammarion, 1995, p. 29.

2. Voir à ce sujet, *ibid.*, p. 29-30.

3. Voir par exemple le *Traité de morale* de Malebranche (1684), et notamment la première partie (« De la vertu »), dans laquelle l'auteur écrit : « L'homme ne cherche que le plaisir, et il néglige le principe de son bonheur éternel, la connais-

vicieuses d'individus marginalisés par l'amour [1], l'histoire littéraire s'est quant à elle déployée en trois champs d'analyse :

• **La lecture « classique »** : synthétisée par La Harpe dans son *Cours de littérature* (1799), cette vision de l'œuvre de Prévost érige l'écrivain en fin analyste de la psychologie humaine et tend à inscrire ce roman dans la continuité des travaux de Mme de Lafayette (*La Princesse de Clèves*, 1678), de Lesage (*Gil Blas*, 1715-1735) ou de Marivaux (*La Vie de Marianne*, 1731).

• **La lecture autobiographique** : elle se développe sous la Restauration et est présentée notamment par Villemain dans son *Tableau de la littérature au XVIIIe siècle* (1829). Elle repère les similitudes entre le destin du couple et celui de Prévost.

• **La lecture pré-romantique** : elle est initiée à la fin du XIXe siècle [2] et fait de *Manon Lescaut* le roman préfigurateur de *La Nouvelle Héloïse* de Rousseau (1761) et du mouvement romantique, qui naît en Allemagne avec *Les Souffrances du jeune Werther* de Goethe (1774) et en France avec les *Méditations poétiques* de Lamartine (1820). Elle rend compte de la naissance d'une nouvelle sensibilité, née d'un décalage entre l'idéal et la réalité.

....

sance et l'amour semblables à la connaissance et à l'amour de Dieu, la connaissance de la vérité et l'amour de l'Ordre », Paris, E. Thorin, 1882, p. 8.

1. Dans une note de lecture datée du 6 avril 1734, Montesquieu écrit à propos de *Manon Lescaut* : « Le héros est un fripon et l'héroïne une catin » (*Pensées et fragments inédits*, Bordeaux, Gounouilhou, 1901, in-8°, t. II, p. 61).

2. Brunetière, *Manuel de l'histoire de la littérature française*, 1898.

Instruire et plaire

Le XVIIIᵉ siècle, dans la lignée de Mme de Lafayette (*La Princesse de Clèves*, 1678), développe le genre romanesque en l'inscrivant plus strictement dans la réalité. Fortement attaqué au XVIIᵉ siècle, le roman cherche, à l'aube des Lumières, à se réinventer pour répondre aux accusations d'invraisemblance et **conquérir un vaste lectorat**. À l'instar de Marivaux, pour qui le genre romanesque ne doit s'attacher qu'à la description intime des mouvements du cœur, ou de Diderot, qui donne au lecteur une place nouvelle dans l'architecture narrative, l'abbé Prévost puise son inspiration dans la **vérité psychologique** et contribue à signer le **triomphe du réalisme** grâce à son analyse des sentiments. Au sein d'une société française mouvante, dans laquelle les classes sociales tendent à s'estomper, le roman encourage désormais les **épopées individuelles de héros en quête de réussite et avides d'ambition**. Avec *Manon Lescaut*, il s'agit pour le romancier de dresser une étude clinique des progrès de la passion dans l'âme de personnages pour lesquels l'amour est le sentiment premier.

➤ Le renouveau du roman

Peu codifié et même mal vu jusqu'au XVIIIᵉ siècle, le roman se donne comme le **genre de tous les possibles**. Il dessine en effet un espace de liberté qui ouvre la voie à un vaste panel d'expérimentations pour des écrivains à la recherche de nouveaux modes d'expression et de nouvelles formes. Le renouvellement du roman est repérable à trois tendances : le choix de la vraisemblance, la culture de l'agrément, et la mise en avant du bonheur comme questionnement existentiel fondamental.

Le choix de la vraisemblance

Le cadre spatial dans lequel le roman de Prévost se déroule jure avec « l'univers préservé de la tragédie ou du roman mondain du siècle précédent [1] ». En effet, le contexte social influence l'action des personnages et projette le lecteur « dans l'atmosphère parfois empestée du demi-monde et des bas-fonds [2] ». Le héros, issu d'« une des meilleures maisons de P... » (p. 53), semble sans cesse se discréditer par des **actions en contradiction avec son statut social**. Ainsi, rongé par la jalousie et transfiguré par la passion, c'est lui qui veut poignarder « de [sa] propre main » (p. 160) G... M... et sa maîtresse et qui, accablé de colère et de rage, en fait tomber son chapeau et sa canne, signe d'une **dégradation sociale manifeste**. De fait, *Manon Lescaut* rend compte d'une forme de mobilité sociale préfigurant les bouleversements de la Révolution française qui emportera l'Ancien Régime, dans la mesure où il met en scène la mésalliance par laquelle un chevalier, en la personne de des Grieux, s'éprend de Manon, une courtisane « d'une naissance commune » (p. 58) et très flattée de plaire à un aristocrate.

La culture de l'agrément

Le plaisir est érigé par les romanciers du XVIIIe siècle en nécessité absolue. La réussite d'un roman dépend de son degré d'agrément. Ainsi, le lecteur ne doit connaître aucun répit et il est inconcevable qu'une narration puisse, à quelque moment que ce soit, lui procurer

....

1. F. Deloffre et R. Picard, dans « Introduction » de *Manon Lescaut*, Gallimard, 2008, p. 116.
2. *Ibid.*

de l'ennui. Dès « L'avis de l'auteur » de *Manon Lescaut*, le narrateur fait allusion à la « satisfaction » de son lectorat, qu'il établit en critère majeur de son travail. De fait, reprenant des vers célèbres d'Horace comme argument d'autorité, **il met en avant des préceptes poétiques qui refusent tout ce qui pourrait alourdir l'œuvre ou l'amputer d'une partie de son intérêt** : « Je n'ignore point qu'une narration doit être déchargée des circonstances qui la rendraient pesante et embarras-sée » (p. 41). Pour Prévost, il ne fait pas de doute que l'objectif d'un bon texte romanesque est d'offrir à celui à qui il est destiné « le plaisir d'une lecture agréable » (p. 42). Or ce « plaisir » n'est pas inconci-liable avec les enjeux éducatifs hérités du roman de mœurs classique, puisqu'**il est à la fois question d'instruire le « public » et de l'amuser.**

Une réflexion existentielle sur le bonheur

Dans le sillage de la philosophie des Lumières, le roman de Prévost soulève des questionnements existentiels graves. Ainsi en est-il du bonheur. Dans son « avis », l'auteur évoque cette « vie heureuse » qui pousse « les personnes d'un certain ordre d'esprit et de poli-tesse » (p. 42) à s'entretenir sans cesse « à cœur ouvert des charmes de la vertu, des douceurs de l'amitié, des moyens d'arriver au bon-heur, des faiblesses de la nature qui nous en éloignent, et des remèdes qui peuvent les guérir » (p. 43). Apparaît d'emblée l'une des problématiques centrales d'un roman mettant en scène la « bizarrerie du cœur humain » (p. 42) et ses contradictions : **la connaissance et l'estime que les hommes et les femmes ont des préceptes de la morale, censés conduire à la vertu et au bien suprême, ne les empêchent aucunement de s'y soustraire par leurs actions.** Dès lors, la possibilité même d'atteindre la félicité est en cause, le héros dou-tant de ses pouvoirs en la matière. D'ailleurs, son ami Tiberge ne cesse – vainement – de mettre des Grieux en garde contre « un fantôme de bonheur » (p. 134) dont les illusions le menacent. Il n'en reste pas moins que la quête d'un bien-être embrassant des formes multiples oriente la trajectoire du chevalier et de Manon, **deux figures de la modernité** aux prises avec une société traversée par des « forces différentes » et des « idées contraires [1] ».

➤ Du roman de mœurs au roman des passions

Loin de nier l'importance de la « gloire », valeur aristocratique première chez Corneille, tant mise à mal chez Prévost, des Grieux sait combien l'engrenage de la passion pourrait le marginaliser parmi les siens et faire de lui « la fable de toutes les personnes de [s]a connaissance, et la honte de [s]a famille » (p. 110). Pourtant, les sentiments qui l'étreignent à la seule pensée de Manon emportent tout raisonnement et le soumettent à la **terrible loi de la passion**. De fait, incapable de se maîtriser lorsque sa belle l'attendrit par ses mots, le héros affirme se sentir « le cœur emporté par une délectation victorieuse » (p. 80). Dès lors, c'est de sa liberté même dont il est dépouillé. **Dépossédé de sa faculté d'agir en être responsable**, « la gloire [lui] paraît une fumée » (p. 80) et il exprime le péril vers lequel il court sans pouvoir pourtant l'éviter : « Je vais perdre ma fortune et ma réputation pour toi, je le prévois bien ; je lis ma destinée dans tes beaux yeux, mais de quelles pertes ne serai-je pas consolé par ton amour ! » (p. 80). Tout le roman de Prévost s'analyse dans cette conscience terrible qu'a le héros du **déclassement moral** auquel le soumettent les délices ravageuses de l'amour, sans pouvoir pour autant le conjurer.

....
1. Paul Bénichou, *Morales du grand siècle*, Gallimard, 1948, p. 10.

Une œuvre originale

➤ L'amour fou

Préfigurateur du romantisme et plein d'une **mémoire marquée par les nuances de la *fin'amor* (amour courtois) et par les grandes passions amoureuses des chevaliers médiévaux**, Prévost met en scène **un héros anachronique**, distinct de ses semblables par l'intensité des sentiments qui le traversent. L'amour fou le définit et le fait paraître étrange aux yeux du monde.

L'amour est en effet considéré comme une force destructrice emplie de négativité. À cet égard, le commerce amoureux qu'entretiennent Manon et des Grieux est caractérisé par la **récurrence d'éclats violents**, le **recours à la trahison** et les **assauts de la jalousie**. Entre les amants, l'idylle est impossible. Le sentiment amoureux les conduit aux antipodes de la fusion harmonieuse des cœurs. Ainsi, lorsque le chevalier, profitant de l'absence momentanée de son rival G... M..., pénètre dans la pièce où Manon est en train de lire et se met à l'invectiver, l'accusant de détruire le lien qui les unit par ses perfidies et son infidélité, celle-ci est saisie par la violence de la réaction de des Grieux. Elle exprime alors tous les signes de l'épouvante et se confond en des tremblements de stupeur qui évoquent assez la terreur que peut inspirer un amant furieux. En ce sens, **la passion amoureuse présuppose la possibilité de la tragédie**. Elle porte en elle l'élan vital, mais aussi les hypothèses les plus macabres. D'ailleurs, à la fin du roman, même exilé en Amérique et éloigné d'une société accusée de persécuter ceux qui s'aiment, des Grieux demeure animé par un imaginaire explosif. Confronté à Synnelet, personnage qui lui dispute son droit au mariage avec Manon, il s'affirme en lui-même « résolu [...] de donner à l'Amérique une des plus sanglantes et des plus horribles scènes que l'amour ait jamais produites » (p. 210). Là encore, il fait preuve d'un fanatisme amoureux qui contient les germes de tous les débordements.

➤ L'amitié

Opposée à l'amour comme la fidélité l'est à l'infidélité, l'amitié se donne dans le roman comme un sentiment raisonnable et dénué d'excès. Il est sans conteste **le remède le plus sûr face au risque de marginalité amoureuse**. À cet égard, tout au long de son parcours, des Grieux trouve dans l'amitié indéfectible de Tiberge un refuge à même d'atténuer les revers de fortune qu'il subit. D'ailleurs, c'est la plupart du temps vers son ami qu'il se tourne, soucieux de « retrouver [en lui] toujours le même fond de zèle et d'amitié » (p. 90) et d'échapper ainsi aux désordres de la réalité.

L'amitié est l'une des thématiques sur lesquelles des Grieux se penche le plus, et ce, de manière théorique, sur le mode de la confidence, quand il évoque « les mille bonnes qualités » (p. 55) de Tiberge, personnage se singularisant selon lui « par un zèle et une générosité en amitié qui surpassent les plus célèbres exemples de l'Antiquité » (p. 55). En outre, des Grieux n'hésite pas à relire rétrospectivement ses propres aventures à l'aune des effets produits par cette amitié, anticipant alors sur des scènes à venir : « Son amitié en fut plus disposée, dans la suite, à me donner des secours, sans lesquels j'aurais péri infailliblement de misère » (p. 120). Les nombreux commentaires de ce genre brisant la linéarité du récit mettent en relief le **caractère inaltérable de la valeur de l'amitié**. Pour ne donner qu'un ultime exemple, lors de sa rencontre avec Tiberge au Luxembourg et tandis que Manon l'attend dans une auberge de Chaillot, le héros se montre déterminé à obtenir un appui financier pour réparer sa bourse et vérifie une fois de plus la magnanimité de son ami. C'est alors qu'il souligne à son propos « cet air ouvert et ce plaisir à donner qui n'est connu que de l'amour et de la véritable amitié » (p. 137).

Toutefois, l'amitié de Tiberge ne se résume pas à apporter son aide sans contrepartie. Lui-même obtient de l'amitié du héros des bénéfices indéniables. En effet, dégoûté par une société pour laquelle il n'a que « mépris », il entrevoit sa relation avec des Grieux comme un rempart contre l'isolement. Il fait d'ailleurs au chevalier la confidence suivante : « Devineriez-vous [...] ce qui m'empêche de courir à la solitude ? C'est uniquement la tendre amitié que j'ai pour vous » (p. 74).

L'amitié ne serait-elle donc pas l'ultime garde-fou empêchant la dislocation des valeurs dans un monde où « [l]a plupart des grands et des riches sont des sots » (p. 87) ?

➤ Mise en abyme romanesque et jeux d'enchâssement

Deux narrateurs

Manon Lescaut est un roman complexe constitué de l'**imbrication de deux récits** : un récit cadre, dont le narrateur est Renoncour, et un récit enchâssé, qui a pour narrateur des Grieux.

L'« homme de qualité » désigné dès l'« Avis de l'auteur » est Renoncour, le narrateur fictif des six premiers tomes des *Mémoires et aventures d'un homme de qualité* rédigés par Prévost. C'est ce même **personnage-narrateur** qui **s'exprime dès l'entame de la première partie** de l'œuvre et qui évoque sa rencontre avec des Grieux : « Je suis obligé de faire remonter mon lecteur au temps de ma vie où je rencontrai pour la première fois le chevalier des Grieux » (p. 47). La fiction enchâssée dans le roman enchâssant naît de cette rencontre mentionnée au seuil des aventures de des Grieux. Puis, dans la suite du texte, Renoncour signifie sa présence au lecteur par des interventions qui visent à maintenir le fil narratif initial et le cadre temporel du discours que lui tient le chevalier et qu'il restitue par écrit. Par exemple, nous pouvons lire à la fin de la première partie comme une manière de transition avant le saut dans la deuxième : « Le chevalier des Grieux ayant employé plus d'une heure à ce récit, je le priai de prendre un peu de relâche, et de nous tenir compagnie à souper » (p. 140). Ce type de commentaires permet **la mise à distance de la voix du narrateur interne** que figure des Grieux, et amène le lecteur à méditer à la fois sur la teneur des actions du héros et sur la structuration de la diégèse.

L'enrichissement narratif

Le système de la mise en abyme romanesque multiplie les médiations et les figures de lecteurs. En effet, si Renoncour apparaît, dans le récit enchâssé que lui livre des Grieux, comme un narrataire aux allures de lecteur idéal [1], nous sommes nous-mêmes l'objet des expériences auxquelles l'auteur se prête dans son œuvre.

Le jeu de construction narratif se trouve encore enrichi par la création d'une sorte de **théâtre de la parole** dans lequel des Grieux reconstitue des scènes saisissantes qui forment sous nos yeux autant de

....
1. Avant même de commencer son récit, des Grieux s'adresse ainsi à la bienveillance de Renoncour, supposant de lui suffisamment d'indulgence pour estomper par sa compassion la rigueur de ses possibles condamnations morales : « Je suis sûr qu'en me condamnant, vous ne pourrez pas vous empêcher de me plaindre. »

courts spectacles surprenants. Il raconte ainsi deux épisodes essentiels en insistant sur la dimension dramatique des conflits engendrés au sein de son couple.

• D'une part, lors de la « friponnerie » à laquelle les personnages se livrent pour dépouiller G... M... de sa fortune, nous remarquons la finesse d'élaboration du plan machiavélique censé conduire à la duperie du vieux barbon. Aidée de son frère, **Manon s'érige en dramaturge, voire en metteuse en scène** d'une action qu'elle imagine dans l'objectif de « donner le plaisir d'une scène agréable ». Ainsi demande-t-elle à son amant, le chevalier, de jouer le rôle d'un « écolier » qui ne serait autre que son petit frère, afin de tromper le vieillard et de se moquer de son aveuglement. Transformé en acteur de comédie, des Grieux se prend au jeu, dépeignant à G... M..., par des **propos à double entente** que le fermier général ne comprend pas, toute l'étendue de la supercherie. Figurant une « ridicule scène » dans laquelle ils sont tour à tour acteurs de leur propre rôle ou spectateurs, Manon, son frère et des Grieux donnent au lecteur du roman l'occasion de se dédoubler lui-même en spectateur d'une **séquence de « théâtre dans le théâtre » d'un genre particulier**.

• D'autre part, au début de la deuxième partie du roman, l'acte par lequel Manon éconduit le prince italien au profit de des Grieux revêt les apparences d'une scène de genre empruntée à **la tradition de la farce**. Troisième élément d'un triangle amoureux pour le moins curieux, « l'étranger » est soumis à la violence d'un plan élaboré de toutes pièces par Manon et qui le force à s'arrêter « au milieu de la chambre », surpris par « un spectacle qui ne dut pas lui causer peu d'étonnement » (p. 148). Statufié malgré lui en spectateur, le prince italien regarde Manon, sidéré. Le chevalier fait de même, comprenant alors ce qu'était la « folle harangue » (p. 149) de Manon – qu'il qualifie de « plaisanterie [...] excessive » (p. 149). Mais, finalement, quoi de plus savoureux et de plus comique que cette saynète qui paraît être jouée à l'impromptu, mais qui est en réalité croquée sur le vif, et avec talent, par le narrateur des Grieux qui ne ménage aucun effet pour emporter son auditoire [1] ?

....

1. Tout comme l'auteur lui-même, qui utilise toutes les ressources de son art pour captiver le lecteur.

Résumé
du roman

Avertissement
Ce tableau contient des révélations sur l'intrigue.

PREMIÈRE PARTIE

Février 1715, Pacy : Rencontre dans une hôtellerie entre des Grieux et Renoncour.

Octobre-novembre 1716, au Lion d'Or, à Calais : Retrouvailles entre des Grieux et Renoncour. Le premier raconte alors son histoire au second.

Été 1712 : Des Grieux achève ses études de philosophie ; rencontre avec Manon ; fuite des amants ; trahison de Manon avec M. de B.

Renouvellement de l'année scolastique : Conversion et guérison de des Grieux qui reprend ses études à Saint-Sulpice avec Tiberge.

Printemps 1714-janvier 1715 : Retrouvailles passionnées avec Manon et nouvelle fuite ; rencontre avec Lescaut, frère de Manon, et intégration à la Ligue de l'Industrie ; aventures de Manon avec M. de G... M... puis crapulerie envers ce dernier ; arrestation des amants ; évasion de des Grieux puis enlèvement de Manon ; assassinat de Lescaut par un joueur dupé.

DEUXIÈME PARTIE

Février 1715 : Tour joué au prince italien puis au jeune G... M... ; nouvelle arrestation des amants et emprisonnement ; libération de des Grieux après l'intervention de son père ; déportation de Manon, que des Grieux décide de suivre.

Printemps 1715, Nouvel-Orléans : Deux mois de navigation ; protection du Gouverneur ; période de bonheur ; rétablissement de la fortune des amants.

Hiver-printemps 1716 : Le Gouverneur, mis au fait de la vérité sur des Grieux et Manon, veut donner cette dernière à son neveu ; duel entre des Grieux et Synnelet ; fuite des amants dans le désert ; mort de Manon ; de retour auprès du Gouverneur, des Grieux est gracié ; « violente maladie » du héros durant trois mois ; six semaines plus tard, retrouvailles avec Tiberge ; retour au Havre ; mort du père de des Grieux.

Les figures du roman

Avertissement
Cette section contient des révélations sur l'intrigue.

RENONCOUR est le narrateur premier de *Manon Lescaut*, celui à qui des Grieux confie ses aventures. Il est également le narrateur fictif de l'ensemble des six premiers tomes des *Mémoires et aventures d'un homme de qualité*. Il rencontre les amants par hasard à Pacy, dans une auberge où sont massées des femmes vouées à la déportation en

Amérique : il est d'emblée frappé par la beauté et la tristesse de la jeune femme et par l'allure du chevalier qui affiche les signes contrits de la consternation et de la détresse. Ce n'est qu'après avoir écouté des Grieux s'épancher sur ses aventures (à Pacy puis lors d'un second entretien deux ans plus tard) qu'il décide d'en retranscrire l'histoire. Tout au long de l'œuvre, il sort de son rôle de narrataire pour s'adresser directement au lecteur, ménageant ainsi des transitions entre les différentes séquences romanesques.

DES GRIEUX : C'est à dix-sept ans, au moment des vacances et après avoir achevé ses études de philosophie, que des Grieux rencontre Manon à Amiens. Ses parents sont issus d'« une des meilleures maisons de P... » (p. 53), tandis que la jeune femme est une figure populaire aux mœurs douteuses. En s'amourachant d'elle et en s'enfuyant avec elle, le chevalier risque la réputation de sa famille et la perte de son honneur de gentilhomme. Héros anachronique persécuté par les différentes autorités morales qui fondent la société (paternelle, religieuse, policière), il reste fidèle au schéma courtois des fins amants médiévaux. Influencé par les charmes de Manon, qui agissent sur lui comme un sortilège, il ne cessera de se compromettre au nom de leur amour auquel il croit avec une confondante naïveté.

MANON LESCAUT : Quand elle rencontre des Grieux à l'été 1712, Manon Lescaut est sur le point de rejoindre un couvent qu'on lui destine pour conjurer son penchant trop prononcé pour la sensualité. Jeune, distinguée et jolie, elle sait jouer de ses charmes en toute circonstance et manipuler suffisamment ses prétendants pour obtenir d'eux ce qu'elle souhaite. Ainsi de des Grieux. Aiguillonnée par son désir d'argent et ses appétits charnels, elle multiplie les conquêtes masculines, accablant le chevalier par ses trahisons successives. Chaque amant l'entretient et lui ouvre sa bourse afin de financer son train de vie. Tous sont pourtant également trahis par la « friponnerie » d'une héroïne qui s'accapare leurs biens pour toujours retourner auprès de des Grieux qui, seul, semble l'aimer invariablement. Emprisonnée à deux reprises, la jeune femme est finalement condamnée à être déportée au Nouvel-Orléans, où des Grieux l'accompagne et où elle meurt.

TIBERGE : Indéfectible ami de des Grieux, présent du début à la fin du roman, Tiberge se montre près du chevalier dans les moments heureux et malheureux. C'est lui qui le soutient lorsqu'il est emprisonné ou que l'argent lui fait défaut, lui prodiguant des conseils et des leçons de morale, l'invitant à cesser son errance sentimentale et à se convertir à une vie moins légère. Les sentiments du héros à son égard ne changent jamais et l'amitié apparaît comme une valeur que déterminent la constance et la fidélité.

LE PÈRE DE DES GRIEUX : Le père de des Grieux est un personnage ambigu, dans la mesure où sa personnalité et son action sont considérées à travers le regard subjectif du chevalier. Certes, s'affirmant comme une figure d'autorité et d'amour, il s'inquiète en permanence pour son fils, épris d'une femme de mauvaise vie, roturière et séductrice.  Dès lors, il cherche à ramener le héros dans le cadre de la moralité nobiliaire par ses conseils ou ses interventions. Il obtient par exemple, en échange de la déportation de Manon, la libération de des Grieux au moment de son incarcération au Châtelet.

LESCAUT, FRÈRE DE MANON : Personnage particulièrement trouble mêlé à toutes les affaires louches du Paris interlope, Lescaut se présente comme le miroir inversé de Tiberge. Pour résoudre les soucis d'argent de des Grieux, il lui propose la prostitution de sa sœur avant de l'inciter à entrer dans la Ligue de l'industrie. S'il est bien à l'origine de la libération du héros de Saint-Lazare, il n'hésite cependant pas à tromper le chevalier, notamment lorsqu'il pousse Manon dans le lit de M. de G... M... Lescaut sévit dans la première partie du roman, à l'issue de laquelle il est assassiné pour avoir suscité la colère d'un joueur dupé par ses tricheries.

LES RIVAUX :

– M. DE B. : riche et « célèbre fermier général » (p. 61), ce person-nage est le premier homme avec lequel Manon trompe des Grieux, le précipitant dans les affres de la désillusion amoureuse.

– M. DE G... M... : « homme généreux » (p. 101), Manon réussit d'abord à lui soutirer une rente annuelle de 4 800 livres, puis à le dépouiller de 2 400 livres, à l'occasion d'un dîner organisé pour le tourner en ridicule. Donnant l'alerte, il fait arrêter les amants le jour suivant leur larcin.

– LE PRINCE ITALIEN : « Seigneur étranger » (p. 144) dont Manon fait la connaissance au bois de Boulogne, il intervient au début de la deuxième partie. Attiré par la beauté de la jeune femme, il cherche à s'entretenir avec elle lors de ses balades journalières. Manon l'utilise pour finalement le ridiculiser au moment d'une scène de faux trio amoureux dans laquelle elle lui fait jouer le rôle ingrat du prétendant éconduit.

– LE JEUNE G... M... : fils de M. de G... M..., il fait la connaissance de Manon dans une hôtellerie, par l'intermédiaire de M. de T., lui-même fils d'un administrateur de l'hôpital où l'héroïne a été enfermée à la suite de son premier délit. Particulièrement fortuné, il est le troi-sième homme avec lequel elle trahit le héros, qu'elle quitte officielle-ment. Des Grieux, qui ne se résout pas à la rupture, trouve alors le moyen de pénétrer chez son rival, après l'avoir fait éloigner, et se venge en profitant de son lit et de sa table. Surpris par G... M... père, Manon et des Grieux sont à nouveau arrêtés et incarcérés.

– SYNNELET : neveu du Gouverneur du Nouvel-Orléans, lequel pro-tège d'abord les amants qui font croire qu'ils sont mariés, il est retenu par le statut matrimonial de Manon, avant de jeter son dévolu sur elle lorsque des Grieux avoue l'imposture de leur situation. Le conflit entre les deux hommes se résout par un duel au cours duquel des Grieux pense avoir tué son adversaire. En réalité blessé, ce dernier demandera la grâce du chevalier et fera enterrer dignement Manon, morte dans le désert.

Carte mentale

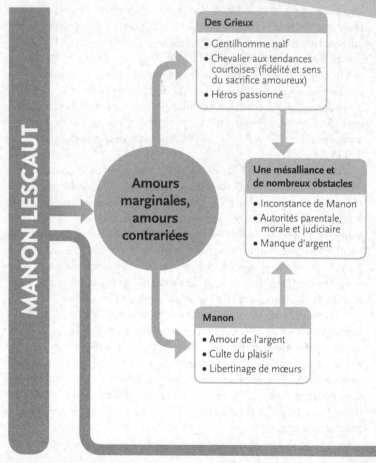

MANON LESCAUT

Amours marginales, amours contrariées

Des Grieux
- Gentilhomme naïf
- Chevalier aux tendances courtoises (fidélité et sens du sacrifice amoureux)
- Héros passionné

Une mésalliance et de nombreux obstacles
- Inconstance de Manon
- Autorités parentale, morale et judiciaire
- Manque d'argent

Manon
- Amour de l'argent
- Culte du plaisir
- Libertinage de mœurs

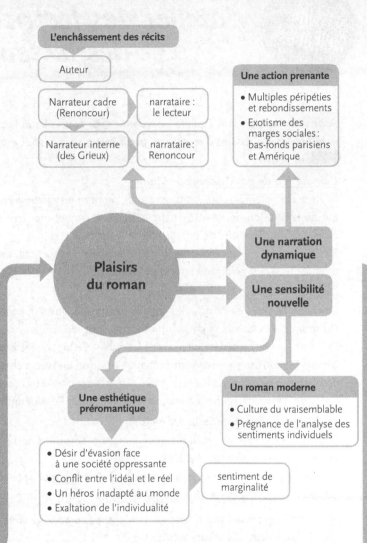

L'enchâssement des récits

Auteur

Narrateur cadre
(Renoncour)

narrataire :
le lecteur

Narrateur interne
(des Grieux)

narrataire :
Renoncour

Une action prenante

- Multiples péripéties
  et rebondissements
- Exotisme des
  marges sociales :
  bas-fonds parisiens
  et Amérique

Plaisirs
du roman

Une narration
dynamique

Une sensibilité
nouvelle

Une esthétique
préromantique

Un roman moderne

- Culture du vraisemblable
- Prégnance de l'analyse des
  sentiments individuels

- Désir d'évasion face
  à une société oppressante
- Conflit entre l'idéal et le réel
- Un héros inadapté au monde
- Exaltation de l'individualité

sentiment de
marginalité

Découvrir l'œuvre

| 37

L'atelier des lectrices et des lecteurs

Pour vous repérer dans l'œuvre et ordonner vos souvenirs de lecture, voici quelques questions à remplir au fur et à mesure que vous progressez dans le livre.

L'amour fou de des Grieux pour Manon

A. Notez les exemples qui, dans le roman, mettent en valeur la radicalité de la passion de des Grieux pour Manon. À quel moment cette radicalité menace-t-elle de glisser vers le tragique ?

B. Relevez un ou deux passages dans lesquels Manon fait preuve d'infidélité ou de déloyauté envers des Grieux.

Des amants que la société persécute ?

C. Faites la liste les principales figures d'autorité qui s'opposent à l'amour de des Grieux et de Manon tout au long du roman.

D. Effectuez une recherche sur la société d'ordres. En tant que femme du peuple, Manon est-elle en droit de prétendre à une union avec le chevalier des Grieux ? À ce titre, quelle est l'image que Prévost donne de la société française d'Ancien Régime, à quelques décennies de la Révolution ?

Manon, ou le penchant pour les plaisirs

E. Dans quelle mesure peut-on définir Manon comme une héroïne libertine tournée vers les plaisirs ?

F. Quels éléments montrent que Manon accorde une importance considérable à l'argent, le plaçant au-dessus même du sentiment amoureux ?

Pour vous approprier Manon Lescaut, *n'hésitez pas à annoter ou à surligner le texte pour mieux vous repérer !*

MANON LESCAUT

Abbé Prévost

Les symboles en forme de casque marquent les passages qui font l'objet d'une lecture accessible par code QR dans le dossier et d'une explication linéaire guidée.

Note sur l'édition

Nous reproduisons le texte de l'édition de 1753, revue et corrigée par Prévost, tel qu'il a été établi par Jean Sgard pour son édition parue chez Flammarion dans la collection « GF » en 1995. Nous avons modernisé la ponctuation là où cela nous semblait nécessaire à la compréhension.

Avis de l'auteur
des
Mémoires d'un homme de qualité[1]

Quoique j'eusse pu faire entrer dans mes *Mémoires*[2] les aventures du chevalier des Grieux, il m'a semblé que n'y ayant point un rapport nécessaire, le lecteur trouverait plus de satisfaction à les voir séparément. Un récit de cette longueur aurait interrompu trop longtemps le
5 fil de ma propre histoire. Tout éloigné que je suis de prétendre à la qualité d'écrivain exact, je n'ignore point qu'une narration doit être déchargée des circonstances qui la rendraient pesante et embarrassée. C'est le précepte[3] d'Horace :

Utjam nunc dicat jam nunc debentia dici
10 *Pleraque differat, ac præsens in tempus omittat*[4].

Il n'est pas même besoin d'une si grave autorité[5] pour prouver une vérité si simple ; car le bon sens est la première source de cette règle.
....

1. **Homme de qualité** : homme appartenant à la noblesse par sa naissance. L'expression désigne ici Renoncour, narrateur des *Mémoires et aventures d'un homme de qualité*, ensemble de sept volumes dont *Manon Lescaut* est le dernier.
2. **Mémoires** : œuvre littéraire dans laquelle un sujet relate des événements historiques ou privés auxquels il a participé ou dont il a été le témoin.
3. **Précepte** : règle à suivre.
4. **Horace** (65-8 av. J.-C.) est un poète latin, auteur d'un *Art poétique* célèbre dont sont tirés ces deux vers, qui signifient : « On dira tout de suite ce qui doit tout de suite être dit ; on réservera pour plus tard la plupart des détails » (v. 43-44).
5. **Autorité** : auteur qui fait l'unanimité par son sérieux et son savoir.

avertissement de ne pas être une victime des passions

Si le public a trouvé quelque chose d'agréable et d'intéressant dans l'histoire de ma vie, j'ose lui promettre qu'il ne sera pas moins satis-
15 fait de cette addition. Il verra, dans la conduite de M. des Grieux, un exemple terrible de la force des passions. J'ai à peindre [1] un jeune aveugle, qui refuse d'être heureux, pour se précipiter volontairement dans les dernières infortunes [2] ; qui, avec toutes les qualités dont se forme le plus brillant mérite, préfère, par choix, une vie obscure et
20 vagabonde, à tous les avantages de la fortune et de la nature ; qui prévoit ses malheurs, sans vouloir les éviter ; qui les sent et qui en est accablé, sans profiter des remèdes qu'on lui offre sans cesse et qui peuvent à tous moments les finir ; enfin un caractère ambigu, un mélange de vertus et de vices, un contraste perpétuel de bons senti-
25 ments et d'actions mauvaises. Tel est le fond du tableau que je présente. Les personnes de bon sens [3] ne regarderont point un ouvrage de cette nature comme un travail inutile. Outre le [4] plaisir d'une lecture agréable, on y trouvera peu d'événements qui ne puissent servir à l'instruction des mœurs ; et c'est rendre, à mon avis, un service
30 considérable au public, que de l'instruire en l'amusant [5].

On ne peut réfléchir sur les préceptes de la morale, sans être étonné de les voir tout à la fois estimés et négligés ; et l'on se demande la raison de cette bizarrerie du cœur humain, qui lui fait goûter [6] des idées de bien et de perfection, dont il s'éloigne dans la pratique. Si les
35 personnes d'un certain ordre d'esprit et de politesse veulent examiner quelle est la matière la plus commune de leurs conversations, ou même de leurs rêveries solitaires, il leur sera aisé de remarquer qu'elles tournent presque toujours sur quelques considérations morales. Les plus doux moments de leur vie sont ceux qu'ils passent,

....

1. **Peindre** : représenter, mettre en scène.

2. **Les dernières infortunes** : les plus grands malheurs.

3. **Les personnes de bon sens** : les personnes douées de raison, mesurées dans leur jugement et sagaces.

4. **Outre le** : en plus du.

5. **Prévost** reprend à son compte la recommandation antique faite aux textes : *placere et docere* (plaire et instruire).

6. **Goûter** : apprécier la valeur de quelque chose.

ou seuls, ou avec un ami, à s'entretenir à cœur ouvert des charmes
de la vertu, des douceurs de l'amitié, des moyens d'arriver au bonheur, des faiblesses de la nature qui nous en éloignent, et des remèdes
qui peuvent les guérir. Horace [1] et Boileau [2] marquent cet entretien
comme un des plus beaux traits dont ils composent l'image d'une vie
heureuse. Comment arrive-t-il donc qu'on tombe si facilement de ces
hautes spéculations [3] et qu'on se retrouve sitôt au niveau du commun
des hommes [4] ? Je suis trompé si la raison que je vais en apporter
n'explique bien cette contradiction de nos idées et de notre conduite ;
c'est que, tous les préceptes de la morale n'étant que des principes
vagues et généraux, il est très difficile d'en faire une application particulière au détail des mœurs et des actions. Mettons la chose dans un
exemple. Les âmes bien nées sentent que la douceur et l'humanité
sont des vertus aimables, et sont portées d'inclination [5] à les pratiquer ; mais sont-elles au moment de l'exercice, elles demeurent souvent suspendues. En est-ce réellement l'occasion ? Sait-on bien quelle
en doit être la mesure ? Ne se trompe-t-on point sur l'objet ? Cent
difficultés arrêtent. On craint de devenir dupe [6] en voulant être bien-
faisant et libéral [7] ; de passer pour faible en paraissant trop tendre et
trop sensible ; en un mot, d'excéder ou de ne pas remplir assez des
devoirs qui sont renfermés d'une manière trop obscure dans les
notions générales d'humanité et de douceur. Dans cette incertitude,
il n'y a que l'expérience ou l'exemple qui puisse déterminer raisonna-
blement le penchant du cœur. Or l'expérience n'est point un avantage
....

1. Horace : voir note 4, p. 41. Prévost fait ici référence au livre 1, satire 6 des
Satires.

2. Boileau (1636-1711) : poète et critique fameux du siècle de Louis XIV. Prévost
fait ici référence à l'une des *Épîtres* – c'est-à-dire des lettres – de l'auteur : « À
Monsieur de Lamoignon », épître 6.

3. Hautes spéculations : discussions sérieuses, qui permettent d'accéder à un
savoir élevé sur l'homme et la vie.

4. Commun des hommes : hommes sans relief, animés d'aucune réflexion
élevée, voire vulgaires.

5. Portées d'inclination : naturellement amenées.

6. Devenir dupe : être trompé.

7. Libéral : généreux.

qu'il soit libre à tout le monde de se donner ; elle dépend des situa-
65 tions différentes où l'on se trouve placé par la fortune [1]. Il ne reste
donc que l'exemple qui puisse servir de règle à quantité de personnes
dans l'exercice de la vertu. C'est précisément pour cette sorte de lecteurs que des ouvrages tels que celui-ci peuvent être d'une extrême
utilité, du moins lorsqu'ils sont écrits par une personne d'honneur et
70 de bon sens. Chaque fait qu'on y rapporte est un degré de lumière,
une instruction qui supplée à l'expérience ; chaque aventure est un
modèle d'après lequel on peut se former ; il n'y manque que d'être
ajusté aux circonstances où l'on se trouve. L'ouvrage entier est un
traité de morale, réduit agréablement en exercice.
75   Un lecteur sévère s'offensera peut-être de me voir reprendre la
plume, à mon âge, pour écrire des aventures de fortune et d'amour ;
mais, si la réflexion que je viens de faire est solide, elle me justifie ;
si elle est fausse, mon erreur sera mon excuse.

traité morale

....

1. La fortune : le hasard ou la destinée.

Joseph Caraud, *L'Abbé Prévost lisant Manon Lescaut*, 1856.

mémoires d'un homme de qualité

narrateur = Manon

Première partie

le marquis de Renoncour

Je suis obligé de faire remonter mon lecteur au temps de ma vie où je rencontrai pour la première fois le chevalier des Grieux. Ce fut environ six mois avant mon départ pour l'Espagne. Quoique je sortisse rarement de ma solitude, la complaisance [1] que j'avais pour ma
5   fille m'engageait quelquefois à divers petits voyages, que j'abrégeais autant qu'il m'était possible. Je revenais un jour de Rouen, où elle m'avait prié d'aller solliciter une affaire [2] au Parlement [3] de Normandie pour la succession de quelques terres auxquelles je lui avais laissé des prétentions du côté de mon grand-père maternel. Ayant repris
10 mon chemin par Évreux, où je couchai la première nuit, j'arrivai le lendemain pour dîner à Pacy, qui en est éloigné de cinq ou six lieues [4]. Je fus surpris, en entrant dans ce bourg, d'y voir tous les habitants en alarme [5]. Ils se précipitaient de leurs maisons pour courir en foule à la porte d'une mauvaise hôtellerie [6], devant laquelle étaient
15 deux chariots couverts. Les chevaux, qui étaient encore attelés et qui paraissaient fumants de fatigue et de chaleur, marquaient que ces

....

1. **Complaisance** : désir de faire plaisir et d'être agréable à quelqu'un.
2. **Solliciter une affaire** : effectuer des démarches juridiques, ici en faveur de sa fille.
3. **Parlement** : cour de justice.
4. **Cinq ou six lieues** : près de vingt-cinq kilomètres. Une lieue, ancienne unité de mesure, équivaut à environ quatre kilomètres.
5. **En alarme** : dans un état d'inquiétude et d'agitation.
6. **Mauvaise hôtellerie** : auberge de moindre qualité.

deux voitures ne faisaient qu'arriver. Je m'arrêtai un moment pour
m'informer d'où venait le tumulte ; mais je tirai peu d'éclaircissement
d'une populace curieuse, qui ne faisait nulle attention à mes
20 demandes, et qui s'avançait toujours vers l'hôtellerie, en se poussant
avec beaucoup de confusion. Enfin, un archer[1] revêtu d'une bandoulière[2], et le mousquet[3] sur l'épaule, ayant paru à la porte, je lui fis
signe de la main de venir à moi. Je le priai de m'apprendre le sujet
de ce désordre. Ce n'est rien, monsieur, me dit-il ; c'est une douzaine
25 de filles de joie[4] que je conduis, avec mes compagnons, jusqu'au
Havre-de-Grâce[5], où nous les ferons embarquer pour l'Amérique. Il
y en a quelques-unes de jolies, et c'est apparemment ce qui excite la
curiosité de ces bons paysans. J'aurais passé après cette explication,
si je n'eusse été arrêté par les exclamations d'une vieille femme qui
30 sortait de l'hôtellerie en joignant les mains, et criant que c'était une
chose barbare, une chose qui faisait horreur et compassion. De quoi
s'agit-il donc ? lui dis-je. Ah ! monsieur, entrez, répondit-elle, et voyez
si ce spectacle n'est pas capable de fendre le cœur ! La curiosité me
fit descendre de mon cheval, que je laissai à mon palefrenier[6]. J'entrai
35 avec peine, en perçant la foule, et je vis, en effet, quelque chose
d'assez touchant. Parmi les douze filles qui étaient enchaînées six par
six par le milieu du corps, il y en avait une dont l'air et la figure[7]
étaient si peu conformes à sa condition, qu'en tout autre état je
l'eusse prise pour une personne du premier rang[8]. Sa tristesse et la
40 saleté de son linge et de ses habits l'enlaidissaient si peu que sa vue

Manon a l'air d'une noble

1. **Archer** : sous l'Ancien Régime, agent subalterne de police et de justice.
2. **Bandoulière** : bande de cuir que l'on porte en écharpe sur les épaules, et qui
supporte une arme.
3. **Mousquet** : arme à feu.
4. **Filles de joie** : prostituées.
5. **Havre-de-Grâce** : actuel port du Havre, en Normandie. Les bateaux pour les
colonies d'Amérique en partaient.
6. **Palefrenier** : garçon d'écurie chargé du soin des chevaux.
7. **Figure** : visage, apparence physique.
8. **Une personne du premier rang** : une personne noble.

elle est modeste, une qualité noble

m'inspira du respect et de la pitié. Elle tâchait néanmoins de se tourner, autant que sa chaîne pouvait le permettre, pour dérober son visage aux yeux des spectateurs. L'effort qu'elle faisait pour se cacher était si naturel, qu'il paraissait venir d'un sentiment de modestie.

45 Comme les six gardes qui accompagnaient cette malheureuse bande étaient aussi dans la chambre, je pris le chef en particulier et je lui demandai quelques lumières sur le sort de cette belle fille. Il ne put m'en donner que de fort générales. Nous l'avons tirée de l'Hôpital [1], me dit-il, par ordre de M. le Lieutenant général de Police. Il n'y a pas

50 d'apparence qu'elle [2] y eût été renfermée pour ses bonnes actions. Je l'ai interrogée plusieurs fois sur la route, elle s'obstine à ne me rien répondre. Mais, quoique je n'aie pas reçu ordre de la ménager [3] plus que les autres, je ne laisse pas d'avoir quelques égards pour elle, parce qu'il me semble qu'elle vaut un peu mieux que ses compagnes. Voilà

55 un jeune homme, ajouta l'archer, qui pourrait vous instruire mieux que moi sur la cause de sa disgrâce ; il l'a suivie depuis Paris, sans cesser presque un moment de pleurer. Il faut que ce soit son frère ou son amant. Je me tournai vers le coin de la chambre où ce jeune homme était assis. Il paraissait enseveli dans [4] une rêverie profonde.

60 Je n'ai jamais vu de plus vive image de la douleur. Il était mis [5] fort simplement ; mais on distingue, au premier coup d'œil, un homme qui a de la naissance et de l'éducation. Je m'approchai de lui. Il se leva ; et je découvris dans ses yeux, dans sa figure et dans tous ses mouvements, un air si fin et si noble que je me sentis porté naturelle-

65 ment à lui vouloir du bien. Que je ne vous trouble point, lui dis-je, en m'asseyant près de lui. Voulez-vous bien satisfaire la curiosité que j'ai de connaître cette belle personne, qui ne me paraît point faite pour le triste état où je la vois ? Il me répondit honnêtement qu'il ne

....

1. **Hôpital** : désigne la Salpêtrière, un établissement parisien où étaient enfermées les femmes de mauvaise vie.
2. **Il n'y a pas d'apparence qu'elle** : il est peu probable qu'elle.
3. **Ménager** : traiter quelqu'un avec égards.
4. **Enseveli dans** : plongé dans.
5. **Il était mis** : il était vêtu.

il a une sympathie pour lui
parce qu'il est noble

une affinité naturelle

il voulait la libérer

pouvait m'apprendre qui elle était sans se faire connaître lui-même,
70 et qu'il avait de fortes raisons pour souhaiter de demeurer inconnu.
Je puis vous dire, néanmoins, ce que ces misérables n'ignorent point,
continua-t-il en montrant les archers, c'est que je l'aime avec une passion si violente qu'elle me rend le plus infortuné de tous les hommes.
J'ai tout employé, à Paris, pour obtenir sa liberté. Les sollicitations [1],
75 l'adresse et la force m'ont été inutiles ; j'ai pris le parti de la suivre,
dût-elle aller au bout du monde. Je m'embarquerai avec elle ; je passe-
rai en Amérique. Mais ce qui est de la dernière inhumanité [2], ces
lâches coquins [3], ajouta-t-il en parlant des archers, ne veulent pas me
permettre d'approcher d'elle. Mon dessein [4] était de les attaquer
80 ouvertement, à quelques lieues de Paris. Je m'étais associé quatre
hommes qui m'avaient promis leur secours pour une somme considérable. Les traîtres m'ont laissé seul aux mains [5] et sont partis avec
mon argent. L'impossibilité de réussir par la force m'a fait mettre les
armes bas [6]. J'ai proposé aux archers de me permettre du moins de
85 les suivre, en leur offrant de les récompenser. Le désir du gain les y
a fait consentir. Ils ont voulu être payés chaque fois qu'ils m'ont
accordé la liberté de parler à ma maîtresse. Ma bourse s'est épuisée
en peu de temps, et maintenant que je suis sans un sou, ils ont la
barbarie de me repousser brutalement lorsque je fais un pas vers elle.
90 Il n'y a qu'un instant, qu'ayant osé m'en approcher malgré leurs
menaces, ils ont eu l'insolence de lever contre moi le bout du fusil.
Je suis obligé, pour satisfaire leur avarice [7] et pour me mettre en état
de continuer la route à pied, de vendre ici un mauvais [8] cheval qui
m'a servi jusqu'à présent de monture.

il a été dupe

il doit payer ses dettes

il n'a pas d'argent

....

1. **Sollicitations** : requêtes, démarches.
2. **La dernière inhumanité** : la plus grande inhumanité.
3. **Coquins** : vauriens, fripons.
4. **Dessein** : intention, objectif.
5. **Seul aux mains** : seul à me battre.
6. **Mettre les armes bas** : déposer les armes.
7. **Avarice** : vice qui consiste à trop aimer l'argent, et qui rend insensible aux
malheurs d'autrui.
8. **Mauvais** : de moindre qualité.

95   Quoiqu'il parût faire assez tranquillement ce récit, il laissa tomber
      quelques larmes en le finissant. Cette aventure me parut des plus
      extraordinaires et des plus touchantes. Je ne vous presse pas, lui dis-
      je, de me découvrir le secret de vos affaires, mais, si je puis vous être
      utile à quelque chose, je m'offre volontiers à vous rendre service.
100   Hélas ! reprit-il, je ne vois pas le moindre jour à l'espérance. Il faut
      que je me soumette à toute la rigueur [1] de mon sort. J'irai en Amé-
      rique. J'y serai du moins libre avec ce que j'aime. J'ai écrit à un de
      mes amis qui me fera tenir quelque secours au Havre-de-Grâce. Je ne
      suis embarrassé que pour m'y conduire et pour procurer à cette
105   pauvre créature, ajouta-t-il en regardant tristement sa maîtresse,
      quelque soulagement sur la route. Hé bien, lui dis-je, je vais finir
      votre embarras. Voici quelque argent que je vous prie d'accepter. Je
      suis fâché [2] de ne pouvoir vous servir autrement. Je lui donnai quatre
      louis [3] d'or, sans que les gardes s'en aperçussent, car je jugeais bien
110   que, s'ils lui savaient cette somme, ils lui vendraient plus chèrement
      leurs secours. Il me vint même à l'esprit de faire marché avec eux
      pour obtenir au jeune amant la liberté de parler continuellement à sa
      maîtresse jusqu'au Havre. Je fis signe au chef de s'approcher, et je lui
      en fis la proposition. Il en parut honteux, malgré son effronterie [4].
115   Ce n'est pas, monsieur, répondit-il d'un air embarrassé, que nous
      refusions de le laisser parler à cette fille, mais il voudrait être sans
      cesse auprès d'elle ; cela nous est incommode ; il est bien juste qu'il
      paye pour l'incommodité. Voyons donc, lui dis-je, ce qu'il faudrait
      pour vous empêcher de la sentir. Il eut l'audace de me demander
120   deux louis. Je les lui donnai sur-le-champ [5] : Mais prenez garde, lui
      dis-je, qu'il ne vous échappe quelque friponnerie [6] ; car je vais laisser

....

1. Rigueur : dureté.
2. Fâché : désolé, triste.
3. Louis : pièces d'argent ou d'or à l'effigie du roi de France. Quatre louis d'or
font une somme considérable.
4. Effronterie : impudence, sans-gêne.
5. Sur-le-champ : tout de suite.
6. Friponnerie : mauvaise action.

mon adresse à ce jeune homme, afin qu'il puisse m'en informer, et comptez que j'aurai le pouvoir de vous faire punir. Il m'en coûta six louis d'or. La bonne grâce et la vive reconnaissance avec laquelle ce
125 jeune inconnu me remercia, achevèrent de me persuader qu'il était né quelque chose [1], et qu'il méritait ma libéralité [2]. Je dis quelques mots à sa maîtresse avant que de sortir. Elle me répondit avec une modestie si douce et si charmante, que je ne pus m'empêcher de faire, en sortant, mille réflexions sur le caractère incompréhensible des
130 femmes.

Étant retourné à ma solitude, je ne fus point informé de la suite de cette aventure. Il se passa près de deux ans, qui me la firent oublier tout à fait, jusqu'à ce que le hasard me fît renaître l'occasion d'en apprendre à fond toutes les circonstances. J'arrivais de Londres à
135 Calais, avec le marquis de…, mon élève. Nous logeâmes, si je m'en souviens bien, au *Lion d'Or*, où quelques raisons nous obligèrent de passer le jour entier et la nuit suivante. En marchant l'après-midi dans les rues, je crus apercevoir ce même jeune homme dont j'avais fait la rencontre à Pacy. Il était en fort mauvais équipage [3], et beaucoup plus
140 pâle que je ne l'avais vu la première fois. Il portait sur le bras un vieux porte-manteau [4], ne faisant qu'arriver dans la ville. Cependant, comme il avait la physionomie trop belle pour n'être pas reconnu facilement, je le remis [5] aussitôt. Il faut, dis-je au marquis, que nous abordions ce jeune homme. Sa joie fut plus vive que toute expression,
145 lorsqu'il m'eut remis à son tour. Ah ! monsieur, s'écria-t-il en me baisant la main, je puis donc encore une fois vous marquer mon immortelle reconnaissance ! Je lui demandai d'où il venait. Il me répondit qu'il arrivait, par mer, du Havre-de-Grâce, où il était revenu de l'Amérique peu auparavant. Vous ne me paraissez pas fort bien en
150 argent, lui dis-je. Allez-vous-en au *Lion d'Or*, où je suis logé. Je vous

....

1. **Était né quelque chose** : était de naissance aristocratique.
2. **Libéralité** : générosité.
3. **En fort mauvais équipage** : mal vêtu.
4. **Porte-manteau** : valise d'étoffe grossière.
5. **Je le remis** : je le reconnus.

rejoindrai dans un moment. J'y retournai en effet, plein d'impatience d'apprendre le détail de son infortune et les circonstances de son voyage d'Amérique. Je lui fis mille caresses [1], et j'ordonnai qu'on ne le laissât manquer de rien. Il n'attendit point que je le pressasse de me raconter l'histoire de sa vie. Monsieur, me dit-il, vous en usez si noblement avec moi, que je me reprocherais, comme une basse ingratitude, d'avoir quelque chose de réservé pour vous. Je veux vous apprendre, non seulement mes malheurs et mes peines, mais encore mes désordres et mes plus honteuses faiblesses. Je suis sûr qu'en me condamnant, vous ne pourrez pas vous empêcher de me plaindre.

Je dois avertir ici le lecteur que j'écrivis son histoire presque aussitôt après l'avoir entendue, et qu'on peut s'assurer, par conséquent, que rien n'est plus exact et plus fidèle que cette narration. Je dis fidèle jusque dans la relation [2] des réflexions et des sentiments que le jeune aventurier exprimait de la meilleure grâce du monde. Voici donc son récit, auquel je ne mêlerai, jusqu'à la fin, rien qui ne soit de lui.

J'avais dix-sept ans, et j'achevais mes études de philosophie à Amiens, où mes parents, qui sont d'une des meilleures maisons [3] de P..., m'avaient envoyé. Je menais une vie si sage et si réglée, que mes maîtres me proposaient pour l'exemple du collège. Non que je fisse des efforts extraordinaires pour mériter cet éloge, mais j'ai l'humeur naturellement douce et tranquille : je m'appliquais à l'étude par inclination [4], et l'on me comptait pour des vertus quelques marques d'aversion naturelle [5] pour le vice. Ma naissance, le succès de mes études et quelques agréments extérieurs m'avaient fait connaître et estimer de tous les honnêtes gens de la ville. J'achevai mes exercices publics [6] avec une approbation si générale, que Monsieur l'évêque, qui y assistait, me proposa d'entrer dans l'état ecclésiastique [7], où je

....

1. **Caresses** : ici, manifestations d'estime, de bienveillance.
2. **La relation** : le récit.
3. **Maisons** : familles.
4. **Inclination** : désir.
5. **D'aversion naturelle** : de dégoût naturel.
6. **Exercices publics** : exposés et débats marquant la fin des études secondaires.
7. **Entrer dans l'état ecclésiastique** : entrer dans l'Église.

J. J. Pasquier, *Rencontre dans la cour de l'hôtellerie d'Amiens de Manon Lescaut et du chevalier des Grieux accompagné de son ami Tiberge*, 1753.

ne manquerais pas, disait-il, de m'attirer plus de distinction que dans
180 l'ordre de Malte [1], auquel mes parents me destinaient. Ils me faisaient
déjà porter la croix, avec le nom de chevalier des Grieux. Les
vacances arrivant, je me préparais à retourner chez mon père, qui
m'avait promis de m'envoyer bientôt à l'Académie [2]. Mon seul regret,
en quittant Amiens, était d'y laisser un ami avec lequel j'avais tou-
185 jours été tendrement uni. Il était de quelques années plus âgé que
moi. Nous avions été élevés ensemble, mais le bien de sa maison
étant des plus médiocres, il était obligé de prendre l'état ecclésiastique, et de demeurer à Amiens après moi, pour y faire les études qui
conviennent à cette profession. Il avait mille bonnes qualités. Vous le
190 connaîtrez par les meilleures dans la suite de mon histoire, et surtout,
par un zèle [3] et une générosité en amitié qui surpassent les plus
célèbres exemples de l'Antiquité. Si j'eusse alors suivi ses conseils,
j'aurais toujours été sage et heureux. Si j'avais, du moins, profité de
ses reproches dans le précipice [4] où mes passions m'ont entraîné,
195 j'aurais sauvé quelque chose du naufrage de ma fortune et de ma
réputation. Mais il n'a point recueilli d'autre fruit de ses soins que le
chagrin de les voir inutiles et, quelquefois, durement récompensés
par un ingrat qui s'en offensait, et qui les traitait d'importunités [5].
   J'avais marqué le temps de mon départ d'Amiens. Hélas ! que ne
200 le marquais-je un jour plus tôt ! j'aurais porté chez mon père toute
mon innocence. La veille même de celui que je devais quitter cette
ville, étant à me promener avec mon ami, qui s'appelait Tiberge, nous
vîmes arriver le coche [6] d'Arras, et nous le suivîmes jusqu'à l'hôtellerie où ces voitures descendent. Nous n'avions pas d'autre motif que
205 la curiosité. Il en sortit quelques femmes, qui se retirèrent aussitôt.

....

1. **Ordre de Malte** : ordre religieux et militaire fondé au XIe siècle pour soigner
les pèlerins en marche vers Jérusalem et la Terre sainte. Ses chevaliers portaient
une croix.
2. L'Académie dispensait une formation équestre et militaire aux jeunes nobles.
3. **Zèle** : ardeur, vive inclination pour quelque chose ou pour quelqu'un.
4. **Le précipice** : l'abîme.
5. **Importunités** : interventions gênantes, voire nuisibles.
6. **Coche** : ancien chariot couvert dans lequel on voyageait.

p. 265

Mais il en resta une, fort jeune, qui s'arrêta seule dans la cour, pendant qu'un homme d'un âge avancé, qui paraissait lui servir de conducteur, s'empressait pour faire tirer son équipage [1] des paniers [2]. Elle me parut si charmante que moi, qui n'avais jamais pensé à la différence des sexes, ni regardé une fille avec un peu d'attention, moi, dis-je, dont tout le monde admirait la sagesse et la retenue, je me trouvai enflammé tout d'un coup jusqu'au transport [3]. J'avais le défaut d'être excessivement timide et facile à déconcerter [4] ; mais loin d'être arrêté alors par cette faiblesse, je m'avançai vers la maîtresse
215 de mon cœur. Quoiqu'elle fût encore moins âgée que moi, elle reçut mes politesses sans paraître embarrassée. Je lui demandai ce qui l'amenait à Amiens et si elle y avait quelques personnes de connaissance. Elle me répondit ingénument [5] qu'elle y était envoyée par ses parents pour être religieuse. L'amour me rendait déjà si éclairé,
220 depuis un moment qu'il était dans mon cœur, que je regardai ce dessein comme un coup mortel pour mes désirs. Je lui parlai d'une manière qui lui fit comprendre mes sentiments, car elle était bien plus expérimentée que moi. C'était malgré elle qu'on l'envoyait au couvent, pour arrêter sans doute son penchant au plaisir, qui s'était
225 déjà déclaré et qui a causé, dans la suite, tous ses malheurs et les miens. Je combattis la cruelle intention de ses parents par toutes les raisons que mon amour naissant et mon éloquence scolastique [6] purent me suggérer. Elle n'affecta ni rigueur ni dédain. Elle me dit, après un moment de silence, qu'elle ne prévoyait que trop qu'elle
230 allait être malheureuse, mais que c'était apparemment la volonté du Ciel, puisqu'il ne lui laissait nul moyen de l'éviter. La douceur de ses regards, un air charmant de tristesse en prononçant ces paroles, ou

....

1. **Son équipage** : ses affaires, ses effets personnels.
2. **Paniers** : coffres en osier placés au-dessus de la diligence.
3. **Transport** : forte émotion, enthousiasme amoureux.
4. **Déconcerter** : faire perdre ses moyens.
5. **Ingénument** : avec naïveté ou simplicité.
6. **Éloquence scolastique** : éloquence apprise dans les écoles ecclésiastiques et les universités enseignant la rhétorique et la théologie.

plutôt, l'ascendant de ma destinée [1] qui m'entraînait à ma perte, ne me permirent pas de balancer [2] un moment sur ma réponse. Je l'assu-
235 rai que, si elle voulait faire quelque fond sur [3] mon honneur et sur la tendresse infinie qu'elle m'inspirait déjà, j'emploierais ma vie pour la délivrer de la tyrannie de ses parents, et pour la rendre heureuse. Je me suis étonné mille fois, en y réfléchissant, d'où me venait alors tant de hardiesse et de facilité à m'exprimer ; mais on ne ferait pas une
240 divinité de l'amour, s'il n'opérait souvent des prodiges [4]. J'ajoutai mille choses pressantes. Ma belle inconnue savait bien qu'on n'est point trompeur à mon âge ; elle me confessa que, si je voyais quelque jour à [5] la pouvoir mettre en liberté, elle croirait m'être redevable de quelque chose de plus cher que la vie. Je lui répétai que j'étais prêt à
245 tout entreprendre, mais, n'ayant point assez d'expérience pour imaginer tout d'un coup les moyens de la servir, je m'en tenais à cette assurance générale, qui ne pouvait être d'un grand secours pour elle et pour moi. Son vieil Argus [6] étant venu nous rejoindre, mes espérances allaient échouer si elle n'eût eu assez d'esprit [7] pour suppléer
250 à la stérilité du mien. Je fus surpris, à l'arrivée de son conducteur, qu'elle m'appelât son cousin et que, sans paraître déconcertée le moins du monde, elle me dît que, puisqu'elle était assez heureuse pour me rencontrer à Amiens, elle remettait au lendemain son entrée dans le couvent, afin de se procurer le plaisir de souper [8] avec moi.
255 J'entrai fort bien dans le sens de cette ruse. Je lui proposai de se loger dans une hôtellerie, dont le maître, qui s'était établi à Amiens, après avoir été longtemps cocher de mon père, était dévoué entièrement à

....

1. **L'ascendant de ma destinée** : l'influence forte exercée sur mon destin.
2. **De balancer** : d'hésiter.
3. **Faire quelque fond sur** : croire à.
4. **Prodiges** : miracles.
5. **Si je voyais quelque jour à** : si je trouvais le moyen de.
6. **Argus** : géant de la mythologie doté de cent yeux. Par extension, surveillant particulièrement vigilant.
7. **Esprit** : ici, ingéniosité, habileté.
8. **Souper** : dîner.

mes ordres. Je l'y conduisis moi-même, tandis que le vieux conducteur paraissait un peu murmurer [1], et que mon ami Tiberge, qui ne
260 comprenait rien à cette scène, me suivait sans prononcer une parole.
Il n'avait point entendu notre entretien. Il était demeuré à se promener dans la cour pendant que je parlais d'amour à ma belle maîtresse.
Comme je redoutais sa sagesse, je me défis de lui par une commission [2] dont je le priai de se charger. Ainsi j'eus le plaisir, en arrivant
265 à l'auberge, d'entretenir seul la souveraine de mon cœur. Je reconnus
bientôt que j'étais moins enfant que je ne le croyais. Mon cœur
s'ouvrit à mille sentiments de plaisir dont je n'avais jamais eu l'idée.
Une douce chaleur se répandit dans toutes mes veines. J'étais dans
une espèce de transport, qui m'ôta pour quelque temps la liberté de
270 la voix et qui ne s'exprimait que par mes yeux. Mademoiselle Manon
Lescaut, c'est ainsi qu'elle me dit qu'on la nommait, parut fort satisfaite de cet effet de ses charmes. Je crus apercevoir qu'elle n'était pas
moins émue que moi. Elle me confessa qu'elle me trouvait aimable
et qu'elle serait ravie de m'avoir obligation de [3] sa liberté. Elle voulut
275 savoir qui j'étais, et cette connaissance augmenta son affection, parce
qu'étant d'une naissance commune, elle se trouva flattée d'avoir fait
la conquête d'un amant tel que moi. Nous nous entretînmes des
moyens d'être l'un à l'autre [4]. Après quantité de réflexions, nous ne
trouvâmes point d'autre voie que celle de la fuite. Il fallait tromper
280 la vigilance du conducteur, qui était un homme à ménager, quoiqu'il
ne fût qu'un domestique. Nous réglâmes [5] que je ferais préparer pendant la nuit une chaise de poste [6], et que je reviendrais de grand
matin à l'auberge avant qu'il fût éveillé ; que nous nous déroberions
secrètement, et que nous irions droit à [7] Paris, où nous nous ferions

....

1. **Murmurer** : ici, protester, se plaindre.
2. **Commission** : course.
3. **M'avoir obligation de** : me devoir.
4. **D'être l'un à l'autre** : de s'aimer.
5. **Nous réglâmes** : nous convînmes, nous décidâmes.
6. **Chaise de poste** : voiture à deux roues tirée par des chevaux. Très légère, elle
permettait de voyager rapidement.
7. **Nous irions droit à** : nous irions directement à.

285 marier en arrivant. J'avais environ cinquante écus, qui étaient le fruit
de mes petites épargnes ; elle en avait à peu près le double. Nous
nous imaginâmes, comme des enfants sans expérience, que cette
somme ne finirait jamais, et nous ne comptâmes pas moins sur le
succès de nos autres mesures.

290   Après avoir soupé avec plus de satisfaction que je n'en avais jamais
ressenti, je me retirai pour exécuter notre projet. Mes arrangements
furent d'autant plus faciles, qu'ayant eu dessein de retourner le lendemain chez mon père, mon petit équipage était déjà préparé. Je n'eus
donc nulle peine à faire transporter ma malle, et à faire tenir une
295 chaise prête pour cinq heures du matin, qui étaient le temps où les
portes de la ville devaient être ouvertes ; mais je trouvai un obstacle
dont je ne me défiais point, et qui faillit de rompre entièrement mon
dessein.

    Tiberge, quoique âgé seulement de trois ans plus que moi, était un
300 garçon d'un sens mûr et d'une conduite fort réglée. Il m'aimait avec
une tendresse extraordinaire. La vue d'une aussi jolie fille que Mademoiselle Manon, mon empressement à la conduire, et le soin que
j'avais eu de me défaire de lui en l'éloignant, lui firent naître quelques
soupçons de mon amour. Il n'avait osé revenir à l'auberge, où il
305 m'avait laissé, de peur de m'offenser par son retour ; mais il était allé
m'attendre à mon logis, où je le trouvai en arrivant, quoiqu'il fût dix
heures du soir. Sa présence me chagrina. Il s'aperçut facilement de la
contrainte qu'elle me causait. Je suis sûr, me dit-il sans déguisement,
que vous méditez quelque dessein que vous me voulez cacher ; je le
310 vois à votre air. Je lui répondis assez brusquement que je n'étais pas
obligé de lui rendre compte de tous mes desseins. Non, reprit-il, mais
vous m'avez toujours traité en ami, et cette qualité suppose un peu
de confiance et d'ouverture. Il me pressa si fort et si longtemps de lui
découvrir mon secret, que, n'ayant jamais eu de réserve [1] avec lui, je
315 lui fis l'entière confidence de ma passion. Il la reçut avec une apparence de mécontentement qui me fit frémir. Je me repentis surtout de
l'indiscrétion avec laquelle je lui avais découvert le dessein de ma

....

1. **Réserve** : retenue, secret.

Tiberge ne veut pas que DG marie Manon

fuite. Il me dit qu'il était trop parfaitement mon ami pour ne pas s'y opposer de tout son pouvoir ; qu'il voulait me représenter d'abord
320 tout ce qu'il croyait capable de m'en détourner, mais que, si je ne renonçais pas ensuite à cette misérable résolution, il avertirait des personnes qui pourraient l'arrêter à coup sûr. Il me tint là-dessus un discours sérieux qui dura plus d'un quart d'heure, et qui finit encore par la menace de me dénoncer, si je ne lui donnais ma parole de me
325 conduire avec plus de sagesse et de raison. J'étais au désespoir de m'être trahi si mal à propos. Cependant, l'amour m'ayant ouvert extrêmement l'esprit depuis deux ou trois heures, je fis attention que [1] je ne lui avais pas découvert que mon dessein devait s'exécuter le lendemain, et je résolus de le tromper à la faveur d'une équivoque [2] :
330 Tiberge, lui dis-je, j'ai cru jusqu'à présent que vous étiez mon ami, et j'ai voulu vous éprouver par cette confidence. Il est vrai que j'aime, je ne vous ai pas trompé, mais, pour ce qui regarde ma fuite, ce n'est point une entreprise à former au hasard. Venez me prendre demain à neuf heures ; je vous ferai voir, s'il se peut, ma maîtresse, et vous
335 jugerez si elle mérite que je fasse cette démarche pour elle. Il me laissa seul, après mille protestations [3] d'amitié. J'employai la nuit à mettre ordre à mes affaires, et m'étant rendu à l'hôtellerie de Mademoiselle Manon vers la pointe du jour, je la trouvai qui m'attendait. Elle était à sa fenêtre, qui donnait sur la rue, de sorte que, m'ayant aperçu, elle
340 vint m'ouvrir elle-même. Nous sortîmes sans bruit. Elle n'avait point d'autre équipage que son linge, dont je me chargeai moi-même. La chaise était en état de partir ; nous nous éloignâmes aussitôt de la ville. Je rapporterai, dans la suite, quelle fut la conduite de Tiberge, lorsqu'il s'aperçut que je l'avais trompé. Son zèle n'en devint pas
345 moins ardent. Vous verrez à quel excès il le porta, et combien je devrais verser de larmes en songeant quelle en a toujours été la récompense.

....

1. **Je fis attention que** : je me souvins que.
2. **Équivoque** : discours pouvant s'entendre de deux manières différentes.
3. **Protestations** : manifestations, preuves.

Nous nous hâtâmes tellement d'avancer que nous arrivâmes à Saint-Denis [1] avant la nuit. J'avais couru à cheval à côté de la chaise, 350 ce qui ne nous avait guère permis de nous entretenir qu'en changeant de chevaux ; mais lorsque nous nous vîmes si proche de Paris, c'est-à-dire presque en sûreté [2], nous prîmes le temps de nous rafraîchir, n'ayant rien mangé depuis notre départ d'Amiens. Quelque passionné que je fusse pour Manon, elle sut me persuader qu'elle ne 355 l'était pas moins pour moi. Nous étions si peu réservés dans nos caresses, que nous n'avions pas la patience d'attendre que nous fussions seuls. Nos postillons [3] et nos hôtes nous regardaient avec admiration, et je remarquais qu'ils étaient surpris de voir deux enfants de notre âge, qui paraissaient s'aimer jusqu'à la fureur [4]. Nos projets de 360 mariage furent oubliés à Saint-Denis ; nous fraudâmes les droits [5] de l'Église, et nous nous trouvâmes époux sans y avoir fait réflexion. Il est sûr que, du naturel tendre et constant dont je suis, j'étais heureux pour toute ma vie, si Manon m'eût été fidèle. Plus je la connaissais, plus je découvrais en elle de nouvelles qualités aimables. Son esprit, 365 son cœur, sa douceur et sa beauté formaient une chaîne si forte et si charmante, que j'aurais mis tout mon bonheur à n'en sortir jamais. Terrible changement ! Ce qui fait mon désespoir a pu faire ma félicité. Je me trouve le plus malheureux de tous les hommes, par cette même constance dont je devais attendre le plus doux de tous les sorts, et 370 les plus parfaites récompenses de l'amour.

Nous prîmes un appartement meublé à Paris. Ce fut dans la rue V… et, pour mon malheur, auprès de la maison de M. de B…, célèbre fermier général [6]. Trois semaines se passèrent, pendant lesquelles j'avais été si rempli de ma passion que j'avais peu songé à ma

....

1. **Saint-Denis** : localité au nord de Paris, située à cent vingt kilomètres d'Amiens.
2. **En sûreté** : en sécurité.
3. **Postillons** : cochers de voitures.
4. **Fureur** : passion proche de la folie.
5. **Nous fraudâmes les droits** : nous contournâmes les règles.
6. **Fermier général** : financier qui, sous l'Ancien Régime, s'occupait du recouvrement de l'impôt.

375 famille et au chagrin que mon père avait dû ressentir de mon absence. Cependant, comme la débauche [1] n'avait nulle part à ma conduite, et que Manon se comportait aussi avec beaucoup de retenue, la tranquillité où nous vivions servit à me faire rappeler peu à peu l'idée de mon devoir. Je résolus de me réconcilier, s'il était possible, avec mon

380 père. Ma maîtresse était si aimable que je ne doutai point qu'elle ne pût lui plaire, si je trouvais moyen de lui faire connaître sa sagesse et son mérite : en un mot, je me flattai d'obtenir de lui la liberté de l'épouser, ayant été désabusé de l'espérance de [2] le pouvoir sans son consentement. Je communiquai [3] ce projet à Manon, et je lui fis

385 entendre qu'outre les motifs de l'amour et du devoir, celui de la nécessité [4] pouvait y entrer aussi pour quelque chose, car nos fonds étaient extrêmement altérés [5], et je commençais à revenir de l'opinion qu'ils étaient inépuisables. Manon reçut froidement cette proposition. Cependant, les difficultés qu'elle y opposa n'étant prises que de sa

390 tendresse même et de la crainte de me perdre, si mon père n'entrait point dans notre dessein après avoir connu le lieu de notre retraite, je n'eus pas le moindre soupçon du coup cruel qu'on se préparait à me porter. À l'objection de la nécessité, elle répondit qu'il nous restait encore de quoi vivre quelques semaines, et qu'elle trouverait, après

395 cela, des ressources dans l'affection de quelques parents à qui elle écrirait en province. Elle adoucit son refus par des caresses si tendres et si passionnées, que moi, qui ne vivais que dans elle, et qui n'avais pas la moindre défiance de son cœur, j'applaudis à toutes ses réponses et à toutes ses résolutions. Je lui avais laissé la disposition

400 de notre bourse, et le soin de payer notre dépense ordinaire. Je m'aperçus, peu après, que notre table était mieux servie, et qu'elle

....

1. **La débauche** : l'amour excessif pour les plaisirs de la chair.
2. **Ayant été désabusé de l'espérance de** : ayant abandonné l'espoir de. Le mariage entre mineurs nécessite le consentement du père, sans quoi l'héritier se trouve exclu de la succession.
3. **Je communiquai** : je fis part de, j'indiquai.
4. **De la nécessité** : du manque d'argent.
5. **Altérés** : détériorés, dégradés.

elle gaspille l'argent

s'était donné quelques ajustements [1] d'un prix considérable. Comme
je n'ignorais pas qu'il devait nous rester à peine douze ou quinze
pistoles [2], je lui marquai mon étonnement de cette augmentation
405 apparente de notre opulence [3]. Elle me pria, en riant, d'être sans
embarras. Ne vous ai-je pas promis, me dit-elle, que je trouverais
des ressources ? Je l'aimais avec trop de simplicité [4] pour m'alarmer
facilement.

Un jour que j'étais sorti l'après-midi, et que je l'avais avertie que
410 je serais dehors plus longtemps qu'à l'ordinaire, je fus étonné qu'à
mon retour on me fît attendre deux ou trois minutes à la porte. Nous
n'étions servis que par une petite fille qui était à peu près de notre
âge. Étant venue m'ouvrir, je lui demandai pourquoi elle avait tardé
si longtemps. Elle me répondit, d'un air embarrassé, qu'elle ne
415 m'avait point entendu frapper. Je n'avais frappé qu'une fois ; je lui
dis : Mais, si vous ne m'avez pas entendu, pourquoi êtes-vous donc
venue m'ouvrir ? Cette question la déconcerta si fort, que, n'ayant
point assez de présence d'esprit pour y répondre, elle se mit à pleurer,
en m'assurant que ce n'était point sa faute, et que madame lui avait
420 défendu d'ouvrir la porte jusqu'à ce que M. de B… fût sorti par
l'autre escalier, qui répondait au cabinet. Je demeurai si confus [5], que
je n'eus point la force d'entrer dans l'appartement. Je pris le parti de
descendre sous prétexte d'une affaire, et j'ordonnai à cet enfant de
dire à sa maîtresse que je retournerais dans le moment, mais de ne
425 pas faire connaître qu'elle m'eût parlé de M. de B….

Ma consternation [6] fut si grande, que je versais des larmes en descendant l'escalier, sans savoir encore de quel sentiment elles partaient. J'entrai dans le premier café et m'y étant assis près d'une table,

scandale

....

1. **S'était donné quelques ajustements** : s'était acheté des habits, avait étoffé sa
garde-robe.
2. **Pistoles** : ancienne monnaie de compte, la pistole valait dix livres.
3. **Opulence** : aisance, richesse.
4. **Simplicité** : naïveté.
5. **Confus** : troublé.
6. **Ma consternation** : ma stupéfaction, mon dépit.

j'appuyai la tête sur mes deux mains pour y développer[1] ce qui se
430 passait dans mon cœur. Je n'osais rappeler ce que je venais
d'entendre. Je voulais le considérer comme une illusion, et je fus prêt
deux ou trois fois de[2] retourner au logis, sans marquer que j'y eusse
fait attention. Il me paraissait si impossible que Manon m'eût trahi,
que je craignais de lui faire injure en la soupçonnant. Je l'adorais,
435 cela était sûr ; je ne lui avais pas donné plus de preuves d'amour que
je n'en avais reçu d'elle ; pourquoi l'aurais-je accusée d'être moins
sincère et moins constante que moi ? Quelle raison aurait-elle eue de
me tromper ? Il n'y avait que trois heures qu'elle m'avait accablé de
ses plus tendres caresses et qu'elle avait reçu les miennes avec trans-
440 port ; je ne connaissais pas mieux mon cœur que le sien. Non, non,
repris-je, il n'est pas possible que Manon me trahisse. Elle n'ignore
pas que je ne vis que pour elle. Elle sait trop bien que je l'adore. Ce
n'est pas là un sujet de me haïr.

Cependant la visite et la sortie furtive de M. de B... me causaient
445 de l'embarras. Je rappelais aussi les petites acquisitions de Manon,
qui me semblaient surpasser nos richesses présentes. Cela paraissait
sentir les libéralités[3] d'un nouvel amant. Et cette confiance qu'elle
m'avait marquée pour des ressources qui m'étaient inconnues !
J'avais peine à donner à tant d'énigmes un sens aussi favorable que
450 mon cœur le souhaitait. D'un autre côté, je ne l'avais presque pas
perdue de vue depuis que nous étions à Paris. Occupations, promenades, divertissements, nous avions toujours été l'un à côté de
l'autre ; mon Dieu ! un instant de séparation nous aurait trop affligés[4]. Il fallait nous dire sans cesse que nous nous aimions ; nous
455 serions morts d'inquiétude sans cela. Je ne pouvais donc m'imaginer
presque un seul moment où Manon pût s'être occupée d'un autre que
moi. À la fin, je crus avoir trouvé le dénouement de ce mystère. M. de
B..., dis-je en moi-même, est un homme qui fait de grosses affaires,

....

1. **Développer** : réfléchir à, méditer sur.
2. **Je fus prêt de** : je fus prêt à.
3. **Libéralités** : largesses généreuses.
4. **Affligés** : fait de la peine, rendus tristes.

et qui a de grandes relations ; les parents de Manon se seront servis
460 de cet homme pour lui faire tenir quelque argent. Elle en a peut-être
déjà reçu de lui ; il est venu aujourd'hui lui en apporter encore. Elle
s'est fait sans doute un jeu de me le cacher, pour me surprendre
agréablement. Peut-être m'en aurait-elle parlé si j'étais rentré à l'ordinaire, au lieu de venir ici m'affliger ; elle ne me le cachera pas, du
465 moins, lorsque je lui en parlerai moi-même.

Je me remplis si fortement de cette opinion, qu'elle eut la force de
diminuer beaucoup ma tristesse. Je retournai sur-le-champ au logis.
J'embrassai Manon avec ma tendresse ordinaire. Elle me reçut fort
bien. J'étais tenté d'abord de lui découvrir mes conjectures [1], que je
470 regardais plus que jamais comme certaines ; je me retins, dans l'espérance qu'il lui arriverait peut-être de me prévenir, en m'apprenant
tout ce qui s'était passé. On nous servit à souper. Je me mis à table
d'un air fort gai ; mais à la lumière de la chandelle qui était entre elle
et moi, je crus apercevoir de la tristesse sur le visage et dans les yeux
475 de ma chère maîtresse. Cette pensée m'en inspira aussi. Je remarquai
que ses regards s'attachaient sur moi d'une autre façon qu'ils
n'avaient accoutumé. Je ne pouvais démêler si c'était de l'amour ou
de la compassion, quoiqu'il me parût que c'était un sentiment doux
et languissant [2]. Je la regardai avec la même attention ; et peut-être
480 n'avait-elle pas moins de peine à juger de la situation de mon cœur
par mes regards. Nous ne pensions ni à parler, ni à manger. Enfin, je
vis tomber des larmes de ses beaux yeux : perfides [3] larmes ! Ah
Dieux ! m'écriai-je, vous pleurez, ma chère Manon ; vous êtes affligée [4] jusqu'à pleurer, et vous ne me dites pas un seul mot de vos
485 peines. Elle ne me répondit que par quelques soupirs qui augmentèrent mon inquiétude. Je me levai en tremblant. Je la conjurai [5], avec
tous les empressements de l'amour, de me découvrir le sujet de ses

....

1. **Conjectures** : suppositions.
2. **Languissant** : en proie à l'abandon de l'amour.
3. **Perfides** : traîtresses, trompeuses.
4. **Affligée** : triste.
5. **Conjurai** : priai vivement, suppliai.

pleurs ; j'en versai moi-même en essuyant les siens ; j'étais plus mort que vif. Un barbare aurait été attendri des témoignages de ma dou-
490 leur et de ma crainte. Dans le temps que j'étais ainsi tout occupé d'elle, j'entendis le bruit de plusieurs personnes qui montaient l'escalier. On frappa doucement à la porte. Manon me donna un baiser, et s'échappant de mes bras, elle entra rapidement dans le cabinet, qu'elle ferma aussitôt sur elle. Je me figurai qu'étant un peu en
495 désordre, elle voulait se cacher aux yeux des étrangers qui avaient frappé. J'allai leur ouvrir moi-même. À peine avais-je ouvert, que je me vis saisir par trois hommes, que je reconnus pour les laquais [1] de mon père. Ils ne me firent point de violence ; mais deux d'entre eux m'ayant pris par les bras, le troisième visita mes poches, dont il tira
500 un petit couteau qui était le seul fer [2] que j'eusse sur moi. Ils me demandèrent pardon de la nécessité où ils étaient de me manquer de respect ; ils me dirent naturellement qu'ils agissaient par l'ordre de mon père, et que mon frère aîné m'attendait en bas dans un carrosse. J'étais si troublé, que je me laissai conduire sans résister et sans
505 répondre. Mon frère était effectivement à m'attendre. On me mit dans le carrosse, auprès de lui, et le cocher, qui avait ses ordres, nous conduisit à grand train jusqu'à Saint-Denis. Mon frère m'embrassa tendrement, mais il ne me parla point, de sorte que j'eus tout le loisir dont j'avais besoin, pour rêver à mon infortune.
510   J'y trouvai d'abord tant d'obscurité que je ne voyais pas de jour à la moindre conjecture. J'étais trahi cruellement. Mais par qui ? Tiberge fut le premier qui me vint à l'esprit. Traître ! disais-je, c'est fait de ta vie si mes soupçons se trouvent justes. Cependant je fis réflexion qu'il ignorait le lieu de ma demeure, et qu'on ne pouvait,
515 par conséquent, l'avoir appris de lui. Accuser Manon, c'est de quoi mon cœur n'osait se rendre coupable. Cette tristesse extraordinaire dont je l'avais vue comme accablée, ses larmes, le tendre baiser qu'elle m'avait donné en se retirant, me paraissaient bien une

....

1. **Laquais** : domestiques.
2. **Fer** : arme (en fer).

il fait des excuses pour Manon

énigme ; mais je me sentais porté à l'expliquer comme un pressenti-
520 ment de notre malheur commun, et dans le temps que [1] je me déses-
pérais de l'accident qui m'arrachait à elle, j'avais la crédulité [2] de
m'imaginer qu'elle était encore plus à plaindre que moi. Le résultat
de ma méditation fut de me persuader que j'avais été aperçu dans les
rues de Paris par quelques personnes de connaissance, qui en avaient
525 donné avis à mon père. Cette pensée me consola. Je comptais d'en
être quitte pour des reproches ou pour quelques mauvais traitements,
qu'il me faudrait essuyer [3] de l'autorité paternelle. Je résolus de les
souffrir [4] avec patience, et de promettre tout ce qu'on exigerait de
moi, pour me faciliter l'occasion de retourner plus promptement [5] à
530 Paris, et d'aller rendre la vie et la joie à ma chère Manon.

Nous arrivâmes, en peu de temps, à Saint-Denis. Mon frère, surpris
de mon silence, s'imagina que c'était un effet de ma crainte. Il entreprit de me consoler, en m'assurant que je n'avais rien à redouter de
la sévérité de mon père, pourvu que je fusse disposé à rentrer douce-
535 ment dans le devoir, et à mériter l'affection qu'il avait pour moi. Il
me fit passer la nuit à Saint-Denis, avec la précaution de faire coucher
les trois laquais dans ma chambre. Ce qui me causa une peine sensible, fut de me voir dans la même hôtellerie où je m'étais arrêté avec
Manon, en venant d'Amiens à Paris. L'hôte et les domestiques me
540 reconnurent, et devinèrent en même temps la vérité de mon histoire.
J'entendis dire à l'hôte : Ah ! c'est ce joli monsieur qui passait, il y a
six semaines, avec une petite demoiselle qu'il aimait si fort. Qu'elle
était charmante ! Les pauvres enfants, comme ils se caressaient [6] !
Pardi, c'est dommage qu'on les ait séparés. Je feignais de ne rien
545 entendre, et je me laissais voir le moins qu'il m'était possible. Mon
frère avait, à Saint-Denis, une chaise à deux, dans laquelle nous partîmes de grand matin, et nous arrivâmes chez nous le lendemain au

....

1. **Dans le temps que** : en même temps que.
2. **Crédulité** : naïveté.
3. **Essuyer** : recevoir, endurer.
4. **Souffrir** : endurer.
5. **Promptement** : rapidement.
6. **Se caressaient** : se manifestaient des marques d'affection.

soir. Il vit mon père avant moi, pour le prévenir en ma faveur [1] en lui apprenant avec quelle douceur je m'étais laissé conduire, de sorte que
550 j'en fus reçu moins durement que je ne m'y étais attendu. Il se contenta de me faire quelques reproches généraux sur la faute que j'avais commise en m'absentant sans sa permission. Pour ce qui regardait ma maîtresse, il me dit que j'avais bien mérité ce qui venait de m'arriver, en me livrant à une inconnue ; qu'il avait eu meilleure
555 opinion de ma prudence, mais qu'il espérait que cette petite aventure me rendrait plus sage. Je ne pris ce discours que dans le sens qui s'accordait avec mes idées. Je remerciai mon père de la bonté qu'il avait de me pardonner, et je lui promis de prendre une conduite plus soumise et plus réglée. Je triomphais au fond du cœur car de la
560 manière dont les choses s'arrangeaient, je ne doutais point que je n'eusse la liberté de me dérober de la maison, même avant la fin de la nuit.

On se mit à table pour souper ; on me railla [2] sur ma conquête d'Amiens, et sur ma fuite avec cette fidèle maîtresse. Je reçus les coups
565 de bonne grâce. J'étais même charmé qu'il me fût permis de m'entretenir de [3] ce qui m'occupait continuellement l'esprit. Mais quelques mots lâchés par mon père me firent prêter l'oreille avec la dernière attention : il parla de perfidie et de service intéressé, rendu par Monsieur B… Je demeurai interdit [4] en lui entendant prononcer ce nom,
570 et je le priai humblement de s'expliquer davantage. Il se tourna vers mon frère, pour lui demander s'il ne m'avait pas raconté toute l'histoire. Mon frère lui répondit que je lui avais paru si tranquille sur la route, qu'il n'avait pas cru que j'eusse besoin de ce remède pour me guérir de ma folie. Je remarquai que mon père balançait s'il achèverait
575 de s'expliquer. Je l'en suppliai si instamment [5] qu'il me satisfît, ou plutôt, qu'il m'assassina cruellement par le plus horrible de tous les récits.

....

1. **Le prévenir en ma faveur** : l'amener à de bonnes dispositions à mon égard.
2. **On me railla** : on se moqua de moi.
3. **De m'entretenir de** : de parler de, d'évoquer dans la conversation.
4. **Interdit** : muet, incapable de parler, sous le coup de l'émotion.
5. **Si instamment** : de manière si pressante.

Il me demanda d'abord si j'avais toujours eu la simplicité de croire que je fusse aimé de ma maîtresse. Je lui dis hardiment [1] que j'en étais
580 si sûr que rien ne pouvait m'en donner la moindre défiance. Ha ! ha ! ha ! s'écria-t-il en riant de toute sa force, cela est excellent ! Tu es une jolie dupe, et j'aime à te voir dans ces sentiments-là. C'est grand dommage, mon pauvre Chevalier, de te faire entrer dans l'ordre de Malte, puisque tu as tant de disposition à faire un mari
585 patient et commode [2]. Il ajouta mille railleries [3] de cette force, sur ce qu'il appelait ma sottise et ma crédulité. Enfin, comme je demeurais dans le silence, il continua de me dire que, suivant le calcul qu'il pouvait faire du temps depuis mon départ d'Amiens, Manon m'avait aimé environ douze jours : car, ajouta-t-il, je sais que tu partis
590 d'Amiens le 28, de l'autre mois ; nous sommes au 29 du présent ; il y en a onze que Monsieur B... m'a écrit ; je suppose qu'il lui en ait fallu huit pour lier une parfaite connaissance avec ta maîtresse ; ainsi, qui ôte onze et huit de trente-un jours qu'il y a depuis le 28 d'un mois jusqu'au 29 de l'autre, reste douze, un peu plus ou moins. Là-
595 dessus, les éclats de rire recommencèrent. J'écoutais tout avec un saisissement de cœur auquel j'appréhendais de ne pouvoir résister jusqu'à la fin de cette triste comédie. Tu sauras donc, reprit mon père, puisque tu l'ignores, que Monsieur B... a gagné le cœur de ta princesse, car il se moque de moi, de prétendre me persuader que c'est
600 par un zèle désintéressé pour mon service qu'il a voulu te l'enlever. C'est bien d'un homme tel que lui, de qui, d'ailleurs, je ne suis pas connu, qu'il faut attendre des sentiments si nobles ! Il a su d'elle que tu es mon fils, et pour se délivrer de tes importunités, il m'a écrit le lieu de ta demeure et le désordre où tu vivais, en me faisant entendre
605 qu'il fallait main-forte [4] pour s'assurer de toi [5]. Il s'est offert de me faciliter les moyens de te saisir au collet [6], et c'est par sa direction et

....

1. **Hardiment** : fermement, avec assurance.
2. **Commode** : facile à vivre ; qui ne fait pas de difficultés.
3. **Railleries** : moqueries.
4. **Main-forte** : une force armée, des renforts.
5. **S'assurer de toi** : t'arrêter.
6. **Au collet** : par le col.

celle de ta maîtresse même que ton frère a trouvé le moment de te prendre sans vert[1]. Félicite-toi maintenant de la durée de ton triomphe. Tu sais vaincre assez rapidement, Chevalier ; mais tu ne 610 sais pas conserver tes conquêtes.

Je n'eus pas la force de soutenir plus longtemps un discours dont chaque mot m'avait percé le cœur. Je me levai de table, et je n'avais pas fait quatre pas pour sortir de la salle, que je tombai sur le plancher, sans sentiment et sans connaissance. On me les rappela par de 615 prompts secours. J'ouvris les yeux pour verser un torrent de pleurs, et la bouche pour proférer les plaintes les plus tristes et les plus touchantes. Mon père, qui m'a toujours aimé tendrement, s'employa avec toute son affection pour me consoler. Je l'écoutais, mais sans l'entendre. Je me jetai à ses genoux, je le conjurai, en joignant les 620 mains, de me laisser retourner à Paris pour aller poignarder B... Non, disais-je, il n'a pas gagné le cœur de Manon, il lui a fait violence ; il l'a séduite par un charme ou par un poison ; il l'a peut-être forcée brutalement. Manon m'aime. Ne le sais-je pas bien ? Il l'aura menacée, le poignard à la main, pour la contraindre de m'abandonner. 625 Que n'aura-t-il pas fait pour me ravir une si charmante maîtresse ! Ô dieux ! dieux ! serait-il possible que Manon m'eût trahi, et qu'elle eût cessé de m'aimer !

Comme je parlais toujours de retourner promptement à Paris, et que je me levais même à tous moments pour cela, mon père vit bien 630 que, dans le transport où j'étais, rien ne serait capable de m'arrêter. Il me conduisit dans une chambre haute, où il laissa deux domestiques avec moi pour me garder à vue. Je ne me possédais point[2]. J'aurais donné mille vies pour être seulement un quart d'heure à Paris. Je compris que, m'étant déclaré si ouvertement[3], on ne me 635 permettrait pas aisément de sortir de ma chambre. Je mesurai des yeux la hauteur des fenêtres ; ne voyant nulle possibilité de m'échapper par cette voie, je m'adressai doucement à mes deux domestiques.

....

1. **Prendre sans vert** : prendre au dépourvu.
2. **Je ne me possédais point** : je ne me contrôlais plus.
3. **Ouvertement** : sans retenue ni dissimulation.

Je m'engageai, par mille serments, à faire un jour leur fortune, s'ils voulaient consentir à mon évasion. Je les pressai, je les caressai, je les
640 menaçai ; mais cette tentative fut encore inutile. Je perdis alors toute espérance. Je résolus de mourir, et je me jetai sur un lit, avec le dessein de ne le quitter qu'avec la vie. Je passai la nuit et le jour suivant dans cette situation. Je refusai la nourriture qu'on m'apporta le lendemain. Mon père vint me voir l'après-midi. Il eut la bonté de flatter mes
645 peines par les plus douces consolations. Il m'ordonna si absolument de manger quelque chose, que je le fis par respect pour ses ordres. Quelques jours se passèrent, pendant lesquels je ne pris rien qu'en sa présence et pour lui obéir. Il continuait toujours de m'apporter les raisons qui pouvaient me ramener au bons sens et m'inspirer du
650 mépris pour l'infidèle Manon. Il est certain que je ne l'estimais plus ; comment aurais-je estimé la plus volage [1] et la plus perfide de toutes les créatures ? Mais son image, ses traits charmants que je portais au fond du cœur, y subsistaient toujours. Je me sentais bien. Je puis mourir, disais-je ; je le devrais même, après tant de honte et de dou-
655 leur ; mais je souffrirais mille morts sans pouvoir oublier l'ingrate Manon.

Mon père était surpris de me voir toujours si fortement touché. Il me connaissait des principes d'honneur, et ne pouvant douter que sa trahison ne me la fît mépriser, il s'imagina que ma constance venait
660 moins de cette passion en particulier que d'un penchant général pour les femmes. Il s'attacha tellement à cette pensée que, ne consultant que sa tendre affection, il vint un jour m'en faire l'ouverture [2]. Chevalier, me dit-il, j'ai eu dessein, jusqu'à présent, de te faire porter la croix de Malte ; mais je vois que tes inclinations [3] ne sont point tour-
665 nées de ce côté-là. Tu aimes les jolies femmes. Je suis d'avis de t'en chercher une qui te plaise. Explique-moi naturellement [4] ce que tu penses là-dessus. Je lui répondis que je ne mettais plus de distinction

....

1. Volage : se dit d'une femme (ou d'un homme), qui se laisse facilement séduire par plusieurs partenaires.

2. M'en faire l'ouverture : me le dire, s'en ouvrir à moi.

3. Inclinations : penchants, tendances affectives.

4. Naturellement : tout simplement, sincèrement.

entre les femmes, et qu'après le malheur qui venait de m'arriver je les
détestais toutes également. Je t'en chercherai une, reprit mon père en
670 souriant, qui ressemblera à Manon, et qui sera plus fidèle. Ah ! si
vous avez quelque bonté pour moi, lui dis-je, c'est elle qu'il faut me
rendre. Soyez sûr, mon cher père, qu'elle ne m'a point trahi ; elle
n'est pas capable d'une si noire et si cruelle lâcheté. C'est le perfide
B... qui nous trompe, vous, elle et moi. Si vous saviez combien elle
675 est tendre et sincère, si vous la connaissiez, vous l'aimeriez vous-
même. Vous êtes un enfant, repartit [1] mon père. Comment pouvez-
vous vous aveugler jusqu'à ce point, après ce que je vous ai raconté
d'elle ? C'est elle-même qui vous a livré à votre frère. Vous devriez
oublier jusqu'à son nom, et profiter, si vous êtes sage, de l'indul-
680 gence [2] que j'ai pour vous. Je reconnaissais trop clairement qu'il avait
raison. C'était un mouvement involontaire qui me faisait prendre
ainsi le parti de mon infidèle. Hélas ! repris-je, après un moment de
silence, il n'est que trop vrai que je suis le malheureux objet de la
plus lâche de toutes les perfidies. Oui, continuai-je, en versant des
685 larmes de dépit [3], je vois bien que je ne suis qu'un enfant. Ma crédulité ne leur coûtait guère à tromper [4]. Mais je sais bien ce que j'ai à
faire pour me venger. Mon père voulut savoir quel était mon dessein.
J'irai à Paris, lui dis-je, je mettrai le feu à la maison de B..., et je le
brûlerai tout vif avec la perfide Manon. Cet emportement fit rire mon
690 père et ne servit qu'à me faire garder plus étroitement dans ma
prison.

J'y passai six mois entiers, pendant le premier desquels il y eut peu
de changements dans mes dispositions. Tous mes sentiments
n'étaient qu'une alternative perpétuelle de haine et d'amour, d'espé-
695 rance ou de désespoir, selon l'idée sous laquelle Manon s'offrait à
mon esprit. Tantôt je ne considérais en elle que la plus aimable de
toutes les filles, et je languissais du désir de la revoir ; tantôt je n'y
....

1. Repartit : répliqua.
2. L'indulgence : la bonté, la bienveillance.
3. Dépit : colère, déception.
4. Ma crédulité ne leur coûtait guère à tromper : il leur était facile d'abuser de
ma crédulité.

apercevais qu'une lâche et perfide maîtresse, et je faisais mille serments de ne la chercher que pour la punir. On me donna des livres,
700 qui servirent à rendre un peu de tranquillité à mon âme. Je relus tous
mes auteurs ; j'acquis de nouvelles connaissances ; je repris un goût
infini pour l'étude. Vous verrez de quelle utilité il me fut dans la suite.
Les lumières que je devais à l'amour me firent trouver de la clarté
dans quantités d'endroits d'Horace et de Virgile [1], qui m'avaient paru
705 obscurs auparavant. Je fis un commentaire amoureux sur le quatrième
livre de l'*Énéide* [2] ; je le destine à voir le jour, et je me flatte que le
public en sera satisfait. Hélas ! disais-je en le faisant, c'était un cœur
tel que le mien qu'il fallait à la fidèle Didon [3]…

Tiberge vint me voir un jour dans ma prison. Je fus surpris du
710 transport avec lequel il m'embrassa. Je n'avais point encore eu de
preuves de son affection qui pussent me la faire regarder autrement
que comme une simple amitié de collège, telle qu'elle se forme entre
de jeunes gens qui sont à peu près du même âge. Je le trouvai si
changé et si formé, depuis cinq ou six mois que j'avais passés sans le
715 voir, que sa figure et le ton de son discours m'inspirèrent du respect.
Il me parla en conseiller sage, plutôt qu'en ami d'école. Il plaignit
l'égarement où j'étais tombé. Il me félicita de ma guérison, qu'il
croyait avancée ; enfin il m'exhorta à [4] profiter de cette erreur de jeunesse pour ouvrir les yeux sur la vanité [5] des plaisirs. Je le regardai
720 avec étonnement. Il s'en aperçut. Mon cher Chevalier, me dit-il, je ne
vous dis rien qui ne soit solidement vrai, et dont je ne me sois
convaincu par un sérieux examen [6]. J'avais autant de penchant que
....

1. **Virgile** (70-19 av. J.-C.) : poète latin.
2. **Énéide** : long poème épique de Virgile, qui raconte la légende d'Énée, fondateur de Rome.
3. **Didon** : reine de Carthage. Elle tombe amoureuse d'Énée à qui elle offre l'hospitalité lorsque celui-ci fuit Troie, détruite par la guerre. Désireux de refonder
un royaume prospère, il l'abandonne cependant et va construire Lavinium, à
l'emplacement de la future ville de Rome. Seule et désespérée, Didon se suicide.
Elle incarne depuis lors un héroïsme féminin de la fidélité et du sacrifice.
4. **M'exhorta à** : m'incita à, tenta de me persuader de.
5. **La vanité** : l'inconsistance, l'inutilité.
6. **Examen** : réflexion approfondie, étude d'une question.

vous vers la volupté [1], mais le Ciel m'avait donné, en même temps, du goût pour la vertu. Je me suis servi de ma raison pour comparer
725 les fruits de l'une et de l'autre et je n'ai pas tardé longtemps à découvrir leurs différences. Le secours du Ciel s'est joint à mes réflexions. J'ai conçu pour le monde un mépris auquel il n'y a rien d'égal. Devineriez-vous ce qui m'y retient, ajouta-t-il, et ce qui m'empêche de courir à la solitude [2] ? C'est uniquement la tendre amitié que j'ai pour
730 vous. Je connais l'excellence de votre cœur et de votre esprit ; il n'y a rien de bon dont vous ne puissiez vous rendre capable. Le poison du plaisir vous a fait écarter du chemin. Quelle perte pour la vertu ! Votre fuite d'Amiens m'a causé tant de douleur, que je n'ai pas goûté, depuis, un seul moment de satisfaction. Jugez-en par les démarches
735 qu'elle m'a fait faire. Il me raconta qu'après s'être aperçu que je l'avais trompé et que j'étais parti avec ma maîtresse, il était monté à cheval pour me suivre ; mais qu'ayant sur lui quatre ou cinq heures d'avance, il lui avait été impossible de me joindre [3] ; qu'il était arrivé néanmoins à Saint-Denis une demi-heure après mon départ ; qu'étant
740 bien certain que je me serais arrêté à Paris, il y avait passé six semaines à me chercher inutilement ; qu'il allait dans tous les lieux où il se flattait de pouvoir me trouver, et qu'un jour enfin il avait reconnu ma maîtresse à la Comédie [4] ; qu'elle y était dans une parure si éclatante qu'il s'était imaginé qu'elle devait cette fortune à un
745 nouvel amant ; qu'il avait suivi son carrosse jusqu'à sa maison, et qu'il avait appris d'un domestique qu'elle était entretenue par les libéralités de Monsieur B... Je ne m'arrêtai point là, continua-t-il. J'y retournai le lendemain, pour apprendre d'elle-même ce que vous étiez devenu ; elle me quitta brusquement, lorsqu'elle m'entendit parler de
750 vous, et je fus obligé de revenir en province sans aucun autre éclaircissement. J'y appris votre aventure et la consternation extrême qu'elle vous a causée ; mais je n'ai pas voulu vous voir, sans être assuré de vous trouver plus tranquille.

....

1. **Volupté** : recherche des plaisirs, notamment sensuels.
2. **Solitude** : ici, fait de se retirer dans un couvent.
3. **Joindre** : rejoindre.
4. **À la Comédie** : au théâtre.

Vous avez donc vu Manon, lui répondis-je en soupirant. Hélas !
755 vous êtes plus heureux que moi, qui suis condamné à ne la revoir
jamais. Il me fit des reproches de ce soupir, qui marquait encore de
la faiblesse pour elle. Il me flatta si adroitement sur la bonté de mon
caractère et sur mes inclinations, qu'il me fit naître dès cette première
visite, une forte envie de renoncer comme lui à tous les plaisirs du
760 siècle [1] pour entrer dans l'état ecclésiastique.

Je goûtai tellement cette idée que, lorsque je me trouvai seul, je ne
m'occupai plus d'autre chose. Je me rappelai les discours de
M. l'évêque d'Amiens, qui m'avait donné le même conseil, et les pré-
sages heureux qu'il avait formés en ma faveur, s'il m'arrivait
765 d'embrasser ce parti [2]. La piété [3] se mêla aussi dans mes considérations. Je mènerai une vie sage et chrétienne, disais-je ; je m'occuperai
de l'étude et de la religion, qui ne me permettront point de penser
aux dangereux plaisirs de l'amour. Je mépriserai ce que le commun
des hommes admire ; et comme je sens assez que mon cœur ne dési-
770 rera que ce qu'il estime, j'aurai aussi peu d'inquiétudes que de désirs.
Je formai là-dessus, d'avance, un système de vie paisible et solitaire.
J'y faisais entrer une maison écartée, avec un petit bois et un ruisseau
d'eau douce au bout du jardin, une bibliothèque composée de livres
choisis ; un petit nombre d'amis vertueux et de bon sens, une table
775 propre, mais frugale [4] et modérée. J'y joignais un commerce de lettres
avec un ami qui ferait son séjour à Paris, et qui m'informerait des
nouvelles publiques, moins pour satisfaire ma curiosité que pour me
faire un divertissement des folles agitations des hommes. Ne serai-je
pas heureux ? ajoutais-je ; toutes mes prétentions [5] ne seront-elles
780 point remplies ? Il est certain que ce projet flattait extrêmement mes
inclinations. Mais, à la fin d'un si sage arrangement, je sentais que
mon cœur attendait encore quelque chose, et que, pour n'avoir rien
à désirer dans la plus charmante solitude, il y fallait être avec Manon.

....

1. **Du siècle** : du monde profane, c'est-à-dire non religieux.
2. **D'embrasser ce parti** : de choisir cet état.
3. **La piété** : l'attachement à Dieu qui se manifeste pas des actes de dévotion.
4. **Frugale** : légère, simple.
5. **Prétentions** : désirs, attentes de ce que peut apporter l'existence.

Cependant, Tiberge continuant de me rendre de fréquentes visites,
785 dans le dessein qu'il m'avait inspiré, je pris l'occasion d'en faire
l'ouverture à mon père. Il me déclara que son intention était de laisser
ses enfants libres dans le choix de leur condition [1] et que, de quelque
manière que je voulusse disposer de moi, il ne se réserverait que le
droit de m'aider de ses conseils. Il m'en donna de fort sages, qui
790 tendaient moins à me dégoûter de mon projet, qu'à me le faire
embrasser avec connaissance. Le renouvellement de l'année scolastique approchait. Je convins avec Tiberge de nous mettre ensemble
au séminaire [2] de Saint-Sulpice [3], lui pour achever ses études de théologie [4], et moi pour commencer les miennes. Son mérite, qui était
795 connu de l'évêque du diocèse [5], lui fit obtenir de ce prélat [6] un bénéfice [7] considérable avant notre départ.

Mon père, me croyant tout à fait revenu de ma passion, ne fit
aucune difficulté de me laisser partir. Nous arrivâmes à Paris. L'habit
ecclésiastique prit la place de la croix de Malte, et le nom d'abbé Des
800 Grieux celle de chevalier. Je m'attachai à l'étude avec tant d'application, que je fis des progrès extraordinaires en peu de mois. J'y
employais une partie de la nuit, et je ne perdais pas un moment du
jour. Ma réputation eut tant d'éclat, qu'on me félicitait déjà sur les
dignités que je ne pouvais manquer d'obtenir, et sans l'avoir sollicité,
805 mon nom fut couché sur la feuille des bénéfices. La piété n'était pas
plus négligée ; j'avais de la ferveur [8] pour tous les exercices. Tiberge
était charmé de ce qu'il regardait comme son ouvrage, et je l'ai vu
plusieurs fois répandre des larmes, en s'applaudissant de ce qu'il
.... *il s'est dévoué à la religion*

1. **Leur condition** : leur état de vie (mariage ou vie religieuse).
2. **Séminaire** : depuis le XVIIe siècle, établissement religieux où l'on forme les clercs.
3. **Saint-Sulpice** : dans le 6e arrondissement de Paris.
4. **Théologie** : discipline portant sur la connaissance de Dieu et des religions.
5. **Diocèse** : circonscription religieuse dirigée par un évêque ou un archevêque.
6. **Prélat** : haut dignitaire ecclésiastique.
7. **Bénéfice** : avantage financier lié à une charge ecclésiastique.
8. **Ferveur** : ardeur religieuse.

nommait ma conversion [1]. Que les résolutions humaines soient
810 sujettes à changer, c'est ce qui ne m'a jamais causé d'étonnement ;
une passion les fait naître, une autre passion peut les détruire ; mais
quand je pense à la sainteté de celles qui m'avaient conduit à Saint-
Sulpice et à la joie intérieure que le Ciel m'y faisait goûter en les
exécutant, je suis effrayé de la facilité avec laquelle j'ai pu les rompre.
815 S'il est vrai que les secours célestes [2] sont à tous moments d'une force
égale à celle des passions, qu'on m'explique donc par quel funeste
ascendant [3] on se trouve emporté tout d'un coup loin de son devoir,
sans se trouver capable de la moindre résistance, et sans ressentir le
moindre remords. Je me croyais absolument délivré des faiblesses de
820 l'amour. Il me semblait que j'aurais préféré la lecture d'une page de
saint Augustin, ou un quart d'heure de méditation chrétienne, à tous
les plaisirs des sens, sans excepter ceux qui m'auraient été offerts par
Manon. Cependant, un instant malheureux me fit retomber dans le
précipice, et ma chute fut d'autant plus irréparable, que me trouvant
825 tout d'un coup au même degré de profondeur d'où j'étais sorti, les
nouveaux désordres où je tombai me portèrent bien plus loin vers le
fond de l'abîme.

J'avais passé près d'un an à Paris, sans m'informer des affaires de
Manon. Il m'en avait d'abord coûté beaucoup pour me faire cette
830 violence ; mais les conseils toujours présents de Tiberge, et mes
propres réflexions, m'avaient fait obtenir la victoire. Les derniers
mois s'étaient écoulés si tranquillement que je me croyais sur le point
d'oublier éternellement cette charmante et perfide créature. Le temps
arriva auquel je devais soutenir un exercice public dans l'École de
835 Théologie. Je fis prier plusieurs personnes de considération de
m'honorer de leur présence. Mon nom fut ainsi répandu dans tous
les quartiers de Paris : il alla jusqu'aux oreilles de mon infidèle. Elle
ne le reconnut pas avec certitude sous le titre d'abbé ; mais un reste

....

1. **Ma conversion** : mon changement de personnalité, mon renoncement à un
mode de vie peu conforme à la morale.
2. **Célestes** : du ciel, de Dieu.
3. **Funeste ascendant** : influence forte qui mène à la mort.

de curiosité, ou peut-être quelque repentir [1] de m'avoir trahi (je n'ai
840 jamais pu démêler lequel de ces deux sentiments) lui fit prendre intérêt à un nom si semblable au mien ; elle vint en Sorbonne avec
quelques autres dames. Elle fut présente à mon exercice, et sans doute
qu'elle eut peu de peine à me remettre.[2]

Je n'eus pas la moindre connaissance de cette visite. On sait qu'il
845 y a, dans ces lieux, des cabinets particuliers pour les dames, où elles
sont cachées derrière une jalousie [3]. Je retournai à Saint-Sulpice, couvert de gloire et chargé de compliments. Il était six heures du soir.
On vint m'avertir, un moment après mon retour, qu'une dame
demandait à me voir. J'allai au parloir sur-le-champ. Dieux ! quelle
850 apparition surprenante ! j'y trouvai Manon. C'était elle, mais plus
aimable et plus brillante que je ne l'avais jamais vue. Elle était dans
sa dix-huitième année. Ses charmes surpassaient tout ce qu'on peut
décrire. C'était un air si fin, si doux, si engageant, l'air de l'Amour
même. Toute sa figure me parut un enchantement.

855 Je demeurai interdit à sa vue, et ne pouvant conjecturer quel était
le dessein de cette visite, j'attendais, les yeux baissés et avec tremble-
ment, qu'elle s'expliquât. Son embarras fut, pendant quelque temps,
égal au mien, mais, voyant que mon silence continuait, elle mit la
main devant ses yeux, pour cacher quelques larmes. Elle me dit, d'un
860 ton timide, qu'elle confessait que son infidélité méritait ma haine ;
mais que, s'il était vrai que j'eusse jamais eu quelque tendresse pour
elle, il y avait eu, aussi, bien de la dureté à laisser passer deux ans
sans prendre soin de m'informer de son sort, et qu'il y en avait beaucoup encore à la voir dans l'état où elle était en ma présence, sans
865 lui dire une parole. Le désordre de mon âme, en l'écoutant, ne saurait
être exprimé.

Elle s'assit. Je demeurai debout, le corps à demi tourné, n'osant
l'envisager directement [4]. Je commençai plusieurs fois une réponse,

....

1. **Repentir** : regret amenant un désir de se racheter.
2. **À me remettre** : à me reconnaître.
3. **Une jalousie** : un système de volets orientables permettant de voir sans être vu.
4. **L'envisager directement** : lui faire face.

que je n'eus pas la force d'achever. Enfin, je fis un effort pour m'écrier
870 douloureusement : Perfide Manon ! Ah ! perfide ! perfide ! Elle me
répéta, en pleurant à chaudes larmes, qu'elle ne prétendait point justifier sa perfidie. Que prétendez-vous donc ? m'écriai-je encore. Je prétends mourir, répondit-elle, si vous ne me rendez votre cœur, sans
lequel il est impossible que je vive. Demande donc ma vie, infidèle !
875 repris-je en versant moi-même des pleurs, que je m'efforçai en vain
de retenir. Demande ma vie, qui est l'unique chose qui me reste à te
sacrifier ; car mon cœur n'a jamais cessé d'être à toi. À peine eus-je
achevé ces derniers mots, qu'elle se leva avec transport pour venir
m'embrasser. Elle m'accabla de mille caresses passionnées. Elle
880 m'appela par tous les noms que l'amour invente pour exprimer ses
plus vives tendresses. Je n'y répondais encore qu'avec langueur [1].
Quel passage, en effet, de la situation tranquille où j'avais été, aux
mouvements tumultueux que je sentais renaître ! J'en étais épouvanté.
Je frémissais, comme il arrive lorsqu'on se trouve la nuit dans une
885 campagne écartée : on se croit transporté dans un nouvel ordre de
choses ; on y est saisi d'une horreur secrète, dont on ne se remet
qu'après avoir considéré longtemps tous les environs.

Nous nous assîmes l'un près de l'autre. Je pris ses mains dans les
miennes. Ah ! Manon, lui dis-je en la regardant d'un œil triste, je ne
890 m'étais pas attendu à la noire trahison dont vous avez payé mon
amour. Il vous était bien facile de tromper un cœur dont vous étiez
la souveraine absolue, et qui mettait toute sa félicité à vous plaire et
à vous obéir. Dites-moi maintenant si vous en avez trouvé d'aussi
tendres et d'aussi soumis. Non, non, la Nature n'en fait guère de
895 la même trempe que le mien. Dites-moi, du moins, si vous l'avez
quelquefois regretté. Quel fond dois-je faire sur [2] ce retour de bonté
qui vous ramène aujourd'hui pour le consoler ? Je ne vois que trop
que vous êtes plus charmante que jamais ; mais au nom de toutes les
peines que j'ai souffertes pour vous, belle Manon, dites-moi si vous
900 serez plus fidèle.

....

1. **Avec langueur** : avec un abandon amoureux.
2. **Quel fond dois-je faire sur** : quel crédit dois-je accorder à.

Elle me répondit des choses si touchantes sur son repentir, et elle s'engagea à la fidélité par tant de protestations et de serments, qu'elle m'attendrit à un degré inexprimable. Chère Manon ! lui dis-je, avec un mélange profane [1] d'expressions amoureuses et théologiques, tu 905 es trop adorable pour une créature. Je me sens le cœur emporté par une délectation [2] victorieuse. Tout ce qu'on dit de la liberté à Saint-Sulpice est une chimère [3]. Je vais perdre ma fortune et ma réputation pour toi, je le prévois bien ; je lis ma destinée dans tes beaux yeux, mais de quelles pertes ne serai-je pas consolé par ton amour ! Les 910 faveurs [4] de la fortune ne me touchent point ; la gloire me paraît une fumée ; tous mes projets de vie ecclésiastique étaient de folles imaginations ; enfin tous les biens différents de ceux que j'espère avec toi sont des biens méprisables, puisqu'ils ne sauraient tenir un moment, dans mon cœur, contre un seul de tes regards.

915 En lui promettant néanmoins un oubli général de ses fautes, je voulus être informé de quelle manière elle s'était laissé séduire par B... Elle m'apprit que, l'ayant vue à sa fenêtre, il était devenu passionné pour elle ; qu'il avait fait sa déclaration en fermier général, c'est-à-dire en lui marquant dans une lettre que le payement serait 920 proportionné aux faveurs ; qu'elle avait capitulé d'abord, mais sans autre dessein que de tirer de lui quelque somme considérable qui pût servir à nous faire vivre commodément ; qu'il l'avait éblouie par de si magnifiques promesses, qu'elle s'était laissé ébranler par degrés ; que je devais juger pourtant de ses remords par la douleur dont elle 925 m'avait laissé voir des témoignages, la veille de notre séparation ; que, malgré l'opulence dans laquelle il l'avait entretenue, elle n'avait jamais goûté de bonheur avec lui, non seulement parce qu'elle n'y trouvait point, me dit-elle, la délicatesse de mes sentiments et l'agrément [5] de mes manières, mais parce qu'au milieu même des plaisirs

....

1. **Profane** : qui échappe à la religion et aux considérations sacrées.
2. **Une délectation** : un plaisir, un bonheur.
3. **Chimère** : illusion.
4. **Faveurs** : bienfaits, avantages.
5. **L'Agrément** : la grâce plaisante et délicate.

930 qu'il lui procurait sans cesse, elle portait, au fond du cœur, le souvenir de mon amour, et le remords de son infidélité. Elle me parla de
Tiberge et de la confusion extrême que sa visite lui avait causée. Un
coup d'épée dans le cœur, ajouta-t-elle, m'aurait moins ému le sang.
Je lui tournai le dos, sans pouvoir soutenir un moment sa présence.

935 Elle continua de me raconter par quels moyens elle avait été instruite
de mon séjour à Paris, du changement de ma condition, et de mes
exercices de Sorbonne [1]. Elle m'assura qu'elle avait été si agitée, pendant la dispute [2], qu'elle avait eu beaucoup de peine, non seulement
à retenir ses larmes, mais ses gémissements mêmes et ses cris, qui

940 avaient été plus d'une fois sur le point d'éclater. Enfin, elle me dit
qu'elle était sortie de ce lieu la dernière, pour cacher son désordre [3]
et que, ne suivant que le mouvement [4] de son cœur et l'impétuosité [5]
de ses désirs, elle était venue droit [6] au séminaire, avec la résolution
d'y mourir si elle ne me trouvait pas disposé à lui pardonner.

945   Où trouver un barbare qu'un repentir si vif et si tendre n'eût pas
touché ? Pour moi, je sentis, dans ce moment, que j'aurais sacrifié
pour Manon tous les évêchés [7] du monde chrétien. Je lui demandai
quel nouvel ordre elle jugeait à propos de mettre dans nos affaires.
Elle me dit qu'il fallait sur-le-champ sortir du séminaire, et remettre à

950 nous arranger dans un lieu plus sûr. Je consentis à toutes ses volontés
sans réplique. Elle entra dans son carrosse, pour aller m'attendre au
coin de la rue. Je m'échappai un moment après, sans être aperçu du
portier. Je montai avec elle. Nous passâmes à la friperie [8]. Je repris
les galons [9] et l'épée. Manon fournit aux frais [10], car j'étais sans un

....

1. Exercices de Sorbonne : devoirs de la formation de théologie.

2. La dispute : le discours, la présentation orale.

3. Désordre : ici, trouble.

4. Le mouvement : l'élan.

5. L'impétuosité : la fougue, l'ardeur.

6. Droit : directement.

7. Évêchés : territoires placés sous l'autorité d'un évêque.

8. Friperie : commerce dans lequel sont vendus des vêtements d'occasion.

9. Galons : bandes de tissu servant d'ornement, le plus souvent militaire.

10. Fournit aux frais : paya.

955 sou ; et dans la crainte que je ne trouvasse de l'obstacle à ma sortie
de Saint-Sulpice, elle n'avait pas voulu que je retournasse un moment
à ma chambre pour y prendre mon argent. Mon trésor, d'ailleurs,
était médiocre, et elle assez riche des libéralités de B... pour mépriser[1] ce qu'elle me faisait abandonner. Nous conférâmes[2], chez le
960 fripier même, sur le parti que nous allions prendre. Pour me faire
valoir davantage le sacrifice qu'elle me faisait de B..., elle résolut de
ne pas garder avec lui le moindre ménagement[3]. Je veux lui laisser
ses meubles, me dit-elle, ils sont à lui ; mais j'emporterai, comme de
justice, les bijoux et près de soixante mille francs que j'ai tirés de lui
965 depuis deux ans. Je ne lui ai donné nul pouvoir sur moi, ajouta-t-elle ;
ainsi nous pouvons demeurer sans crainte à Paris, en prenant une
maison commode où nous vivrons heureusement. Je lui représentai
que, s'il n'y avait point de péril pour elle, il y en avait beaucoup pour
moi, qui ne manquerais point tôt ou tard d'être reconnu, et qui serais
970 continuellement exposé au malheur que j'avais déjà essuyé. Elle me
fit entendre qu'elle aurait du regret à quitter Paris. Je craignais tant
de la chagriner, qu'il n'y avait point de hasards que je ne méprisasse
pour lui plaire ; cependant, nous trouvâmes un tempérament raisonnable[4], qui fut de louer une maison dans quelque village voisin de
975 Paris, d'où il nous serait aisé d'aller à la ville lorsque le plaisir ou le
besoin nous y appellerait. Nous choisîmes Chaillot[5], qui n'en est pas
éloigné. Manon retourna sur-le-champ chez elle. J'allai l'attendre à la
petite porte du jardin des Tuileries. Elle revint une heure après, dans
un carrosse de louage[6], avec une fille qui la servait, et quelques
980 malles où ses habits et tout ce qu'elle avait de précieux était renfermé.

Nous ne tardâmes point à gagner Chaillot. Nous logeâmes la première nuit à l'auberge, pour nous donner le temps de chercher une

....

1. Mépriser : ici, faire peu de cas de.

2. Conférâmes : discutâmes sérieusement.

3. Ménagement : attention, égard envers quelqu'un.

4. Un tempérament raisonnable : un bon compromis, un pis-aller acceptable.

5. Chaillot : localité située à l'ouest de Paris.

6. Carrosse de louage : carrosse loué pour une durée donnée.

maison, ou du moins un appartement commode. Nous en trouvâmes, dès le lendemain, un de notre goût.

985 Mon bonheur me parut d'abord établi d'une manière inébranlable. Manon était la douceur et la complaisance même. Elle avait pour moi des attentions si délicates, que je me crus trop parfaitement dédommagé de toutes mes peines. Comme nous avions acquis tous deux un peu d'expérience, nous raisonnâmes sur la solidité de notre fortune.

990 Soixante mille francs, qui faisaient le fond de nos richesses, n'étaient pas une somme qui pût s'étendre autant que le cours d'une longue vie. Nous n'étions pas disposés d'ailleurs à resserrer trop notre dépense. La première vertu de Manon, non plus que la mienne, n'était pas l'économie. Voici le plan que je me proposai : soixante

995 mille francs, lui dis-je, peuvent nous soutenir pendant dix ans. Deux mille écus nous suffiront chaque année, si nous continuons de vivre à Chaillot. Nous y mènerons une vie honnête, mais simple. Notre unique dépense sera pour l'entretien d'un carrosse, et pour les spectacles. Nous nous réglerons [1]. Vous aimez l'Opéra : nous irons deux

1000 fois la semaine. Pour le jeu, nous nous bornerons tellement que nos pertes ne passeront jamais deux pistoles. Il est impossible que, dans l'espace de dix ans, il n'arrive point de changement dans ma famille ; mon père est âgé, il peut mourir. Je me trouverai du bien, et nous serons alors au-dessus de toutes nos autres craintes.

1005 Cet arrangement n'eût pas été la plus folle action de ma vie, si nous eussions été assez sages pour nous y assujettir [2] constamment. Mais nos résolutions ne durèrent guère plus d'un mois. Manon était passionnée pour le plaisir ; je l'étais pour elle. Il nous naissait, à tous moments, de nouvelles occasions de dépense ; et loin de regretter les

1010 sommes qu'elle employait quelquefois avec profusion [3], je fus le premier à lui procurer tout ce que je croyais propre à lui plaire. Notre demeure de Chaillot commença même à lui devenir à charge [4].
....

1. Nous nous réglerons : nous nous canaliserons, nous nous entendrons sur une organisation, nous nous fixerons une discipline et des limites.
2. Assujettir : soumettre, astreindre.
3. Avec profusion : largement, abondamment.
4. Lui devenir à charge : l'ennuyer, lui peser.

L'hiver approchait ; tout le monde retournait à la ville, et la campagne devenait déserte. Elle me proposa de reprendre une maison à
1015 Paris. Je n'y consentis point ; mais, pour la satisfaire en quelque chose, je lui dis que nous pouvions y louer un appartement meublé, et que nous y passerions la nuit lorsqu'il nous arriverait de quitter trop tard l'assemblée où nous allions plusieurs fois la semaine ; car l'incommodité de revenir si tard à Chaillot était le prétexte qu'elle
1020 apportait pour le vouloir quitter. Nous nous donnâmes ainsi deux logements, l'un à la ville, et l'autre à la campagne. Ce changement mit bientôt le dernier désordre dans nos affaires, en faisant naître deux aventures qui causèrent notre ruine.

Manon avait un frère, qui était garde du corps. Il se trouva malheu-
1025 reusement logé, à Paris, dans la même rue que nous. Il reconnut sa sœur, en la voyant le matin à sa fenêtre. Il accourut aussitôt chez nous. C'était un homme brutal et sans principes d'honneur. Il entra dans notre chambre en jurant horriblement, et comme il savait une partie des aventures de sa sœur, il l'accabla d'injures et de reproches.
1030 J'étais sorti un moment auparavant, ce qui fut sans doute un bonheur pour lui ou pour moi, qui n'étais rien moins que disposé à [1] souffrir une insulte. Je ne retournai au logis qu'après son départ. La tristesse de Manon me fit juger qu'il s'était passé quelque chose d'extraordinaire. Elle me raconta la scène fâcheuse [2] qu'elle venait d'essuyer, et
1035 les menaces brutales de son frère. J'en eus tant de ressentiment, que j'eusse couru sur-le-champ à la vengeance si elle ne m'eût arrêté par ses larmes. Pendant que je m'entretenais avec elle de cette aventure, le garde du corps rentra dans la chambre où nous étions, sans s'être fait annoncer. Je ne l'aurais pas reçu aussi civilement que je fis si je
1040 l'eusse connu ; mais, nous ayant salués d'un air riant, il eut le temps de dire à Manon qu'il venait lui faire des excuses de son comportement ; qu'il l'avait crue dans le désordre, et que cette opinion avait allumé sa colère ; mais que, s'étant informé qui j'étais, d'un de nos domestiques, il avait appris de moi des choses si avantageuses,

....

1. **Qui n'étais rien moins que disposé à** : qui n'étais absolument pas prêt à.
2. **Fâcheuse** : mauvaise, déplaisante.

le frère veut l'utiliser pour son argent

1045   qu'elles lui faisaient désirer de bien vivre avec nous. Quoique cette information, qui lui venait d'un de mes laquais, eût quelque chose de bizarre et de choquant, je reçus son compliment avec honnêteté. Je crus faire plaisir à Manon. Elle paraissait charmée de le voir porté à se réconcilier. Nous le retînmes à dîner. Il se rendit, en peu de
1050   moments, si familier, que nous ayant entendus parler de notre retour à Chaillot, il voulut absolument nous tenir compagnie. Il fallut lui donner une place dans notre carrosse. Ce fut une prise de possession, car il s'accoutuma bientôt à [1] nous voir avec tant de plaisir, qu'il fit sa maison de la nôtre et qu'il se rendit le maître, en quelque sorte,
1055   de tout ce qui nous appartenait. Il m'appelait son frère, et sous prétexte de la liberté fraternelle, il se mit sur le pied d'amener tous ses amis dans notre maison de Chaillot, et de les y traiter à nos dépens [2]. Il se fit habiller magnifiquement à nos frais. Il nous engagea même à payer toutes ses dettes. Je fermais les yeux sur cette tyrannie, pour ne
1060   pas déplaire à Manon, jusqu'à feindre de ne pas m'apercevoir qu'il tirait d'elle, de temps en temps, des sommes considérables. Il est vrai, qu'étant grand joueur, il avait la fidélité de lui en remettre une partie lorsque la fortune le favorisait ; mais la nôtre était trop médiocre pour fournir longtemps à des dépenses si peu modérées. J'étais sur le point
1065   de m'expliquer fortement avec lui, pour nous délivrer de ses importunités, lorsqu'un funeste accident m'épargna cette peine, en nous en causant une autre qui nous abîma [3] sans ressource.

     Nous étions demeurés un jour à Paris, pour y coucher, comme il nous arrivait fort souvent. La servante, qui restait seule à Chaillot
1070   dans ces occasions, vint m'avertir, le matin, que le feu avait pris, pendant la nuit, dans ma maison, et qu'on avait eu beaucoup de difficulté à l'éteindre. Je lui demandai si nos meubles avaient souffert quelque dommage ; elle me répondit qu'il y avait eu une si grande confusion, causée par la multitude d'étrangers qui étaient venus au
1075   secours, qu'elle ne pouvait être assurée de rien. Je tremblai pour notre

....

1. **S'accoutuma à** : s'habitua à.

2. **À nos dépens** : à notre détriment, à notre désavantage.

3. **Nous abîma** : nous fit sombrer.

argent, qui était renfermé dans une petite caisse. Je me rendis prompte-ment à Chaillot. Diligence[1] inutile ; la caisse avait déjà disparu. J'éprouvai alors qu'on peut aimer l'argent sans être avare[2]. Cette perte me pénétra[3] d'une si vive douleur que j'en pensai perdre la
1080 raison. Je compris tout d'un coup à quels nouveaux malheurs j'allais me trouver exposé ; l'indigence[4] était le moindre[5]. Je connaissais Manon : je n'avais déjà que trop éprouvé que, quelque fidèle et quelque attachée qu'elle me fût dans la bonne fortune, il ne fallait pas compter sur elle dans la misère. Elle aimait trop l'abondance et
1085 les plaisirs pour me les sacrifier : je la perdrai, m'écriai-je. Malheureux Chevalier, tu vas donc perdre encore tout ce que tu aimes ! Cette pensée me jeta dans un trouble[6] si affreux, que je balançai, pendant quelques moments, si je ne ferais pas mieux de finir tous mes maux par la mort. Cependant, je conservai assez de présence d'esprit pour
1090 vouloir examiner auparavant s'il ne me restait nulle ressource. Le Ciel me fit naître une idée, qui arrêta mon désespoir. Je crus qu'il ne me serait pas impossible de cacher notre perte à Manon, et que, par industrie[7] ou par quelque faveur du hasard, je pourrais fournir assez honnêtement à son entretien[8] pour l'empêcher de sentir la nécessité.
1095 J'ai compté, disais-je pour me consoler, que vingt mille écus nous suffiraient pendant dix ans. Supposons que les dix ans soient écoulés, et que nul des changements que j'espérais ne soit arrivé dans ma famille. Quel parti prendrais-je ? Je ne le sais pas trop bien, mais, ce que je ferais alors, qui m'empêche de le faire aujourd'hui ? Combien
1100 de personnes vivent à Paris, qui n'ont ni mon esprit, ni mes qualités

....

1. **Diligence** : rapidité.

2. **Avare** : caractère de quelqu'un qui refuse de dépenser son argent, qui le garde jalousement.

3. **Me pénétra** : m'envahit, me submergea.

4. **L'indigence** : la pauvreté extrême.

5. **Le moindre** : le plus petit, le moins important.

6. **Un trouble** : une émotion, un état d'agitation, d'inquiétude.

7. **Par industrie** : en faisant preuve d'ingéniosité et d'habileté.

8. **Fournir assez honnêtement à son entretien** : répondre suffisamment à ses besoins matériels.

naturelles, et qui doivent néanmoins leur entretien à leurs talents, tels qu'ils les ont ! La Providence[1], ajoutais-je, en réfléchissant sur les différents états de la vie, n'a-t-elle pas arrangé les choses fort sagement ? La plupart des grands et des riches sont des sots : cela est clair à qui connaît un peu le monde. Or il y a là-dedans une justice admirable : s'ils joignaient l'esprit aux richesses, ils seraient trop heureux, et le reste des hommes trop misérable. Les qualités du corps et de l'âme sont accordées à ceux-ci, comme des moyens pour se tirer de la misère et de la pauvreté. Les uns prennent part aux richesses des grands en servant à leurs plaisirs : ils en font des dupes ; d'autres servent à leur instruction : ils tâchent d'en faire d'honnêtes gens ; il est rare, à la vérité, qu'il y réussissent, mais ce n'est pas là le but de la divine Sagesse : ils tirent toujours un fruit de leur soins, qui est de vivre aux dépens de ceux qu'ils instruisent ; et de quelque façon qu'on le prenne, c'est un fond excellent de revenu pour les petits, que la sottise des riches et des grands.

   Ces pensées me remirent[2] un peu le cœur et la tête. Je résolus d'abord d'aller consulter M. Lescaut, frère de Manon. Il connaissait parfaitement Paris, et je n'avais eu que trop d'occasions de reconnaître que ce n'était ni de son bien ni de la paye du roi qu'il tirait son plus clair revenu. Il me restait à peine vingt pistoles qui s'étaient trouvées heureusement dans ma poche. Je lui montrai ma bourse, en lui expliquant mon malheur et mes craintes, et je lui demandai s'il y avait pour moi un parti à choisir entre celui de mourir de faim, ou de me casser la tête[3] de désespoir. Il me répondit que se casser la tête était la ressource des sots ; pour mourir de faim, qu'il y avait quantité de gens d'esprit qui s'y voyaient réduits, quand ils ne voulaient pas faire usage de leurs talents ; que c'était à moi d'examiner de quoi j'étais capable ; qu'il m'assurait de son secours et de ses conseils dans toutes mes entreprises.

....

1. **La Providence** : le destin.
2. **Me remirent** : me revigorèrent, me réconfortèrent.
3. **Me casser la tête** : me donner la mort.

Cela est bien vague, monsieur Lescaut, lui dis-je ; mes besoins demanderaient un remède plus présent, car que voulez-vous que je dise à Manon ? À propos de Manon, reprit-il, qu'est-ce qui vous embarrasse ? N'avez-vous pas toujours, avec elle, de quoi finir vos
1135 inquiétudes quand vous le voudrez ? Une fille comme elle devrait nous entretenir, vous, elle et moi. Il me coupa la réponse que cette impertinence méritait, pour continuer de me dire qu'il me garantissait avant le soir mille écus à partager entre nous, si je voulais suivre son conseil ; qu'il connaissait un seigneur, si libéral sur le chapitre des
1140 plaisirs, qu'il était sûr que mille écus ne lui coûteraient rien pour obtenir les faveurs d'une fille telle que Manon. Je l'arrêtai. J'avais meilleure opinion de vous, lui répondis-je ; je m'étais figuré que le motif que vous aviez eu, pour m'accorder votre amitié, était un senti-ment tout opposé à celui où vous êtes maintenant. Il me confessa
1145 impudemment [1] qu'il avait toujours pensé de même, et que, sa sœur ayant une fois violé les lois de son sexe, quoique en faveur de l'homme qu'il aimait le plus, il ne s'était réconcilié avec elle que dans l'espérance de tirer parti de sa mauvaise conduite. Il me fut aise de juger que jusqu'alors nous avions été ses dupes. Quelque émotion
1150 néanmoins que ce discours m'eût causée, le besoin que j'avais de lui m'obligea de répondre, en riant, que son conseil était une dernière ressource qu'il fallait remettre à l'extrémité. Je le priai de m'ouvrir quelque autre voie. Il me proposa de profiter de ma jeunesse et de la figure avantageuse que j'avais reçue de la nature, pour me mettre en
1155 liaison avec quelque dame vieille et libérale. Je ne goûtai pas non plus ce parti, qui m'aurait rendu infidèle à Manon. Je lui parlai du jeu, comme du moyen le plus facile, et le plus convenable à ma situa-tion. Il me dit que le jeu, à la vérité, était une ressource, mais que cela demandait d'être expliqué ; qu'entreprendre de jouer simple-
1160 ment, avec les espérances communes, c'était le vrai moyen d'achever ma perte ; que de prétendre exercer seul, et sans être soutenu, les petits moyens qu'un habile homme emploie pour corriger la fortune, était un métier trop dangereux ; qu'il y avait une troisième voie, qui

....
1. **Impudemment** : avec insolence.

était celle de l'association, mais que ma jeunesse lui faisait craindre
1165 que messieurs les Confédérés ne me jugeassent point encore les qualités propres à la Ligue[1]. Il me promit néanmoins ses bons offices[2]
auprès d'eux ; et ce que je n'aurais pas attendu de lui, il m'offrit
quelque argent, lorsque je me trouverais pressé du besoin. L'unique
grâce que je lui demandai, dans les circonstances, fut de ne rien
1170 apprendre à Manon de la perte que j'avais faite, et du sujet de notre
conversation. *il n'a plus d'argent*

Je sortis de chez lui, moins satisfait encore que je n'y étais entré ;
je me repentis[3] même de lui avoir confié mon secret. Il n'avait rien
fait, pour moi, que je n'eusse pu obtenir de même sans cette ouver-
1175 ture, et je craignais mortellement qu'il ne manquât à la promesse
qu'il m'avait faite de ne rien découvrir à Manon. J'avais lieu d'appréhender aussi, par la déclaration de ses sentiments, qu'il ne formât le
dessein de tirer parti d'elle, suivant ses propres termes, en l'enlevant
de mes mains, ou, du moins, en lui conseillant de me quitter pour
1180 s'attacher à[4] quelque amant plus riche et plus heureux. Je fis là-
dessus mille réflexions, qui n'aboutirent qu'à me tourmenter et à
renouveler le désespoir où j'avais été le matin. Il me vint plusieurs
fois à l'esprit d'écrire à mon père, et de feindre une nouvelle conversion, pour obtenir de lui quelque secours d'argent ; mais je me rappe-
1185 lai aussitôt que, malgré toute sa bonté, il m'avait resserré[5] six mois
dans une étroite prison, pour ma première faute ; j'étais bien sûr
qu'après un éclat[6] tel que l'avait dû causer ma fuite de Saint-Sulpice,
il me traiterait beaucoup plus rigoureusement[7]. Enfin, cette confusion de pensées en produisit une qui remit le calme tout d'un coup
1190 dans mon esprit, et que je m'étonnai de n'avoir pas eue plus tôt, ce

....

1. **Les Confédérés** et **la Ligue** : les « Confédérés » sont réunis dans la « Ligue de
l'Industrie », une association de tricheurs.
2. **Bons offices** : bons services.
3. **Me repentis** : regrettai.
4. **S'attacher à** : s'amouracher de.
5. **M'avait resserré** : m'avait tenu enfermé en renforçant la surveillance.
6. **Éclat** : scandale.
7. **Rigoureusement** : durement, sévèrement.

fut de recourir à mon ami Tiberge, dans lequel j'étais bien certain de retrouver toujours le même fond de zèle et d'amitié. Rien n'est plus admirable, et ne fait plus d'honneur à la vertu, que la confiance avec laquelle on s'adresse aux personnes dont on connaît parfaitement la probité[1]. On sent qu'il n'y a point de risque à courir. Si elles ne sont pas toujours en état d'offrir du secours, on est sûr qu'on en obtiendra du moins de la bonté et de la compassion. Le cœur, qui se ferme avec tant de soin au reste des hommes, s'ouvre naturellement en leur présence, comme une fleur s'épanouit à la lumière du soleil, dont elle n'attend qu'une douce influence.

Je regardai comme un effet de la protection du Ciel de m'être souvenu si à propos[2] de Tiberge, et je résolus de chercher les moyens de le voir avant la fin du jour. Je retournai sur-le-champ au logis pour lui écrire un mot, et lui marquer un lieu propre à notre entretien. Je lui recommandais le silence et la discrétion, comme un des plus importants services qu'il pût me rendre dans la situation de mes affaires. La joie que l'espérance de le voir m'inspirait effaça les traces du chagrin que Manon n'aurait pas manqué d'apercevoir sur mon visage. Je lui parlai de notre malheur de Chaillot comme d'une bagatelle[3] qui ne devait pas l'alarmer ; et Paris étant le lieu du monde où elle se voyait avec le plus de plaisir, elle ne fut pas fâchée de m'entendre dire qu'il était à propos d'y demeurer, jusqu'à ce qu'on eût réparé à Chaillot quelques légers effets de l'incendie. Une heure après, je reçus la réponse de Tiberge, qui me promettait de se rendre au lieu de l'assignation[4]. J'y courus avec impatience. Je sentais néanmoins quelque honte d'aller paraître aux yeux d'un ami, dont la seule présence devait être un reproche de mes désordres[5], mais l'opinion que j'avais de la bonté de son cœur et l'intérêt de Manon soutinrent ma hardiesse[6].

....

1. **La probité** : l'honnêteté.
2. **Si à propos** : juste au bon moment.
3. **Une bagatelle** : un problème sans importance.
4. **Assignation** : rendez-vous fixé à quelqu'un.
5. **Désordres** : ici, dérèglements moraux.
6. **Soutinrent ma hardiesse** : m'encouragèrent, me donnèrent de l'audace.

1220　Je l'avais prié de se trouver au jardin du Palais-Royal [1]. Il y était
avant moi. Il vint m'embrasser, aussitôt qu'il m'eut aperçu. Il me tint
serré longtemps entre ses bras, et je sentis mon visage mouillé de ses
larmes. Je lui dis que je ne me présentais à lui qu'avec confusion, et
que je portais dans le cœur un vif sentiment de mon ingratitude ; que
1225　la première chose dont je le conjurais était de m'apprendre s'il m'était
encore permis de le regarder comme mon ami, après avoir mérité si
justement de perdre son estime et son affection. Il me répondit, du
ton le plus tendre, que rien n'était capable de le faire renoncer à cette
qualité ; que mes malheurs mêmes, et si je lui permettais de le dire,
1230　mes fautes et mes désordres, avaient redoublé sa tendresse pour moi ;
mais que c'était une tendresse mêlée de la plus vive douleur, telle
qu'on la sent pour une personne chère, qu'on voit toucher à sa perte
sans pouvoir la secourir.

　　Nous nous assîmes sur un banc. Hélas ! lui dis-je, avec un soupir
1235　parti du fond du cœur, votre compassion doit être excessive, mon
cher Tiberge, si vous m'assurez qu'elle est égale à mes peines. J'ai
honte de vous les laisser voir, car je confesse que la cause n'en est
pas glorieuse, mais l'effet en est si triste qu'il n'est pas besoin de
m'aimer autant que vous faites pour en être attendri. Il me demanda,
1240　comme une marque d'amitié, de lui raconter sans déguisement [2] ce
qui m'était arrivé depuis mon départ de Saint-Sulpice. Je le satisfis ;
et loin d'altérer quelque chose à la vérité, ou de diminuer mes fautes
pour les faire trouver plus excusables, je lui parlai de ma passion avec
toute la force qu'elle m'inspirait. Je la lui représentai comme un de ces
1245　coups particuliers du destin qui s'attache à la ruine d'un misérable,
et dont il est aussi impossible à la vertu de se défendre qu'il l'a été à
la sagesse de les prévoir. Je lui fis une vive peinture de mes agitations,
de mes craintes, du désespoir où j'étais deux heures avant que de le
voir, et de celui dans lequel j'allais retomber, si j'étais abandonné par
1250　mes amis aussi impitoyablement que par la fortune ; enfin, j'attendris

....
1. Jardin du Palais-Royal : situé près du palais du Louvre, dans le 1er arrondissement de Paris.
2. Sans déguisement : sans rien cacher.

tellement le bon Tiberge, que je le vis aussi affligé par la compassion que je l'étais par le sentiment de mes peines. Il ne se lassait point de m'embrasser, et de m'exhorter à prendre du courage et de la consolation, mais, comme il supposait toujours qu'il fallait me séparer de

1255 Manon, je lui fis entendre nettement que c'était cette séparation même que je regardais comme la plus grande de mes infortunes, et que j'étais disposé à souffrir, non seulement le dernier excès de la misère, mais la mort la plus cruelle, avant que de recevoir un remède plus insupportable que tous mes maux ensemble.

1260 Expliquez-vous donc, me dit-il : quelle espèce de secours suis-je capable de vous donner, si vous vous révoltez contre toutes mes propositions ? Je n'osais lui déclarer que c'était de sa bourse que j'avais besoin. Il le comprit pourtant à la fin, et m'ayant confessé qu'il croyait m'entendre, il demeura quelque temps suspendu, avec l'air

1265 d'une personne qui balance. Ne croyez pas, reprit-il bientôt, que ma rêverie vienne d'un refroidissement de zèle et d'amitié. Mais à quelle alternative me réduisez-vous, s'il faut que je vous refuse le seul secours que vous voulez accepter, ou que je blesse mon devoir en vous l'accordant ? car n'est-ce pas prendre part à votre désordre, que

1270 de vous y faire persévérer ? Cependant, continua-t-il après avoir réfléchi un moment, je m'imagine que c'est peut-être l'état violent où l'indigence vous jette, qui ne vous laisse pas assez de liberté pour choisir le meilleur parti ; il faut un esprit tranquille pour goûter la sagesse et la vérité. Je trouverai le moyen de vous faire avoir quelque

1275 argent. Permettez-moi, mon cher Chevalier, ajouta-t-il en m'embrassant, d'y mettre seulement une condition : c'est que vous m'apprendrez le lieu de votre demeure, et que vous souffrirez que je fasse du moins mes efforts pour vous ramener à la vertu, que je sais que vous aimez, et dont il n'y a que la violence de vos passions qui vous écarte.

1280 Je lui accordai sincèrement tout ce qu'il souhaitait, et je le priai de plaindre la malignité [1] de mon sort, qui me faisait profiter si mal des conseils d'un ami si vertueux. Il me mena aussitôt chez un banquier de sa connaissance, qui m'avança cent pistoles sur son billet, car il

....

1. **Malignité** : méchanceté.

n'était rien moins qu'en argent comptant[1]. J'ai déjà dit qu'il n'était
1285 pas riche. Son bénéfice valait mille écus, mais, comme c'était la première année qu'il le possédait, il n'avait encore rien touché du
revenu : c'était sur les fruits[2] futurs qu'il me faisait cette avance.

Je sentis tout le prix de sa générosité. J'en fus touché, jusqu'au
point de déplorer l'aveuglement d'un amour fatal[3], qui me faisait
1290 violer tous les devoirs. La vertu eut assez de force pendant quelques
moments pour s'élever dans mon cœur contre ma passion, et j'aperçus du moins, dans cet instant de lumière, la honte et l'indignité de
mes chaînes. Mais ce combat fut léger et dura peu. La vue de Manon
m'aurait fait précipiter du ciel, et je m'étonnai, en me retrouvant près
1295 d'elle, que j'eusse pu traiter un moment de honteuse une tendresse si
juste pour un objet si charmant.

Manon était une créature d'un caractère extraordinaire. Jamais fille
n'eut moins d'attachement qu'elle pour l'argent, mais elle ne pouvait
être tranquille un moment, avec la crainte d'en manquer. C'était du
1300 plaisir et des passe-temps qu'il lui fallait. Elle n'eût jamais voulu toucher un sou, si l'on pouvait se divertir sans qu'il en coûte. Elle ne
s'informait pas même quel était le fonds de nos richesses, pourvu
qu'elle pût passer agréablement la journée, de sorte que, n'étant ni
excessivement livrée au jeu ni capable d'être éblouie par le faste[4] des
1305 grandes dépenses, rien n'était plus facile que de la satisfaire, en lui
faisant naître tous les jours des amusements de son goût. Mais c'était
une chose si nécessaire pour elle, d'être ainsi occupée par le plaisir,
qu'il n'y avait pas le moindre fond à faire, sans cela, sur son humeur
et sur ses inclinations[5]. Quoiqu'elle m'aimât tendrement, et que je
1310 fusse le seul, comme elle en convenait volontiers, qui pût lui faire
goûter parfaitement les douceurs de l'amour, j'étais presque certain

....

1. **Car il n'était rien moins qu'en argent comptant** : cette somme avancée n'était
pas de l'argent comptant, mais une avance sur des revenus ultérieurs.
2. **Fruits** : argent, revenus que l'on tire d'une activité ou d'un investissement.
3. **Amour fatal** : amour voué à finir mal.
4. **Faste** : luxe.
5. **Inclinations** : goûts prononcés.

que sa tendresse ne tiendrait point contre de certaines craintes. Elle m'aurait préféré à toute la terre avec une fortune médiocre ; mais je ne doutais nullement qu'elle ne m'abandonnât pour quelque nou-
1315 veau B... lorsqu'il ne me resterait que de la constance et de la fidélité à lui offrir. Je résolus donc de régler si bien ma dépense particulière que je fusse toujours en état de fournir aux siennes, et de me priver plutôt de mille choses nécessaires que de la borner[1] même pour le superflu[2]. Le carrosse m'effrayait plus que tout le reste ; car il n'y
1320 avait point d'apparence de pouvoir entretenir des chevaux et un cocher. Je découvris ma peine à M. Lescaut. Je ne lui avais point caché que j'eusse reçu cent pistoles d'un ami. Il me répéta que, si je voulais tenter le hasard du jeu, il ne désespérait point qu'en sacrifiant de bonne grâce une centaine de francs pour traiter ses associés, je ne
1325 pusse être admis, à sa recommandation, dans la Ligue de l'Industrie. Quelque répugnance que j'eusse à tromper, je me laissai entraîner par une cruelle nécessité.

M. Lescaut me présenta, le soir même, comme un de ses parents ; il ajouta que j'étais d'autant mieux disposé à réussir, que j'avais
1330 besoin des plus grandes faveurs de la fortune. Cependant, pour faire connaître que ma misère n'était pas celle d'un homme de néant[3], il leur dit que j'étais dans le dessein de leur donner à souper. L'offre fut acceptée. Je les traitai magnifiquement. On s'entretint longtemps de la gentillesse de ma figure et de mes heureuses dispositions. On
1335 prétendit qu'il y avait beaucoup à espérer de moi, parce qu'ayant quelque chose dans la physionomie qui sentait l'honnête homme, personne ne se défierait de mes artifices[4]. Enfin, on rendit grâces à M. Lescaut d'avoir procuré à l'Ordre un novice[5] de mon mérite, et l'on chargea un des chevaliers de me donner, pendant quelques jours,
1340 les instructions nécessaires. Le principal théâtre de mes exploits

....

1. **Borner** : limiter.
2. **Le superflu** : ce qui ne correspond pas à des besoins nécessaires.
3. **Homme de néant** : roturier, homme socialement défavorisé.
4. **Artifices** : ruses.
5. **Novice** : débutant.

devait être l'hôtel de Transylvanie [1], où il y avait une table de pharaon [2] dans une salle et divers autres jeux de cartes et de dés dans la galerie. Cette académie [3] se tenait au profit de M. le prince de R..., qui demeurait alors à Clagny [4], et la plupart de ses officiers étaient
1345 de notre société. Le dirai-je à ma honte ? Je profitai en peu de temps des leçons de mon maître. J'acquis surtout beaucoup d'habileté à faire une volte-face, à filer la carte, et m'aidant fort bien d'une longue paire de manchettes, j'escamotais assez légèrement pour tromper les yeux des plus habiles, et ruiner sans affectation quantité d'honnêtes
1350 joueurs. Cette adresse extraordinaire hâta si fort les progrès de ma fortune, que je me trouvai en peu de semaines des sommes considérables, outre celles que je partageais de bonne foi avec mes associés. Je ne craignis plus, alors, de découvrir à Manon notre perte de Chaillot, et, pour la consoler, en lui apprenant cette fâcheuse nou-
1355 velle, je louai une maison garnie [5], où nous nous établîmes avec un air d'opulence et de sécurité.

Tiberge n'avait pas manqué, pendant ce temps-là, de me rendre de fréquentes visites. Sa morale ne finissait point. Il recommençait sans cesse à me représenter le tort que je faisais à ma conscience, à mon
1360 honneur et à ma fortune. Je recevais ses avis avec amitié, et quoique je n'eusse pas la moindre disposition à [6] les suivre, je lui savais bon gré de son zèle, parce que j'en connaissais la source. Quelquefois je le raillais agréablement, dans la présence même de Manon, et je l'exhortais à n'être pas plus scrupuleux [7] qu'un grand nombre
1365 d'évêques et d'autres prêtres, qui savent accorder fort bien une maîtresse avec un bénéfice. Voyez, lui disais-je, en lui montrant les yeux

....

1. **Hôtel de Transylvanie** : célèbre maison de jeu parisienne qui devait son nom à l'origine de son propriétaire.
2. **Pharaon** : jeu de cartes.
3. **Académie** : maison de jeu.
4. **Clagny** : localité située au sud de Paris.
5. **Maison garnie** : maison meublée.
6. **Disposition à** : intention de.
7. **Scrupuleux** : qui respecte les règles et se montre rigoureux dans le domaine de la morale.

de la mienne, et dites-moi s'il y a des fautes qui ne soient pas justifiées par une si belle cause. Il prenait patience. Il la poussa même assez loin ; mais lorsqu'il vit que mes richesses augmentaient, et que non
1370 seulement je lui avais restitué ses cent pistoles, mais qu'ayant loué une nouvelle maison et doublé ma dépense, j'allais me replonger plus que jamais dans les plaisirs, il changea entièrement de ton et de manières. Il se plaignit de mon endurcissement ; il me menaça des châtiments [1] du Ciel, et il me prédit une partie des malheurs qui ne
1375 tardèrent guère à m'arriver. Il est impossible, me dit-il, que les richesses qui servent à l'entretien de vos désordres vous soient venues par des voies légitimes. Vous les avez acquises injustement ; elles vous seront ravies de même. La plus terrible punition de Dieu serait de vous en laisser jouir tranquillement. Tous mes conseils, ajouta-t-il,
1380 vous ont été inutiles ; je ne prévois que trop qu'ils vous seraient bientôt importuns. Adieu, ingrat et faible ami. Puissent vos criminels plaisirs s'évanouir comme une ombre ! Puissent votre fortune et votre argent périr sans ressource, et vous rester seul et nu, pour sentir la vanité des biens qui vous ont follement enivré ! C'est alors que vous
1385 me trouverez disposé à vous aimer et à vous servir, mais je romps aujourd'hui tout commerce [2] avec vous, et je déteste la vie que vous menez. Ce fut dans ma chambre, aux yeux de Manon, qu'il me fit cette harangue apostolique [3]. Il se leva pour se retirer. Je voulus le retenir, mais je fus arrêté par Manon, qui me dit que c'était un fou
1390 qu'il fallait laisser sortir.

Son discours ne laissa pas [4] de faire quelque impression sur moi. Je remarque ainsi les diverses occasions où mon cœur sentit un retour vers le bien, parce que c'est à ce souvenir que j'ai dû ensuite une partie de ma force dans les plus malheureuses circonstances de ma
1395 vie. Les caresses de Manon dissipèrent, en un moment, le chagrin

....

1. **Châtiments** : punitions sévères.
2. **Tout commerce** : toute relation.
3. **Harangue apostolique** : discours solennel de condamnation, qui a pour sujet la morale et la religion.
4. **Ne laissa pas** : ne manqua pas.

que cette scène m'avait causé. Nous continuâmes de mener une vie toute composée de plaisir et d'amour. L'augmentation de nos richesses redoubla notre affection ; Vénus et la Fortune [1] n'avaient point d'esclaves plus heureux et plus tendres. Dieux ! pourquoi
1400 nommer le monde un lieu de misères, puisqu'on y peut goûter de si charmantes délices ? Mais, hélas ! leur faible est de passer trop vite. Quelle autre félicité voudrait-on se proposer, si elles étaient de nature à durer toujours ? Les nôtres eurent le sort commun, c'est-à-dire de durer peu, et d'être suivies par des regrets amers. J'avais fait, au jeu,
1405 des gains si considérables, que je pensais à placer une partie de mon argent. Mes domestiques n'ignoraient pas mes succès, surtout mon valet de chambre et la suivante [2] de Manon, devant lesquels nous nous entretenions souvent sans défiance. Cette fille était jolie ; mon valet en était amoureux. Ils avaient affaire à des maîtres jeunes et
1410 faciles, qu'ils s'imaginèrent pouvoir tromper aisément. Ils en conçurent le dessein, et ils l'exécutèrent si malheureusement pour nous, qu'ils nous mirent dans un état dont il ne nous a jamais été possible de nous relever.

M. Lescaut nous ayant un jour donné à souper, il était environ
1415 minuit lorsque nous retournâmes au logis. J'appelai mon valet, et Manon sa femme de chambre ; ni l'un ni l'autre ne parurent. On nous dit qu'ils n'avaient point été vus dans la maison depuis huit heures, et qu'ils étaient sortis après avoir fait transporter quelques caisses, suivant les ordres qu'ils disaient avoir reçus de moi. Je pressentis une
1420 partie de la vérité, mais je ne formai point de soupçons qui ne fussent surpassés par ce que j'aperçus en entrant dans ma chambre. La serrure de mon cabinet avait été forcée, et mon argent enlevé, avec tous mes habits. Dans le temps que je réfléchissais, seul, sur cet accident, Manon vint, tout effrayée, m'apprendre qu'on avait fait le même
1425 ravage dans son appartement. Le coup me parut si cruel qu'il n'y eut qu'un effort extraordinaire de raison qui m'empêcha de me livrer aux

....

1. **Vénus et la Fortune** : dans la mythologie romaine, respectivement déesse de l'amour et allégorie de la chance, qui décide du sort heureux ou malheureux des hommes.
2. **Suivante** : femme de chambre.

cris et aux pleurs. La crainte de communiquer mon désespoir à Manon me fit affecter de prendre un visage tranquille. Je lui dis, en badinant[1], que je me vengerais sur quelque dupe à l'hôtel de Transyl-
1430 vanie. Cependant, elle me sembla si sensible à notre malheur, que sa tristesse eut bien plus de force pour m'affliger, que ma joie feinte n'en avait eu pour l'empêcher d'être trop abattue. Nous sommes perdus ! me dit-elle, les larmes aux yeux. Je m'efforçai en vain de la consoler par mes caresses ; mes propres pleurs trahissaient mon désespoir et
1435 ma consternation. En effet, nous étions ruinés si absolument, qu'il ne nous restait pas une chemise.

Je pris le parti d'envoyer chercher sur-le-champ M. Lescaut. Il me conseilla d'aller, à l'heure même, chez M. le Lieutenant de Police et M. le Grand Prévôt de Paris[2]. J'y allai, mais ce fut pour mon plus
1440 grand malheur ; car outre que cette démarche et celles que je fis faire à ces deux officiers de justice ne produisirent rien, je donnai le temps à Lescaut d'entretenir sa sœur, et de lui inspirer, pendant mon absence, une horrible résolution. Il lui parla de M. de G... M..., vieux voluptueux[3], qui payait prodiguement[4] les plaisirs, et il lui fit envisa-
1445 ger tant d'avantages à se mettre à sa solde[5], que, troublée comme elle était par notre disgrâce, elle entra dans tout ce qu'il entreprit de lui persuader. Cet honorable marché fut conclu avant mon retour, et l'exécution remise au lendemain, après que Lescaut aurait prévenu M. de G... M... Je le trouvai qui m'attendait au logis ; mais Manon
1450 s'était couchée dans son appartement, et elle avait donné ordre à son laquais de me dire qu'ayant besoin d'un peu de repos, elle me priait de la laisser seule pendant cette nuit. Lescaut me quitta, après m'avoir offert quelques pistoles que j'acceptai. Il était près de quatre heures, lorsque je me mis au lit, et m'y étant encore occupé longtemps des

....

1. **En badinant** : en plaisantant.
2. **Grand Prévôt de Paris** : magistrat placé à la tête du Châtelet, et chargé de l'administration de Paris.
3. **Voluptueux** : salace, attiré par les plaisirs de la chair.
4. **Prodiguement** : sans compter.
5. **Se mettre à sa solde** : accepter d'être payé par lui.

1455 moyens de rétablir ma fortune, je m'endormis si tard, que je ne pus me réveiller que vers onze heures ou midi. Je me levai promptement pour aller m'informer de la santé de Manon ; on me dit qu'elle était sortie, une heure auparavant, avec son frère, qui l'était venu prendre dans un carrosse de louage. Quoiqu'une telle partie, faite avec Les-
1460 caut, me parût mystérieuse, je me fis violence pour suspendre mes soupçons. Je laissai couler quelques heures, que je passai à lire. Enfin, n'étant plus le maître de mon inquiétude, je me promenai à grands pas dans nos appartements. J'aperçus, dans celui de Manon, une lettre cachetée qui était sur sa table. L'adresse était à moi, et l'écriture
1465 de sa main. Je l'ouvris avec un frisson mortel ; elle était dans ces termes :

Je te jure, mon cher Chevalier, que tu es l'idole de mon cœur, et qu'il n'y a que toi au monde que je puisse aimer de la façon dont je t'aime ; mais ne vois-tu pas, ma pauvre chère âme, que, dans l'état
1470 où nous sommes réduits, c'est une sotte vertu que la fidélité ? Crois-tu qu'on puisse être bien tendre lorsqu'on manque de pain ? La faim me causerait quelque méprise [1] fatale ; je rendrais quelque jour le dernier soupir, en croyant en pousser un d'amour. Je t'adore, compte là-dessus ; mais laisse-moi, pour quelque temps, le ménagement [2] de
1475 notre fortune. Malheur à qui va tomber dans mes filets ! Je travaille pour rendre mon Chevalier riche et heureux. Mon frère t'apprendra des nouvelles de ta Manon, et qu'elle a pleuré de la nécessité de te quitter. *elle est encore infidèle*

Je demeurai, après cette lecture, dans un état qui me serait difficile
1480 à décrire car j'ignore encore aujourd'hui par quelle espèce de sentiments je fus alors agité. Ce fut une de ces situations uniques auxquelles on n'a rien éprouvé qui soit semblable. On ne saurait les expliquer aux autres, parce qu'ils n'en ont pas l'idée ; et l'on a peine à se les bien démêler [3] à soi-même, parce qu'étant seules de leur
1485 espèce, cela ne se lie à rien dans la mémoire, et ne peut même être

....
1. **Méprise** : confusion.
2. **Le ménagement** : l'organisation.
3. **Se les démêler** : se les clarifier.

rapproché d'aucun sentiment connu. Cependant, de quelque nature que fussent les miens, il est certain qu'il devait y entrer de la douleur, du dépit, de la jalousie et de la honte. Heureux s'il n'y fût pas entré encore plus d'amour ! Elle m'aime, je le veux croire ; mais ne faudrait-1490 il pas, m'écriai-je, qu'elle fût un monstre pour me haïr ? Quels droits eut-on jamais sur un cœur que je n'aie pas sur le sien ? Que me reste-t-il à faire pour elle, après tout ce que je lui ai sacrifié ? Cependant elle m'abandonne ! et l'ingrate se croit à couvert de mes reproches en me disant qu'elle ne cesse pas de m'aimer ! Elle appréhende la 1495 faim [1]. Dieu d'amour ! quelle grossièreté de sentiments ! et que c'est répondre mal à ma délicatesse ! Je ne l'ai pas appréhendée, moi qui m'y expose si volontiers pour elle en renonçant à ma fortune et aux douceurs de la maison de mon père ; moi qui me suis retranché jusqu'au nécessaire pour satisfaire ses petites humeurs et ses caprices. 1500 Elle m'adore, dit-elle. Si tu m'adorais, ingrate, je sais bien de qui tu aurais pris des conseils ; tu ne m'aurais pas quitté, du moins, sans me dire adieu. C'est à moi qu'il faut demander quelles peines cruelles on sent à se séparer de ce qu'on adore. Il faudrait avoir perdu l'esprit pour s'y exposer volontairement.

1505   Mes plaintes furent interrompues par une visite à laquelle je ne m'attendais pas. Ce fut celle de Lescaut. Bourreau ! lui dis-je en mettant l'épée à la main, où est Manon ? qu'en as-tu fait ? Ce mouvement l'effraya ; il me répondit que, si c'était ainsi que je le recevais lorsqu'il venait me rendre compte du service le plus considérable qu'il 1510 eût pu me rendre, il allait se retirer, et ne remettrait jamais le pied chez moi. Je courus à la porte de la chambre, que je fermai soigneusement. Ne t'imagine pas, lui dis-je en me tournant vers lui, que tu puisses me prendre encore une fois pour dupe et me tromper par des fables [2]. Il faut défendre ta vie, ou me faire retrouver Manon. Là ! que 1515 vous êtes vif ! repartit-il ; c'est l'unique sujet qui m'amène. Je viens vous annoncer un bonheur auquel vous ne pensez pas, et pour lequel

....
1. **Appréhende la faim** : a peur de manquer d'argent.
2. **Fables** : mensonges.

vous reconnaîtrez peut-être que vous m'avez quelque obligation. Je voulus être éclairci sur-le-champ. *il fait des excuses*

1520 Il me raconta que Manon, ne pouvant soutenir la crainte de la misère, et surtout l'idée d'être obligée tout d'un coup à la réforme de *pour Manon* notre équipage[1], l'avait prié de lui procurer la connaissance de M. de G... M..., qui passait pour un homme généreux. Il n'eut garde de[2] me dire que le conseil était venu de lui, ni qu'il eût préparé les voies, avant que de l'y conduire. Je l'y ai menée ce matin, continua-t-il, et

1525 cet honnête homme a été si charmé de son mérite, qu'il l'a invitée d'abord à lui tenir compagnie à sa maison de campagne, où il est allé passer quelques jours. Moi, ajouta Lescaut, qui ai pénétré tout d'un coup de quel avantage cela pouvait être pour vous, je lui ai fait entendre adroitement que Manon avait essuyé des pertes considé-

1530 rables, et j'ai tellement piqué sa générosité, qu'il a commencé par lui faire un présent[3] de deux cents pistoles. Je lui ai dit que cela était honnête pour le présent, mais que l'avenir amènerait à ma sœur de grands besoins, qu'elle s'était chargée, d'ailleurs, du soin d'un jeune frère qui nous était resté sur les bras après la mort de nos père et

1535 mère, et que, s'il la croyait digne de son estime, il ne la laisserait pas souffrir dans ce pauvre enfant qu'elle regardait comme la moitié d'elle-même. Ce récit n'a pas manqué de l'attendrir. Il s'est engagé à louer une maison commode, pour vous et pour Manon, car c'est vous-même qui êtes ce pauvre petit frère orphelin. Il a promis de vous

1540 meubler proprement[4], et de vous fournir, tous les mois quatre cents bonnes livres[5], qui en feront, si je compte bien, quatre mille huit cents à la fin de chaque année. Il a laissé ordre à son intendant[6],

....

1. **La réforme de notre équipage** : le renoncement à notre train de vie.
2. **N'eut garde de** : s'abstint de.
3. **Présent** : cadeau, don.
4. **Proprement** : convenablement.
5. **Livre** : la livre tournois est l'unité de compte qui avait cours avant le franc, lequel devint l'unité monétaire française en 1795.
6. **Intendant** : secrétaire personnel, individu en charge des biens de la maison d'une personne riche.

mensonge pour S

avant que de partir pour sa campagne, de chercher une maison, et de la tenir prête pour son retour. Vous reverrez alors Manon, qui m'a
1545 chargé de vous embrasser mille fois pour elle, et de vous assurer qu'elle vous aime plus que jamais.

Je m'assis, en rêvant à cette bizarre disposition de mon sort. Je me trouvai dans un partage de sentiments, et par conséquent dans une incertitude si difficile à terminer, que je demeurai longtemps sans
1550 répondre à quantité de questions que Lescaut me faisait l'une sur l'autre. Ce fut, dans ce moment, que l'honneur et la vertu me firent sentir encore les pointes du remords, et que je jetai les yeux, en soupirant, vers Amiens, vers la maison de mon père, vers Saint-Sulpice et vers tous les lieux où j'avais vécu dans l'innocence. Par quel immense
1555 espace n'étais-je pas séparé de cet heureux état ! Je ne le voyais plus que de loin, comme une ombre qui s'attirait encore mes regrets et mes désirs, mais trop faible pour exciter mes efforts. Par quelle fatalité, disais-je, suis-je devenu si criminel ? L'amour est une passion innocente ; comment s'est-il changé, pour moi, en une source de
1560 misères et de désordres ? Qui m'empêchait de vivre tranquille et vertueux avec Manon ? Pourquoi ne l'épousais-je point, avant que d'obtenir rien de son amour ? Mon père, qui m'aimait si tendrement, n'y aurait-il pas consenti si je l'en eusse pressé avec des instances[1] légitimes ? Ah ! mon père l'aurait chérie lui-même, comme une fille
1565 charmante, trop digne d'être la femme de son fils ; je serais heureux avec l'amour de Manon, avec l'affection de mon père, avec l'estime des honnêtes gens, avec les biens de la fortune et la tranquillité de la vertu. Revers funeste ! Quel est l'infâme personnage qu'on vient ici me proposer ? Quoi ! j'irai partager… Mais y a-t-il à balancer, si c'est
1570 Manon qui l'a réglé, et si je la perds sans cette complaisance[2] ? Monsieur Lescaut, m'écriai-je en fermant les yeux comme pour écarter de si chagrinantes réflexions, si vous avez eu dessein de me servir, je vous rends grâces. Vous auriez pu prendre une voie plus honnête ;

....

1. Instances : demandes, sollicitations pressantes.
2. Complaisance : action de s'accommoder d'une situation, de s'y adapter ; compromis.

mais c'est une chose finie, n'est-ce pas ? Ne pensons donc plus qu'à
1575 profiter de vos soins et à remplir votre projet. Lescaut, à qui ma
colère, suivie d'un fort long silence, avait causé de l'embarras, fut ravi
de me voir prendre un parti tout différent de celui qu'il avait appréhendé sans doute ; il n'était rien moins que brave, et j'en eus de
meilleures preuves dans la suite. Oui, oui, se hâta-t-il de me répondre,
1580 c'est un fort bon service que je vous ai rendu, et vous verrez que
nous en tirerons plus d'avantage que vous ne vous y attendez. Nous
concertâmes[1] de quelle manière nous pourrions prévenir les
défiances que M. de G… M… pouvait concevoir de notre fraternité,
en me voyant plus grand et un peu plus âgé peut-être qu'il ne se
1585 l'imaginait. Nous ne trouvâmes point d'autre moyen, que de prendre
devant lui un air simple et provincial, et de lui faire croire que j'étais
dans le dessein d'entrer dans l'état ecclésiastique, et que j'allais pour
cela tous les jours au collège. Nous résolûmes aussi que je me mettrais[2] fort mal, la première fois que je serais admis à l'honneur de le
1590 saluer. Il revint à la ville trois ou quatre jours après ; il conduisit lui-
même Manon dans la maison que son intendant avait eu soin de
préparer. Elle fit avertir aussitôt Lescaut de son retour ; et celui-ci
m'en ayant donné avis, nous nous rendîmes tous deux chez elle. Le
vieil amant en était déjà sorti. *il a trouvé Manon*
1595 Malgré la résignation[3] avec laquelle je m'étais soumis à ses volontés, je ne pus réprimer le murmure de mon cœur en la revoyant. Je
lui parus triste et languissant[4]. La joie de la retrouver ne l'emportait
pas tout à fait sur le chagrin de son infidélité. Elle, au contraire,
paraissait transportée du plaisir de me revoir. Elle me fit des
1600 reproches de ma froideur. Je ne pus m'empêcher de laisser échapper
les noms de perfide et d'infidèle, que j'accompagnai d'autant de soupirs. Elle me railla d'abord de ma simplicité ; mais, lorsqu'elle vit
mes regards s'attacher toujours tristement sur elle, et la peine que

grand plan pour prendre l'argent de ???

....

1. **Concertâmes** : réfléchîmes, méditâmes un plan.
2. **Je me mettrais** : je me vêtirais.
3. **Résignation** : abandon, soumission au sort.
4. **Languissant** : faible et abattu.

j'avais à digérer un changement si contraire à mon humeur et à mes
désirs, elle passa seule dans son cabinet. Je la suivis un moment
après. Je l'y trouvai tout en pleurs ; je lui demandai ce qui les causait.
Il t'est bien aisé de le voir, me dit-elle, comment veux-tu que je vive,
si ma vue n'est plus propre qu'à te causer un air sombre et chagrin ?
Tu ne m'as pas fait une seule caresse, depuis une heure que tu es ici,
et tu as reçu les miennes avec la majesté du Grand Turc [1] au Sérail [2].

Écoutez, Manon, lui répondis-je en l'embrassant, je ne puis vous
cacher que j'ai le cœur mortellement affligé. Je ne parle point à présent des alarmes [3] où votre fuite imprévue m'a jeté, ni de la cruauté
que vous avez eue de m'abandonner sans un mot de consolation,
après avoir passé la nuit dans un autre lit que moi. Le charme de
votre présence m'en ferait bien oublier davantage. Mais croyez-vous
que je puisse penser sans soupirs, et même sans larmes, continuai-je
en en versant quelques-unes, à la triste et malheureuse vie que vous
voulez que je mène dans cette maison ? Laissons ma naissance et
mon honneur à part : ce ne sont plus des raisons si faibles qui doivent
entrer en concurrence avec un amour tel que le mien ; mais cet amour
même, ne vous imaginez-vous pas qu'il gémit de se voir si mal récompensé, ou plutôt traité si cruellement par une ingrate et dure maîtresse ?… Elle m'interrompit : tenez, dit-elle, mon Chevalier, il est
inutile de me tourmenter par des reproches qui me percent le cœur,
lorsqu'ils viennent de vous. Je vois ce qui vous blesse. J'avais espéré
que vous consentiriez au [4] projet que j'avais fait pour rétablir un peu
notre fortune, et c'était pour ménager votre délicatesse que j'avais
commencé à l'exécuter sans votre participation ; mais j'y renonce,
puisque vous ne l'approuvez pas. Elle ajouta qu'elle ne me demandait
qu'un peu de complaisance, pour le reste du jour ; qu'elle avait déjà
reçu deux cents pistoles de son vieil amant, et qu'il lui avait promis
de lui apporter le soir un beau collier de perles, avec d'autres bijoux,

Manon dit qu'elle l'a trahi

1. **Grand Turc** : sultan des Ottomans.
2. **Sérail** : palais du sultan.
3. **Alarmes** : frayeurs.
4. **Consentiriez au** : accepteriez le.

*pour tirer
l'avantage de
son amant*

et par-dessus cela, la moitié de la pension [1] annuelle qu'il lui avait
1635 promise. Laissez-moi seulement le temps, me dit-elle, de recevoir ses
présents ; je vous jure qu'il ne pourra se vanter des avantages que je
lui ai donnés sur moi, car je l'ai remis jusqu'à présent à la ville. Il est
vrai qu'il m'a baisé plus d'un million de fois les mains ; il est juste
qu'il paye ce plaisir, et ce ne sera point trop que cinq ou six mille
1640 francs, en proportionnant le prix à ses richesses et à son âge.

Sa résolution me fut beaucoup plus agréable que l'espérance des
cinq mille livres. J'eus lieu de reconnaître que mon cœur n'avait point
encore perdu tout sentiment d'honneur, puisqu'il était si satisfait
d'échapper à l'infamie [2]. Mais j'étais né pour les courtes joies et les
1645 longues douleurs. La Fortune ne me délivra d'un précipice que pour
me faire tomber dans un autre. Lorsque j'eus marqué à Manon, par
mille caresses, combien je me croyais heureux de son changement, je
lui dis qu'il fallait en instruire M. Lescaut, afin que nos mesures se
prissent de concert. Il en murmura d'abord ; mais les quatre ou cinq
1650 mille livres d'argent comptant le firent entrer gaîment dans nos
vues [3]. Il fut donc réglé [4] que nous nous trouverions tous à souper
avec M. de G… M…, et cela pour deux raisons : l'une, pour nous
donner le plaisir d'une scène agréable en me faisant passer pour un
écolier, frère de Manon ; l'autre, pour empêcher ce vieux libertin [5] de
1655 s'émanciper trop avec [6] ma maîtresse, par le droit qu'il croirait s'être
acquis en payant si libéralement [7] d'avance. Nous devions nous retirer, Lescaut et moi, lorsqu'il monterait à la chambre où il comptait
de passer la nuit ; et Manon, au lieu de le suivre, nous promit de
sortir, et de la venir passer avec moi. Lescaut se chargea du soin
1660 d'avoir exactement un carrosse à la porte.

ils mangeront avec l'amant (M. de GM)

....

1. **Pension** : rente.
2. **L'infamie** : la honte, la perte de réputation.
3. **Dans nos vues** : dans nos projets.
4. **Il fut [...] réglé** : il fut [...] décidé.
5. **Libertin** : ici, personne portée vers les plaisirs du corps.
6. **De s'émanciper trop avec** : de prendre trop de libertés avec.
7. **Libéralement** : généreusement.

L'heure du souper étant venue, M. de G... M... ne se fit pas attendre longtemps. Lescaut était avec sa sœur, dans la salle. Le premier compliment du vieillard fut d'offrir à sa belle un collier, des bracelets et des pendants de perles, qui valaient au moins mille écus. Il lui compta ensuite, en beaux louis d'or, la somme de deux mille quatre cents livres, qui faisaient la moitié de la pension. Il assaisonna [1] son présent de quantité de douceurs dans le goût de la vieille Cour [2]. Manon ne put lui refuser quelques baisers ; c'était autant de droits qu'elle acquérait sur l'argent qu'il lui mettait entre les mains.
1670 J'étais à la porte, où je prêtais l'oreille, en attendant que Lescaut m'avertît d'entrer.

Il vint me prendre par la main, lorsque Manon eut serré l'argent et les bijoux, et me conduisant vers M. de G... M..., il m'ordonna de lui faire la révérence [3]. J'en fis deux ou trois des plus profondes. Excusez,
1675 monsieur, lui dit Lescaut, c'est un enfant fort neuf [4]. Il est bien éloigné, comme vous voyez, d'avoir les airs [5] de Paris ; mais nous espérons qu'un peu d'usage [6] le façonnera. Vous aurez l'honneur de voir ici souvent monsieur, ajouta-t-il, en se tournant vers moi ; faites bien votre profit d'un si bon modèle. Le vieil amant parut prendre plaisir
1680 à me voir. Il me donna deux ou trois petits coups sur la joue, en me disant que j'étais un joli garçon, mais qu'il fallait être sur mes gardes à Paris, où les jeunes gens se laissent aller facilement à la débauche. Lescaut l'assura que j'étais naturellement si sage, que je ne parlais que de me faire prêtre, et que tout mon plaisir était à faire de petites
1685 chapelles [7]. Je lui trouve de l'air de [8] Manon, reprit le vieillard en me

....

1. **Assaisonna** : accompagna, agrémenta.
2. **Le goût de la vieille Cour** : référence à la galanterie.
3. **Faire la révérence** : s'incliner dans un humble geste de salutation qui marque le respect dû à une personne d'un rang supérieur.
4. **Neuf** : naïf.
5. **Les airs** : les apparences, les codes.
6. **D'usage** : d'expérience, de pratique.
7. **Faire de petites chapelles** : bâtir de petits autels en signe de piété.
8. **Je lui trouve de l'air de** : je trouve qu'il ressemble à.

haussant le menton avec la main. Je répondis d'un air niais : Monsieur, c'est que nos deux chairs se touchent de bien proche ; aussi,
j'aime ma sœur Manon comme un autre moi-même. L'entendez-
vous ? dit-il à Lescaut, il a de l'esprit. C'est dommage que cet enfant-
1690 là n'ait pas un peu plus de monde [1]. Oh ! monsieur, repris-je, j'en ai
vu beaucoup chez nous dans les églises, et je crois bien que j'en trouverai, à Paris, de plus sots que moi. Voyez, ajouta-t-il, cela est admirable pour un enfant de province. Toute notre conversation fut à peu
près du même goût, pendant le souper. Manon, qui était badine [2],
1695 fut sur le point, plusieurs fois, de gâter tout par ses éclats de rire. Je
trouvai l'occasion, en soupant, de lui raconter sa propre histoire, et
le mauvais sort qui le menaçait. Lescaut et Manon tremblaient pendant mon récit, surtout lorsque je faisais son portrait au naturel [3] ;
mais l'amour-propre [1] l'empêcha de s'y reconnaitre, et je l'achevai si
1700 adroitement, qu'il fut le premier à le trouver fort risible [5]. Vous verrez
que ce n'est pas sans raison que je me suis étendu sur cette ridicule
scène. Enfin, l'heure du sommeil étant arrivée, il parla d'amour et
d'impatience. Nous nous retirâmes, Lescaut et moi ; on le conduisit
à sa chambre, et Manon, étant sortie sous prétexte d'un besoin, nous
1705 vint joindre à la porte. Le carrosse, qui nous attendait trois ou quatre
maisons plus bas, s'avança pour nous recevoir. Nous nous éloignâmes en un instant du quartier.

Quoiqu'à mes propres yeux cette action fût une véritable friponnerie, ce n'était pas la plus injuste que je crusse avoir à me reprocher.
1710 J'avais plus de scrupule sur l'argent que j'avais acquis au jeu. Cependant nous profitâmes aussi peu de l'un que de l'autre, et le Ciel
permit que la plus légère de ces deux injustices fût la plus rigoureusement punie.

....

1. **N'ait pas un peu plus de monde** : ne connaisse pas mieux les usages de la
bonne société.
2. **Badine** : gaie, enjouée.
3. **Portrait au naturel** : description que l'on fait d'une personne telle qu'elle est,
sans déformer la réalité.
4. **L'amour-propre** : la haute estime de soi-même.
5. **Risible** : qui fait rire, ridicule.

M. de G… M… ne tarda pas longtemps à s'apercevoir qu'il était
1715 dupé. Je ne sais s'il fit, dès le soir même, quelques démarches pour
nous découvrir, mais il eut assez de crédit [1] pour n'en pas faire longtemps d'inutiles, et nous assez d'imprudence pour compter trop sur
la grandeur de Paris et sur l'éloignement qu'il y avait de notre quartier
au sien. Non seulement il fut informé de notre demeure et de nos
1720 affaires présentes, mais il apprit aussi qui j'étais, la vie que j'avais
menée à Paris, l'ancienne liaison de Manon avec B…, la tromperie
qu'elle lui avait faite, en un mot, toutes les parties scandaleuses de
notre histoire. Il prit là-dessus la résolution de nous faire arrêter, et
de nous traiter moins comme des criminels que comme de fieffés [2]
1725 libertins. Nous étions encore au lit, lorsqu'un exempt de police [3]
entra dans notre chambre avec une demi-douzaine de gardes. Ils se
saisirent d'abord de notre argent, ou plutôt de celui de M. de G…
M…, et nous ayant fait lever brusquement, ils nous conduisirent à la
porte, où nous trouvâmes deux carrosses, dans l'un desquels la
1730 pauvre Manon fut enlevée sans explication, et moi traîné dans l'autre
à Saint-Lazare [4]. Il faut avoir éprouvé de tels revers [5], pour juger du
désespoir qu'ils peuvent causer. Nos gardes eurent la dureté de ne me
pas permettre d'embrasser Manon, ni de lui dire une parole. J'ignorai
longtemps ce qu'elle était devenue. Ce fut sans doute un bonheur
1735 pour moi de ne l'avoir pas su d'abord, car une catastrophe si terrible
m'aurait fait perdre le sens [6] et, peut-être, la vie.

Ma malheureuse maîtresse fut donc enlevée, à mes yeux, et menée
dans une retraite que j'ai horreur de nommer. Quel sort pour une
créature toute charmante, qui eût occupé le premier trône du monde,
1740 si tous les hommes eussent eu mes yeux et mon cœur ! On ne l'y
traita pas barbarement ; mais elle fut resserrée dans une étroite

....

1. **De crédit** : d'influence, de pouvoir.
2. **Fieffés** : parfaits (sens péjoratif).
3. **Exempt de police** : officier de police procédant aux arrestations.
4. **Saint-Lazare** : prison confortable, pour fils de famille.
5. **Revers** : événements malheureux, infortunes.
6. **Perdre le sens** : perdre la raison, devenir fou.

prison, seule, et condamnée à remplir tous les jours une certaine tâche de travail, comme une condition nécessaire pour obtenir quelque dégoûtante nourriture. Je n'appris ce triste détail que long-
1745 temps après, lorsque j'eus essuyé moi-même plusieurs mois d'une rude et ennuyeuse pénitence. Mes gardes ne m'ayant point averti non plus du lieu où ils avaient ordre de me conduire, je ne connus mon destin qu'à la porte de Saint-Lazare. J'aurais préféré la mort, dans ce moment, à l'état où je me crus prêt de tomber. J'avais de terribles
1750 idées de cette maison. Ma frayeur augmenta lorsqu'en entrant les gardes visitèrent une seconde fois mes poches, pour s'assurer qu'il ne me restait ni armes, ni moyen de défense. Le supérieur parut à l'instant ; il était prévenu sur mon arrivée ; il me salua avec beaucoup de douceur. Mon Père, lui dis-je, point d'indignités [1]. Je perdrai mille
1755 vies avant que d'en souffrir une. Non, non monsieur, me répondit-il ; vous prendrez une conduite sage, et nous serons contents l'un de l'autre. Il me pria de monter dans une chambre haute. Je le suivis sans résistance. Les archers nous accompagnèrent jusqu'à la porte, et le supérieur, y étant entré avec moi, leur fit signe de se retirer.

1760 Je suis donc votre prisonnier ! lui dis-je. Eh bien, mon Père, que prétendez-vous faire de moi ? Il me dit qu'il était charmé de me voir prendre un ton raisonnable ; que son devoir serait de travailler à m'inspirer le goût de la vertu et de la religion, et le mien, de profiter de ses exhortations [2] et de ses conseils ; que, pour peu que je voulusse
1765 répondre aux attentions qu'il aurait pour moi, je ne trouverais que du plaisir dans ma solitude. Ah ! du plaisir ! repris-je ; vous ne savez pas, mon Père, l'unique chose qui est capable de m'en faire goûter ! Je le sais, reprit-il ; mais j'espère que votre inclination changera. Sa réponse me fit comprendre qu'il était instruit de mes aventures, et
1770 peut-être de mon nom. Je le priai de m'éclaircir. Il me dit naturellement qu'on l'avait informé de tout.

....

1. **Point d'indignités** : les lazaristes (religieux qui officiaient à la prison Saint-Lazare) avaient coutume de pratiquer des châtiments corporels sur les détenus.
2. **Exhortations** : incitations à la dévotion.

Cette connaissance fut le plus rude de tous mes châtiments. Je me mis à verser un ruisseau de larmes, avec toutes les marques d'un affreux désespoir. Je ne pouvais me consoler d'une humiliation qui
1775 allait me rendre la fable de [1] toutes les personnes de ma connaissance, et la honte de ma famille. Je passai ainsi huit jours dans le plus profond abattement sans être capable de rien entendre, ni de m'occuper d'autre chose que de mon opprobre [2]. Le souvenir même de Manon n'ajoutait rien à ma douleur. Il n'y entrait, du moins, que comme
1780 un sentiment qui avait précédé cette nouvelle peine, et la passion dominante de mon âme était la honte et la confusion. Il y a peu de personnes qui connaissent la force de ces mouvements particuliers du cœur. Le commun des hommes n'est sensible qu'à cinq ou six passions, dans le cercle desquelles leur vie se passe, et où toutes leurs
1785 agitations se réduisent. Ôtez-leur l'amour et la haine, le plaisir et la douleur, l'espérance et la crainte, ils ne sentent plus rien. Mais les personnes d'un caractère plus noble peuvent être remuées [3] de mille façons différentes ; il semble qu'elles aient plus de cinq sens, et qu'elles puissent recevoir des idées et des sensations qui passent les
1790 bornes ordinaires de la nature ; et comme elles ont un sentiment de cette grandeur qui les élève au-dessus du vulgaire, il n'y a rien dont elles soient plus jalouses. De là vient qu'elles souffrent si impatiemment le mépris et la risée [4], et que la honte est une de leurs plus violentes passions.
1795 J'avais ce triste avantage à Saint-Lazare. Ma tristesse parut si excessive au supérieur, qu'en appréhendant les suites, il crut devoir me traiter avec beaucoup de douceur et d'indulgence. Il me visitait deux ou trois fois le jour. Il me prenait souvent avec lui, pour faire un tour de jardin, et son zèle s'épuisait en exhortations et en avis salutaires.
1800 Je les recevais avec douceur ; je lui marquais même de la reconnaissance. Il en tirait l'espoir de ma conversion. Vous êtes d'un naturel [5]

....

1. **Me rendre la fable de** : faire de moi un sujet de plaisanterie.
2. **Mon opprobre** : ma honte, mon humiliation.
3. **Être remuées** : être touchées, atteintes, émues.
4. **Risée** : moquerie.
5. **Un Naturel** : une nature, une personnalité.

si doux et si aimable, me dit-il un jour, que je ne puis comprendre les désordres dont on vous accuse. Deux choses m'étonnent : l'une, comment, avec de si bonnes qualités, vous avez pu vous livrer à 1805 l'excès du libertinage [1] ; et l'autre que j'admire encore plus, comment vous recevez si volontiers mes conseils et mes instructions, après avoir vécu plusieurs années dans l'habitude du désordre. Si c'est repentir, vous êtes un exemple signalé des miséricordes du Ciel [2] ; si c'est bonté naturelle, vous avez du moins un excellent fond de carac-
1810 tère, qui me fait espérer que nous n'aurons pas besoin de vous retenir ici longtemps, pour vous ramener à une vie honnête et réglée. Je fus ravi de lui voir cette opinion de moi. Je résolus de l'augmenter par une conduite qui pût le satisfaire entièrement, persuadé que c'était le plus sûr moyen d'abréger ma prison. Je lui demandai des livres. Il fut
1815 surpris que, m'ayant laissé le choix de ceux que je voulais lire, je me déterminai pour quelques auteurs sérieux. Je feignis de m'appliquer à l'étude avec le dernier attachement, et je lui donnai ainsi, dans toutes les occasions, des preuves du changement qu'il désirait.

Cependant il n'était qu'extérieur. Je dois le confesser à ma honte, je
1820 jouai, à Saint-Lazare, un personnage d'hypocrite [3]. Au lieu d'étudier, quand j'étais seul, je ne m'occupais qu'à gémir de ma destinée ; je maudissais ma prison et la tyrannie qui m'y retenait. Je n'eus pas plutôt quelque relâche du côté de cet accablement où m'avait jeté la confusion, que je retombai dans les tourments [4] de l'amour.
1825 L'absence de Manon, l'incertitude de son sort, la crainte de ne la revoir jamais étaient l'unique objet de mes tristes méditations. Je me la figurais dans les bras de G… M…, car c'était la pensée que j'avais eue d'abord ; et, loin de m'imaginer qu'il lui eût fait le même traite-ment qu'à moi, j'étais persuadé qu'il ne m'avait fait éloigner que pour
1830 la posséder [5] tranquillement. Je passais ainsi des jours et des nuits

....

1. **Libertinage** : licence et légèreté de mœurs.
2. **Miséricordes du Ciel** : pardons donnés par Dieu.
3. **Un personnage d'hypocrite** : personne qui déguise son véritable caractère, qui joue un personnage.
4. **Tourments** : souffrances psychologiques.
5. **La posséder** : la conquérir, la séduire pour disposer d'elle.

dont la longueur me paraissait éternelle. Je n'avais d'espérance que
dans le succès de mon hypocrisie. J'observais soigneusement le visage
et les discours du supérieur, pour m'assurer de ce qu'il pensait de
moi, et je me faisais une étude de[1] lui plaire, comme à l'arbitre de
1835 ma destinée. Il me fut aisé de reconnaître que j'étais parfaitement
dans ses bonnes grâces. Je ne doutai plus qu'il ne fût disposé à me
rendre service. Je pris un jour la hardiesse de lui demander si c'était
de lui que mon élargissement[2] dépendait. Il me dit qu'il n'en était
pas absolument le maître, mais que, sur son témoignage, il espérait
1840 que M. de G… M…, à la sollicitation duquel M. le Lieutenant général
de Police m'avait fait renfermer, consentirait à me rendre la liberté.
Puis-je me flatter, repris-je doucement, que deux mois de prison, que
j'ai déjà essuyés, lui paraîtront une expiation[3] suffisante ? Il me
promit de lui en parler, si je le souhaitais. Je le priai instamment[4] de
1845 me rendre ce bon office. Il m'apprit, deux jours après, que G… M…
avait été si touché du bien qu'il avait entendu de moi, que non seulement il paraissait être dans le dessein de me laisser voir le jour, mais
qu'il avait même marqué beaucoup d'envie de me connaître plus particulièrement, et qu'il se proposait de me rendre une visite dans ma
1850 prison. Quoique sa présence ne pût m'être agréable, je la regardais
comme un acheminement prochain à ma liberté.

   Il vint effectivement à Saint-Lazare. Je lui trouvai l'air plus grave et
moins sot qu'il ne l'avait eu dans la maison de Manon. Il me tint
quelques discours de bon sens[5] sur ma mauvaise conduite. Il ajouta,
1855 pour justifier apparemment ses propres désordres, qu'il était permis
à la faiblesse des hommes de se procurer certains plaisirs que la
nature exige, mais que la friponnerie et les artifices honteux méri-
taient d'être punis. Je l'écoutai avec un air de soumission dont il parut
satisfait. Je ne m'offensai pas même de lui entendre lâcher quelques

....

1. **Je me faisais une étude de** : je mettais tout mon soin à.
2. **Mon élargissement** : ma mise en liberté.
3. **Expiation** : souffrance par laquelle on s'attache au rachat de ses péchés.
4. **Instamment** : avec insistance et autorité.
5. **De bon sens** : raisonnables.

railleries sur ma fraternité avec Lescaut et Manon, et sur les petites chapelles dont il supposait, me dit-il, que j'avais dû faire un grand nombre à Saint-Lazare, puisque je trouvais tant de plaisir à cette pieuse occupation. Mais il lui échappa, malheureusement pour lui et pour moi-même, de me dire que Manon en aurait fait aussi, sans doute, de fort jolies à l'Hôpital. Malgré le frémissement que le nom d'Hôpital me causa, j'eus encore le pouvoir de le prier, avec douceur, de s'expliquer. Hé oui ! reprit-il, il y a deux mois qu'elle apprend la sagesse à l'Hôpital Général, et je souhaite qu'elle en ait tiré autant de profit que vous à Saint-Lazare.

Quand j'aurais eu une prison éternelle, ou la mort même présente à mes yeux, je n'aurais pas été le maître de mon transport, à cette affreuse nouvelle. Je me jetai sur lui avec une si furieuse rage que j'en perdis la moitié de mes forces. J'en eus assez néanmoins pour le renverser par terre, et pour le prendre à la gorge. Je l'étranglais, lorsque le bruit de sa chute, et quelques cris aigus, que je lui laissais à peine la liberté de pousser, attirèrent le supérieur et plusieurs religieux dans ma chambre. On le délivra de mes mains. J'avais presque perdu moi-même la force et la respiration. Ô Dieu ! m'écriai-je, en poussant mille soupirs ; justice du Ciel ! faut-il que je vive un moment, après une telle infamie ? Je voulus me jeter encore sur le barbare qui venait de m'assassiner. On m'arrêta. Mon désespoir, mes cris et mes larmes passaient [1] toute imagination. Je fis des choses si étonnantes, que tous les assistants, qui en ignoraient la cause, se regardaient les uns les autres avec autant de frayeur que de surprise. M. de G... M... rajustait pendant ce temps-là sa perruque et sa cravate, et dans le dépit d'avoir été si maltraité, il ordonnait au supérieur de me resserrer plus étroitement que jamais, et de me punir par tous les châtiments qu'on sait être propres à Saint-Lazare. Non, monsieur, lui dit le supérieur ; ce n'est point avec une personne de la naissance de M. le Chevalier que nous en usons de cette manière. Il est si doux, d'ailleurs, et si honnête, que j'ai peine à comprendre qu'il se soit porté à cet excès sans de fortes raisons. Cette réponse acheva de

....

1. **Passaient** : dépassaient, allaient au-delà de.

déconcerter M. de G... M... Il sortit en disant qu'il saurait faire plier et le supérieur, et moi, et tous ceux qui oseraient lui résister.

1895   Le supérieur, ayant ordonné à ses religieux de le conduire, demeura seul avec moi. Il me conjura de lui apprendre promptement d'où venait ce désordre. Ô mon Père, lui dis-je, en continuant de pleurer comme un enfant, figurez-vous la plus horrible cruauté, imaginez-vous la plus détestable de toutes les barbaries, c'est l'action que
1900 l'indigne G... M... a eu la lâcheté de commettre. Oh ! il m'a percé le cœur. Je n'en reviendrai jamais. Je veux vous raconter tout, ajoutai-je en sanglotant. Vous êtes bon, vous aurez pitié de moi. Je lui fis un récit abrégé de la longue et insurmontable passion que j'avais pour Manon, de la situation florissante de notre fortune avant que nous
1905 eussions été dépouillés par nos propres domestiques, des offres que G... M... avait faites à ma maîtresse, de la conclusion de leur marché, et de la manière dont il avait été rompu. Je lui représentai les choses, à la vérité, du côté le plus favorable pour nous : Voilà, continuai-je, de quelle source est venu le zèle de M. de G... M... pour ma conver-
1910 sion. Il a eu le crédit de me faire ici renfermer, par un pur motif de vengeance. Je lui pardonne, mais, mon Père, ce n'est pas tout : il a fait enlever cruellement la plus chère moitié de moi-même, il l'a fait mettre honteusement à l'Hôpital, il a eu l'impudence de me l'annon-cer aujourd'hui de sa propre bouche. À l'Hôpital, mon Père ! Ô Ciel !
1915 ma charmante maîtresse, ma chère reine à l'Hôpital, comme la plus infâme de toutes les créatures ! Où trouverai-je assez de force pour ne pas mourir de douleur et de honte ? Le bon Père, me voyant dans cet excès d'affliction [1], entreprit de me consoler. Il me dit qu'il n'avait jamais compris mon aventure de la manière dont je la racontais ; qu'il
1920 avait su, à la vérité, que je vivais dans le désordre, mais qu'il s'était figuré que ce qui avait obligé M. de G... M... d'y prendre intérêt, était quelque liaison d'estime et d'amitié avec ma famille ; qu'il ne s'en était expliqué à lui-même que sur ce pied [2] ; que ce que je venais de lui apprendre mettrait beaucoup de changement dans mes affaires,

....
1. **Affliction** : grande tristesse.
2. **Sur ce pied** : sur cette base.

1925 et qu'il ne doutait point que le récit fidèle qu'il avait dessein d'en faire à M. le Lieutenant général de Police ne pût contribuer à ma liberté. Il me demanda ensuite pourquoi je n'avais pas encore pensé à donner de mes nouvelles à ma famille, puisqu'elle n'avait point eu de part à ma captivité. Je satisfis à cette objection par quelques rai-
1930 sons prises de la douleur que j'avais appréhendé de causer à mon père, et de la honte que j'en aurais ressentie moi-même. Enfin il me promit d'aller de ce pas chez le Lieutenant de Police, ne fût-ce, ajouta-t-il, que pour prévenir [1] quelque chose de pis [2], de la part de M. de G... M..., qui est sorti de cette maison fort mal satisfait, et qui est
1935 assez considéré pour se faire redouter.

J'attendis le retour du Père avec toutes les agitations d'un malheureux qui touche au moment de sa sentence [3]. C'était pour moi un supplice inexprimable de me représenter Manon à l'Hôpital. Outre l'infamie de cette demeure, j'ignorais de quelle manière elle y était
1940 traitée, et le souvenir de quelques particularités que j'avais entendues de cette maison d'horreur renouvelait à tous moments mes transports. J'étais tellement résolu de la secourir, à quelque prix et par quelque moyen que ce pût être, que j'aurais mis le feu à Saint-Lazare, s'il m'eût été impossible d'en sortir autrement. Je réfléchis donc sur
1945 les voies que j'avais à prendre s'il arrivait que le Lieutenant général de Police continuât de m'y retenir malgré moi. Je mis mon industrie [4] à toutes les épreuves ; je parcourus toutes les possibilités. Je ne vis rien qui pût m'assurer d'une évasion certaine, et je craignis d'être renfermé plus étroitement si je faisais une tentative malheureuse. Je
1950 me rappelai le nom de quelques amis, de qui je pouvais espérer du secours ; mais quel moyen de leur faire savoir ma situation ? Enfin, je crus avoir formé un plan si adroit qu'il pourrait réussir, et je remis à l'arranger encore mieux après le retour du Père supérieur, si l'inutilité de sa démarche me le rendait nécessaire. Il ne tarda point à
1955 revenir. Je ne vis pas, sur son visage, les marques de joie qui

....

1. **Prévenir** : éviter.
2. **Pis** : pire.
3. **Sentence** : décision finale d'une autorité.
4. **Industrie** : ingéniosité, habileté.

accompagnent une bonne nouvelle. J'ai parlé, me dit-il, à M. le Lieutenant général de Police, mais je lui ai parlé trop tard. M. de G… M… l'est allé voir en sortant d'ici, et l'a si fort prévenu contre vous[1], qu'il était sur le point de m'envoyer de nouveaux ordres pour vous resserrer davantage.

Cependant, lorsque je lui ai appris le fond de vos affaires, il a paru s'adoucir beaucoup, et riant un peu de l'incontinence[2] du vieux M. de G… M…, il m'a dit qu'il fallait vous laisser ici six mois pour le satisfaire ; d'autant mieux, a-t-il dit, que cette demeure ne saurait vous être inutile. Il m'a recommandé de vous traiter honnêtement, et je vous réponds que vous ne vous plaindrez point de mes manières.

Cette explication du bon supérieur fut assez longue pour me donner le temps de faire une sage réflexion. Je conçus que je m'exposerais à renverser mes desseins si je lui marquais trop d'empressement pour ma liberté. Je lui témoignai, au contraire, que dans la nécessité de demeurer, c'était une douce consolation pour moi d'avoir quelque part à son estime. Je le priai ensuite, sans affectation[3], de m'accorder une grâce, qui n'était de nulle importance pour personne, et qui servirait beaucoup à ma tranquillité ; c'était de faire avertir un de mes amis, un saint ecclésiastique qui demeurait à Saint-Sulpice, que j'étais à Saint-Lazare, et de permettre que je reçusse quelquefois sa visite. Cette faveur me fut accordée sans délibérer[4]. C'était mon ami Tiberge dont il était question ; non que j'espérasse de lui les secours nécessaires pour ma liberté, mais je voulais l'y faire servir comme un instrument éloigné, sans qu'il en eût même connaissance. En un mot, voici mon projet : je voulais écrire à Lescaut et le charger, lui et nos amis communs, du soin de me délivrer. La première difficulté était de lui faire tenir[5] ma lettre ; ce devait être l'office de Tiberge. Cependant, comme il le connaissait pour le frère de ma maîtresse, je craignais

....

1. **Prévenu contre vous** : mis en garde contre vous.
2. **Incontinence** : ici, manque de retenue dans les plaisirs sexuels.
3. **Sans affectation** : avec naturel, avec sincérité.
4. **Délibérer** : réfléchir, peser le pour et le contre, hésiter.
5. **Faire tenir** : faire parvenir.

1985 qu'il n'eût peine à se charger de cette commission [1]. Mon dessein
était de renfermer ma lettre à Lescaut dans une autre lettre que je
devais adresser à un honnête homme de ma connaissance, en le
priant de rendre promptement la première à son adresse, et comme
il était nécessaire que je visse Lescaut pour nous accorder dans nos
1990 mesures, je voulais lui marquer de venir à Saint-Lazare, et de demander à me voir sous le nom de mon frère aîné, qui était venu exprès à
Paris pour prendre connaissance de mes affaires. Je remettais à convenir avec lui des moyens qui nous paraîtraient les plus expéditifs [2] et
les plus sûrs. Le Père supérieur fit avertir Tiberge du désir que j'avais
1995 de l'entretenir. Ce fidèle ami ne m'avait pas tellement perdu de vue
qu'il ignorât mon aventure ; il savait que j'étais à Saint-Lazare, et
peut-être n'avait-il pas été fâché de cette disgrâce qu'il croyait capable
de me ramener au devoir. Il accourut aussitôt à ma chambre.

   Notre entretien fut plein d'amitié. Il voulut être informé de mes
2000 dispositions. Je lui ouvris mon cœur sans réserve, excepté sur le dessein de ma fuite. Ce n'est pas à vos yeux, cher ami, lui dis-je, que je
veux paraître ce que je ne suis point. Si vous avez cru trouver ici un
ami sage et réglé dans ses désirs, un libertin réveillé par les châtiments
du Ciel, en un mot un cœur dégagé de l'amour et revenu des charmes
2005 de sa Manon, vous avez jugé trop favorablement de moi. Vous me
revoyez tel que vous me laissâtes il y a quatre mois : toujours tendre,
et toujours malheureux par cette fatale tendresse dans laquelle je ne
me lasse point de chercher mon bonheur.

   Il me répondit que l'aveu que je faisais me rendait inexcusable ;
2010 qu'on voyait bien des pécheurs [3] qui s'enivraient du faux bonheur du
vice jusqu'à le préférer hautement à celui de la vertu ; mais que c'était,
du moins, à des images de bonheur qu'ils s'attachaient, et qu'ils
étaient les dupes de l'apparence ; mais que, de reconnaître, comme
je le faisais, que l'objet de mes attachements n'était propre qu'à me

....

1. **Commission** : affaire, mission.
2. **Expéditifs** : efficaces.
3. **Pécheurs** : personnes tombées dans le péché.

2015 rendre coupable et malheureux, et de continuer à me précipiter volontairement dans l'infortune et dans le crime, c'était une contradiction
d'idées et de conduite qui ne faisait pas honneur à ma raison.

Tiberge, repris-je, qu'il vous est aisé de vaincre, lorsqu'on n'oppose
rien à vos armes ! Laissez-moi raisonner à mon tour. Pouvez-vous
2020 prétendre que ce que vous appelez le bonheur de la vertu soit exempt
de [1] peines, de traverses [2] et d'inquiétudes ? Quel nom donnerez-vous
à la prison, aux croix, aux supplices et aux tortures des tyrans ?
Direz-vous, comme font les mystiques [3], que ce qui tourmente le
corps est un bonheur pour l'âme ? Vous n'oseriez le dire ; c'est un
2025 paradoxe [4] insoutenable. Ce bonheur, que vous relevez tant, est donc
mêlé de mille peines, ou pour parler plus juste, ce n'est qu'un tissu
de malheurs au travers desquels on tend à la félicité. Or si la force de
l'imagination fait trouver du plaisir dans ces maux mêmes, parce
qu'ils peuvent conduire à un terme [5] heureux qu'on espère, pourquoi
2030 traitez-vous de contradictoire et d'insensée, dans ma conduite, une
disposition toute semblable ? J'aime Manon ; je tends au travers de
mille douleurs à vivre heureux et tranquille auprès d'elle. La voie par
où je marche est malheureuse ; mais l'espérance d'arriver à mon
terme y répand toujours de la douceur, et je me croirai trop bien
2035 payé, par un moment passé avec elle, de tous les chagrins que j'essuie
pour l'obtenir. Toutes choses me paraissent donc égales de votre côté
et du mien ; ou s'il y a quelque différence, elle est encore à mon
avantage, car le bonheur que j'espère est proche, et l'autre est éloigné ; le mien est de la nature des peines, c'est-à-dire sensible au corps,
2040 et l'autre est d'une nature inconnue, qui n'est certaine que par la foi.

Tiberge parut effrayé de ce raisonnement. Il recula de deux pas, en
me disant, de l'air le plus sérieux, que, non seulement ce que je venais
de dire blessait le bon sens, mais que c'était un malheureux

....

1. **Exempt de** : préservé de.
2. **Traverses** : épreuves, difficultés.
3. **Mystiques** : personnes dominées par le sentiment religieux.
4. **Paradoxe** : conception qui va à l'encontre des idées communément admises.
5. **Un terme** : une finalité, une issue.

sophisme [1] d'impiété [2] et d'irréligion : car cette comparaison, ajouta-
2045 t-il, du terme de vos peines avec celui qui est proposé par la religion,
est une idée des plus libertines et des plus monstrueuses.

J'avoue, repris-je, qu'elle n'est pas juste ; mais prenez-y garde, ce
n'est pas sur elle que porte mon raisonnement. J'ai eu dessein d'expliquer ce que vous regardez comme une contradiction, dans la persévé-
2050 rance d'un amour malheureux, et je crois avoir fort bien prouvé que,
si c'en est une, vous ne sauriez vous en sauver plus que moi. C'est à
cet égard seulement que j'ai traité les choses d'égales, et je soutiens
encore qu'elles le sont. Répondrez-vous que le terme de la vertu est
infiniment supérieur à celui de l'amour ? Qui refuse d'en convenir ?
2055 Mais est-ce de quoi il est question ? Ne s'agit-il pas de la force qu'ils
ont, l'un et l'autre, pour faire supporter les peines ? Jugeons-en par
l'effet. Combien trouve-t-on de déserteurs de la sévère vertu, et combien en trouverez-vous peu de l'amour ? Répondrez-vous encore que,
s'il y a des peines dans l'exercice du bien, elles ne sont pas infaillibles
2060 et nécessaires ; qu'on ne trouve plus de tyrans ni de croix, et qu'on
voit quantité de personnes vertueuses mener une vie douce et tranquille ? Je vous dirai de même qu'il y a des amours paisibles et fortu-
nées, et, ce qui fait encore une différence qui m'est extrêmement
avantageuse, j'ajouterai que l'amour, quoiqu'il trompe assez souvent,
2065 ne promet du moins que des satisfactions et des joies, au lieu que la
religion veut qu'on s'attende à une pratique triste et mortifiante [3]. Ne
vous alarmez pas [4], ajoutai-je en voyant son zèle prêt à se chagriner.
L'unique chose que je veux conclure ici, c'est qu'il n'y a point de plus
mauvaise méthode pour dégoûter un cœur de l'amour, que de lui en
2070 décrier les douceurs et de lui promettre plus de bonheur dans l'exercice de la vertu. De la manière dont nous sommes faits, il est certain
que notre félicité consiste dans le plaisir ; je défie qu'on s'en forme
une autre idée ; or le cœur n'a pas besoin de se consulter longtemps

....

1. **Sophisme** : raisonnement spécieux doté des apparences de la logique.
2. **Impiété** : mépris pour la religion.
3. **Mortifiante** : qui blesse le corps, l'âme ou l'amour-propre.
4. **Ne vous alarmez pas** : ne vous inquiétez pas.

pour sentir que, de tous les plaisirs, les plus doux sont ceux de
2075 l'amour. Il s'aperçoit bientôt qu'on le trompe lorsqu'on lui en promet
ailleurs de plus charmants, et cette tromperie le dispose à se défier
des promesses les plus solides. Prédicateurs [1], qui voulez me ramener
à la vertu, dites-moi qu'elle est indispensablement nécessaire, mais
ne me déguisez pas [2] qu'elle est sévère et pénible. Établissez bien
2080 que les délices de l'amour sont passagères, qu'elles sont défendues,
qu'elles seront suivies par d'éternelles peines, et ce qui fera peut-être
encore plus d'impression sur moi, que, plus elles sont douces et charmantes, plus le Ciel sera magnifique à récompenser un si grand sacrifice, mais confessez qu'avec des cœurs tels que nous les avons, elles
2085 sont ici-bas nos plus parfaites félicités.

Cette fin de mon discours rendit sa bonne humeur à Tiberge. Il
convint qu'il y avait quelque chose de raisonnable dans mes pensées.
La seule objection qu'il ajouta fut de me demander pourquoi je
n'entrais pas du moins dans mes propres principes, en sacrifiant mon
2090 amour à l'espérance de cette rémunération dont je me faisais une si
grande idée. Ô cher ami ! lui répondis-je, c'est ici que je reconnais ma
misère et ma faiblesse. Hélas ! oui, c'est mon devoir d'agir comme je
raisonne ! mais l'action est-elle en mon pouvoir ? De quels secours
n'aurais-je pas besoin pour oublier les charmes de Manon ? Dieu
2095 me pardonne, reprit Tiberge, je pense que voici encore un de nos
jansénistes [3]. Je ne sais ce que je suis, répliquai-je, et je ne vois pas
trop clairement ce qu'il faut être ; mais je n'éprouve que trop la vérité
de ce qu'ils disent.

Cette conversation servit du moins à renouveler la pitié de mon
2100 ami. Il comprit qu'il y avait plus de faiblesse que de malignité dans
mes désordres. Son amitié en fut plus disposée, dans la suite, à me
donner des secours, sans lesquels j'aurais péri infailliblement de

il a se l'amour folle

1. Prédicateurs : hommes de religion qui se livrent à des prêches pour inciter
leurs semblables à se réformer moralement.

2. Ne me déguisez pas : ne me cachez pas.

3. Jansénistes : partisans du jansénisme, mouvement religieux se revendiquant
de Jansénius et promouvant une piété austère.

misère. Cependant, je ne lui fis pas la moindre ouverture du dessein que j'avais de m'échapper de Saint-Lazare. Je le priai seulement de se
2105 charger de ma lettre. Je l'avais préparée, avant qu'il fût venu, et je ne manquai point de prétextes pour colorer la nécessité[1] où j'étais d'écrire. Il eut la fidélité de la porter exactement, et Lescaut reçut, avant la fin du jour, celle qui était pour lui.

Il me vint voir le lendemain, et il passa heureusement sous le nom
2110 de mon frère. Ma joie fut extrême en l'apercevant dans ma chambre. J'en fermai la porte avec soin. Ne perdons pas un seul moment, lui dis-je ; apprenez-moi d'abord des nouvelles de Manon, et donnez-moi ensuite un bon conseil pour rompre mes fers[2]. Il m'assura qu'il n'avait pas vu sa sœur depuis le jour qui avait précédé mon emprison-
2115 nement, qu'il n'avait appris son sort et le mien qu'à force d'informa-tions et de soins, que, s'étant présenté deux ou trois fois à l'Hôpital, on lui avait refusé la liberté de lui parler. Malheureux G… M… ! m'écriai-je, que tu me le paieras cher !

Pour ce qui regarde votre délivrance, continua Lescaut, c'est une
2120 entreprise moins facile que vous ne pensez. Nous passâmes hier la soirée, deux de mes amis et moi, à observer toutes les parties exté-rieures de cette maison, et nous jugeâmes que, vos fenêtres étant sur une cour entourée de bâtiments, comme vous nous l'aviez marqué, il y aurait bien de la difficulté à vous tirer de là. Vous êtes d'ailleurs au
2125 troisième étage, et nous ne pouvons introduire ici ni cordes ni échelles. Je ne vois donc nulle ressource du côté du dehors. C'est dans la maison même qu'il faudrait imaginer quelque artifice[3]. Non, repris-je ; j'ai tout examiné, surtout depuis que ma clôture est un peu moins rigoureuse, par l'indulgence du supérieur. La porte de ma
2130 chambre ne se ferme plus avec la clef, j'ai la liberté de me promener dans les galeries des religieux, mais tous les escaliers sont bouchés par des portes épaisses qu'on a soin de tenir fermées la nuit et le jour de sorte qu'il est impossible que la seule adresse puisse me sauver.

....

1. **Colorer la nécessité** : excuser l'obligation.
2. **Rompre mes fers** : me libérer.
3. **Artifice** : moyen habile de se tirer d'une situation difficile.

Attendez, repris-je, après avoir un peu réfléchi sur une idée qui me
parut excellente, pourriez-vous m'apporter un pistolet ? Aisément,
me dit Lescaut ; mais voulez-vous tuer quelqu'un ? Je l'assurai que
j'avais si peu dessein de tuer qu'il n'était pas même nécessaire que le
pistolet fût chargé. Apportez-le-moi demain, ajoutai-je, et ne manquez
pas de vous trouver le soir, à onze heures, vis-à-vis de la porte de
cette maison, avec deux ou trois de nos amis. J'espère que je pourrai
vous y rejoindre. Il me pressa en vain de lui en apprendre davantage.
Je lui dis qu'une entreprise, telle que je la méditais, ne pouvait
paraître raisonnable qu'après avoir réussi. Je le priai d'abréger sa
visite, afin qu'il trouvât plus de facilité à me revoir le lendemain. Il
fut admis avec aussi peu de peine que la première fois. Son air était
grave, il n'y a personne qui ne l'eût pris pour un homme d'honneur.

Lorsque je me trouvai muni de l'instrument de ma liberté, je ne
doutai presque plus du succès de mon projet. Il était bizarre et hardi ;
mais de quoi n'étais-je pas capable, avec les motifs qui m'animaient ?
J'avais remarqué, depuis qu'il m'était permis de sortir de ma chambre
et de me promener dans les galeries, que le portier apportait chaque
jour au soir les clefs de toutes les portes au supérieur, et qu'il régnait
ensuite un profond silence dans la maison, qui marquait que tout le
monde était retiré. Je pouvais aller sans obstacle, par une galerie de
communication, de ma chambre à celle de ce Père. Ma résolution
était de lui prendre ses clefs, en l'épouvantant avec mon pistolet s'il
faisait difficulté de me les donner, et de m'en servir pour gagner la
rue. J'en attendis le temps avec impatience. Le portier vint à l'heure
ordinaire, c'est-à-dire un peu après neuf heures. J'en laissai passer
encore une, pour m'assurer que tous les religieux et les domestiques
étaient endormis. Je partis enfin, avec mon arme et une chandelle
allumée. Je frappai d'abord doucement à la porte du Père, pour
l'éveiller sans bruit. Il m'entendit au second coup, et s'imaginant,
sans doute, que c'était quelque religieux qui se trouvait mal et qui
avait besoin de secours, il se leva pour m'ouvrir. Il eut, néanmoins,
la précaution de demander, au travers de la porte, qui c'était et ce

qu'on voulait de lui. Je fus obligé de me nommer ; mais j'affectai [1]
un ton plaintif, pour lui faire comprendre que je ne me trouvais pas
bien. Ah ! c'est vous, mon cher fils, me dit-il, en ouvrant la porte ;
2170 qu'est-ce donc qui vous amène si tard ? J'entrai dans sa chambre, et
l'ayant tiré à l'autre bout opposé à la porte, je lui déclarai qu'il m'était
impossible de demeurer plus longtemps à Saint-Lazare ; que la nuit
était un temps commode pour sortir sans être aperçu, et que j'attendais de son amitié qu'il consentirait à m'ouvrir les portes, ou à me
2175 prêter ses clefs pour les ouvrir moi-même.

Ce compliment devait le surprendre. Il demeura quelque temps à
me considérer [2], sans me répondre. Comme je n'en avais pas à
perdre, je repris la parole pour lui dire que j'étais fort touché de toutes
ses bontés, mais que, la liberté étant le plus cher de tous les biens,
2180 surtout pour moi à qui on la ravissait injustement, j'étais résolu de
me la procurer cette nuit même, à quelque prix que ce fût ; et de peur
qu'il ne lui prît envie d'élever la voix pour appeler du secours, je lui
fis voir une honnête raison de silence, que je tenais sous mon juste-
au-corps [3]. Un pistolet ! me dit-il. Quoi ! mon fils, vous voulez m'ôter
2185 la vie, pour reconnaître la considération que j'ai eue pour vous ? À
Dieu ne plaise [4], lui répondis-je. Vous avez trop d'esprit et de raison
pour me mettre dans cette nécessité ; mais je veux être libre, et j'y
suis si résolu que, si mon projet manque par votre faute, c'est fait de
vous absolument. Mais, mon cher fils, reprit-il d'un air pâle et effrayé,
2190 que vous ai-je fait ? quelle raison avez-vous de vouloir ma mort ? Eh
non ! répliquai-je avec impatience. Je n'ai pas dessein de vous tuer, si
vous voulez vivre. Ouvrez-moi la porte, et je suis le meilleur de vos
amis. J'aperçus les clefs qui étaient sur sa table. Je les pris et je le
priai de me suivre, en faisant le moins de bruit qu'il pourrait. Il fut
2195 obligé de s'y résoudre. À mesure que nous avancions et qu'il ouvrait

....
1. J'affectai : je feignis.
2. À me considérer : à me regarder, à m'observer.
3. Juste-au-corps : vêtement masculin serré à la taille.
4. À Dieu ne plaise : expression signifiant le rejet par le locuteur d'une option
qui le répugne.

une porte, il me répétait avec un soupir : Ah ! mon fils, ah ! qui
l'aurait cru ? Point de bruit, mon Père, répétais-je de mon côté à tout
moment. Enfin nous arrivâmes à une espèce de barrière, qui est avant
la grande porte de la rue. Je me croyais déjà libre, et j'étais derrière
2200 le Père, avec ma chandelle dans une main et mon pistolet dans
l'autre. Pendant qu'il s'empressait d'ouvrir, un domestique, qui cou-
chait dans une petite chambre voisine, entendant le bruit de quelques
verrous, se lève et met la tête à sa porte. Le bon Père le crut apparemment capable de m'arrêter. Il lui ordonna, avec beaucoup d'impru-
2205 dence, de venir à son secours. C'était un puissant coquin, qui s'élança
sur moi sans balancer. Je ne le marchandai point [1] ; je lui lâchai le coup
au milieu de la poitrine. Voilà de quoi vous êtes cause, mon Père, dis-
je assez fièrement à mon guide. Mais que cela ne vous empêche point
d'achever, ajoutai-je en le poussant vers la dernière porte. Il n'osa refu-
2210 ser de l'ouvrir. Je sortis heureusement et je trouvai, à quatre pas, Lescaut qui m'attendait avec deux amis, suivant sa promesse.

Nous nous éloignâmes. Lescaut me demanda s'il n'avait pas
entendu tirer un pistolet. C'est votre faute, lui dis-je ; pourquoi me
l'apportiez-vous chargé ? Cependant je le remerciai d'avoir eu cette
2215 précaution, sans laquelle j'étais sans doute à Saint-Lazare pour longtemps. Nous allâmes passer la nuit chez un traiteur, où je me remis
un peu de la mauvaise chère [2] que j'avais faite depuis près de trois
mois. Je ne pus néanmoins m'y livrer au plaisir. Je souffrais mortellement dans [3] Manon. Il faut la délivrer, dis-je à mes trois amis. Je n'ai
2220 souhaité la liberté que dans cette vue. Je vous demande le secours de
votre adresse ; pour moi, j'y emploierai jusqu'à ma vie. Lescaut, qui
ne manquait pas d'esprit et de prudence, me représenta qu'il fallait
aller bride en main [4] ; que mon évasion de Saint-Lazare et le malheur
qui m'était arrivé en sortant, causeraient infailliblement du bruit ; que
2225 le Lieutenant général de Police me ferait chercher, et qu'il avait les

....

1. **Je ne le marchandai point** : je n'hésitai pas.
2. **(Faire) mauvaise chère** : ne pas manger à sa faim.
3. **Je souffrais mortellement dans** : j'éprouvais une souffrance mortelle pour.
4. **Bride en main** : lentement, prudemment.

bras longs [1] ; enfin, que si je ne voulais pas être exposé à quelque chose de pis que Saint-Lazare, il était à propos de me tenir couvert et renfermé pendant quelques jours, pour laisser au premier feu de mes ennemis le temps de s'éteindre. Son conseil était sage, mais il aurait fallu l'être aussi pour le suivre. Tant de lenteur et de ménagement ne s'accordait pas avec ma passion. Toute ma complaisance se réduisit à lui promettre que je passerais le jour suivant à dormir. Il m'enferma dans sa chambre, où je demeurai jusqu'au soir.

J'employai une partie de ce temps à former des projets et des expédients [2] pour secourir Manon. J'étais bien persuadé que sa prison était encore plus impénétrable que n'avait été la mienne. Il n'était pas question de force et de violence, il fallait de l'artifice ; mais la déesse même de l'invention n'aurait pas su par où commencer. J'y vis si peu de jour, que je remis à considérer mieux les choses lorsque j'aurais pris quelques informations sur l'arrangement [3] intérieur de l'Hôpital.

Aussitôt que la nuit m'eut rendu la liberté, je priai Lescaut de m'accompagner. Nous liâmes conversation avec un des portiers, qui nous parut homme de bon sens. Je feignis d'être un étranger qui avait entendu parler avec admiration de l'Hôpital Général, et de l'ordre qui s'y observe. Je l'interrogeai sur les plus minces détails, et de circonstances en circonstances, nous tombâmes sur les administrateurs, dont je le priai de m'apprendre les noms et les qualités. Les réponses qu'il me fit sur ce dernier article [4] me firent naître une pensée dont je m'applaudis aussitôt, et que je ne tardai point à mettre en œuvre. Je lui demandai, comme une chose essentielle à mon dessein, si ces messieurs avaient des enfants. Il me dit qu'il ne pouvait m'en rendre un compte certain, mais que, pour M. de T…, qui était un des principaux, il lui connaissait un fils en âge d'être marié, qui était venu plusieurs fois à l'Hôpital avec son père. Cette assurance me suffisait. Je rompis presque aussitôt notre entretien [5], et je fis part à Lescaut,

....

1. **Avait les bras longs** : avait de l'influence.
2. **Expédients** : moyens, ruses.
3. **L'arrangement** : la disposition.
4. **Sur ce dernier article** : sur ce dernier point, sur ce dernier sujet.
5. **Je rompis [...] notre entretien** : je mis fin à notre discussion.

en retournant chez lui, du dessein que j'avais conçu. Je m'imagine, lui dis-je, que M. de T... le fils, qui est riche et de bonne famille, est dans un certain goût de plaisirs, comme la plupart des jeunes gens de son âge. Il ne saurait être ennemi des femmes, ni ridicule au point de
2260 refuser ses services pour une affaire d'amour. J'ai formé le dessein de l'intéresser à [1] la liberté de Manon. S'il est honnête homme, et qu'il ait des sentiments, il nous accordera son secours par générosité. S'il n'est point capable d'être conduit par ce motif, il fera du moins quelque chose pour une fille aimable, ne fût-ce que par l'espérance d'avoir part
2265 à ses faveurs. Je ne veux pas différer de le voir, ajoutai-je, plus long-temps que jusqu'à demain. Je me sens si consolé par ce projet, que j'en tire un bon augure [2]. Lescaut convint lui-même qu'il y avait de la vraisemblance dans mes idées, et que nous pouvions espérer quelque chose par cette voie. J'en passai la nuit moins tristement.
2270 Le matin étant venu, je m'habillai le plus proprement qu'il me fut possible, dans l'état d'indigence où j'étais, et je me fis conduire dans un fiacre à la maison de M. de T... Il fut surpris de recevoir la visite d'un inconnu. J'augurai bien de [3] sa physionomie et de ses civilités. Je m'expliquai naturellement avec lui, et pour échauffer ses sentiments
2275 naturels, je lui parlai de ma passion et du mérite de ma maîtresse comme de deux choses qui ne pouvaient être égalées que l'une par l'autre. Il me dit que, quoiqu'il n'eût jamais vu Manon, il avait entendu parler d'elle, du moins s'il s'agissait de celle qui avait été la maîtresse du vieux G... M... Je ne doutai point qu'il ne fût informé
2280 de la part que j'avais eue à cette aventure, et pour le gagner de plus en plus, en me faisant un mérite de ma confiance, je lui racontai le détail de tout ce qui était arrivé à Manon et à moi. Vous voyez, mon-sieur, continuai-je, que l'intérêt de ma vie et celui de mon cœur sont maintenant entre vos mains. L'un ne m'est pas plus cher que l'autre.
2285 Je n'ai point de réserve avec vous, parce que je suis informé de votre générosité, et que la ressemblance de nos âges me fait espérer qu'il

....

1. **L'intéresser à** : l'amener à s'engager dans une action en vue de.
2. **Bon augure** : présage heureux.
3. **J'augurai bien de** : j'avais un bon pressentiment en voyant.

s'en trouvera quelqu'une dans nos inclinations. Il parut fort sensible à cette marque d'ouverture et de candeur. Sa réponse fut celle d'un homme qui a du monde [1] et des sentiments ; ce que le monde ne donne pas toujours et qu'il fait perdre souvent. Il me dit qu'il mettait ma visite au rang de ses bonnes fortunes, qu'il regarderait mon amitié comme une de ses plus heureuses acquisitions, et qu'il s'efforcerait de la mériter par l'ardeur de ses services. Il ne promit pas de me rendre Manon, parce qu'il n'avait, me dit-il, qu'un crédit médiocre et mal assuré ; mais il m'offrit de me procurer le plaisir de la voir, et de faire tout ce qui serait en sa puissance pour la remettre entre mes bras. Je fus plus satisfait de cette incertitude de son crédit que je ne l'aurais été d'une pleine assurance de remplir tous mes désirs. Je trouvai, dans la modération de ses offres, une marque de franchise dont je fus charmé. En un mot, je me promis tout de ses bons offices. La seule promesse de me faire voir Manon m'aurait fait tout entreprendre pour lui. Je lui marquai quelque chose de ces sentiments, d'une manière qui le persuada aussi que je n'étais pas d'un mauvais naturel. Nous nous embrassâmes avec tendresse, et nous devînmes amis, sans autre raison que la bonté de nos cœurs et une simple disposition qui porte un homme tendre et généreux à aimer un autre homme qui lui ressemble. Il poussa les marques de son estime bien plus loin, car, ayant combiné [2] mes aventures, et jugeant qu'en sortant de Saint-Lazare je ne devais pas me trouver à mon aise, il m'offrit sa bourse, et il me pressa de l'accepter. Je ne l'acceptai point ; mais je lui dis : c'est trop, mon cher Monsieur. Si, avec tant de bonté et d'amitié, vous me faites revoir ma chère Manon, je vous suis attaché pour toute ma vie. Si vous me rendez tout à fait cette chère créature, je ne croirai pas être quitte en versant tout mon sang pour vous servir.

Nous ne nous séparâmes qu'après être convenus du temps et du lieu où nous devions nous retrouver. Il eut la complaisance de ne pas me remettre [3] plus loin que l'après-midi du même jour. Je l'attendis

....

1. **Qui a du monde** : habitué des usages de la bonne société.
2. **Combiné** : mis bout à bout.
3. **La complaisance de ne pas me remettre** : la délicatesse de ne pas me retarder.

dans un café, où il vint me rejoindre vers les quatre heures, et nous prîmes ensemble le chemin de l'Hôpital. Mes genoux étaient trem-
2320 blants en traversant les cours. Puissance d'amour ! disais-je, je rever-rai donc l'idole de mon cœur, l'objet de tant de pleurs et d'inquiétudes ! Ciel ! conservez-moi assez de vie pour aller jusqu'à elle, et disposez après cela de ma fortune et de mes jours, je n'ai plus d'autre grâce à vous demander.

2325   M. de T… parla à quelques concierges [1] de la maison qui s'empres-sèrent de lui offrir tout ce qui dépendait d'eux pour sa satisfaction. Il se fit montrer le quartier où Manon avait sa chambre, et l'on nous y conduisit avec une clef d'une grandeur effroyable, qui servit à ouvrir sa porte. Je demandai au valet qui nous menait, et qui était celui
2330 qu'on avait chargé du soin de la servir, de quelle manière elle avait passé le temps dans cette demeure. Il nous dit que c'était une douceur angélique ; qu'il n'avait jamais reçu d'elle un mot de dureté ; qu'elle avait versé continuellement des larmes pendant les six premières semaines après son arrivée, mais que, depuis quelque temps, elle
2335 paraissait prendre son malheur avec plus de patience, et qu'elle était occupée à coudre du matin jusqu'au soir, à la réserve de [2] quelques heures qu'elle employait à la lecture. Je lui demandai encore si elle avait été entretenue proprement. Il m'assura que le nécessaire, du moins, ne lui avait jamais manqué.

2340   Nous approchâmes de sa porte. Mon cœur battait violemment. Je dis à M. de T… : Entrez seul et prévenez-la sur ma visite, car j'appré-hende qu'elle ne soit trop saisie [3] en me voyant tout d'un coup. La porte nous fut ouverte. Je demeurai dans la galerie. J'entendis néan-moins leurs discours. Il lui dit qu'il venait lui apporter un peu de
2345 consolation, qu'il était de mes amis, et qu'il prenait beaucoup d'inté-rêt à notre bonheur. Elle lui demanda, avec le plus vif empressement, si elle apprendrait de lui ce que j'étais devenu. Il lui promit de

....

1. **Concierges** : gardiens de prison.
2. **À la réserve de** : excepté.
3. **Qu'elle ne soit trop saisie** : qu'elle ne soit victime d'un choc trop violent.

LE SIÈCLE DE FRAGONARD

Esprit espiègle du XVIIIᵉ siècle, versé dans un style galant et libertin, Jean-Honoré Fragonard incarne la sensibilité rococo et annonce le romantisme. Élève de Jean Siméon Chardin et de François Boucher, cet artiste controversé est souvent mentionné pour ses compositions provocatrices et sulfureuses.

© The Granger Coll NY / Aurimages

Jean-Honoré Fragonard, *Jeune Fille faisant jouer son chien dans son lit*, vers 1770, Munich (Allemagne), Alte Pinakothek.
Suggestif, érotique et grivois, ce tableau présente une jeune fille à moitié nue qui s'amuse à faire danser au-dessus d'elle un chien dont la queue cache son sexe. L'inspiration libertine de cette composition ne fait aucun doute.

Jean-Honoré Fragonard, *Fête à Rambouillet ou L'Île d'amour*, vers 1770, Lisbonne (Portugal), Calouste Gulbenkian Museum.

Renvoyant à l'univers des fêtes galantes, ce tableau représente les amours insouciantes et légères d'une troupe de jeunes gens qui s'adonnent au plaisir au cœur de la nature. Ballottée par la houle, l'embarcation des libertins menace de se renverser, signe de la confusion et de la fragilité des sentiments.

PEINDRE LA PASSION AMOUREUSE
AU TEMPS DES LUMIÈRES

La période rococo, qui traverse le XVIIIe siècle, met au premier plan la question du plaisir et la douceur d'un art de vivre magnifié par une forme de grâce picturale. De fait, la passion amoureuse se nourrit de suggestions galantes autant que d'excitation érotique et de transgression.

Jean-François de Troy, *La Déclaration d'amour*, 1724, New York (États-Unis), Metropolitan Museum of Art.
Ce tableau présente une scène d'intérieur galante dans laquelle un amant transi se prête au jeu particulièrement codé du serment amoureux, adoptant la posture humble du soupirant courtois.

© Artokoloro / Quint Lox / Aurimages

François Boucher,
Lettre d'amour, 1750,
Washington (États-Unis),
National Gallery of Art.
Tenant à la main une lettre
reçue à la suite de l'irruption
d'un pigeon, la jeune femme
vêtue de rose semble
se repaître d'un amour
caractérisé par l'absence de
l'être aimé, loin d'une vision
libertine du jeu amoureux.

© Agnew's, London / Bridgeman Images

François Boucher,
Amoureux dans un parc,
1758, San Diego (États-Unis),
Timken Museum of Art.
D'inspiration libertine,
cette composition met en
scène deux jeunes amants
fougueux qui paraissent
goûter des plaisirs immédiats,
tandis que la présence
d'une galante portant
un panier de fleurs suggère
un renforcement du désir.

m'amener à ses pieds, aussi tendre, aussi fidèle qu'elle pouvait le désirer. Quand ? reprit-elle. Aujourd'hui même, lui dit-il ; ce bienheureux moment ne tardera point ; il va paraître à l'instant si vous le souhaitez. Elle comprit que j'étais à la porte. J'entrai, lorsqu'elle y accourait avec précipitation. Nous nous embrassâmes avec cette effusion de tendresse qu'une absence de trois mois fait trouver si charmante à de parfaits amants. Nos soupirs, nos exclamations interrompues, mille noms d'amour répétés languissamment de part et d'autre, formèrent, pendant un quart d'heure, une scène qui attendrissait M. de T... Je vous porte envie, me dit-il, en nous faisant asseoir ; il n'y a point de sort glorieux auquel je ne préférasse une maîtresse si belle et si passionnée. Aussi mépriserais-je tous les empires du monde, lui répondis-je, pour m'assurer le bonheur d'être aimé d'elle.

Tout le reste d'une conversation si désirée ne pouvait manquer d'être infiniment tendre. La pauvre Manon me raconta ses aventures, et je lui appris les miennes. Nous pleurâmes amèrement en nous entretenant de l'état où elle était, et de celui d'où je ne faisais que sortir. M. de T... nous consola par de nouvelles promesses de s'employer ardemment pour finir nos misères. Il nous conseilla de ne pas rendre cette première entrevue trop longue, pour lui donner plus de facilité à nous en procurer d'autres. Il eut beaucoup de peine à nous faire goûter ce conseil ; Manon, surtout, ne pouvait se résoudre à me laisser partir. Elle me fit remettre cent fois sur ma chaise ; elle me retenait par les habits et par les mains. Hélas ! dans quel lieu me laissez-vous ! disait-elle. Qui peut m'assurer de vous revoir ? M. de T... lui promit de la venir voir souvent avec moi. Pour le lieu, ajouta-t-il agréablement, il ne faut plus l'appeler l'Hôpital ; c'est Versailles, depuis qu'une personne qui mérite l'empire de [1] tous les cœurs y est renfermée.

Je fis, en sortant, quelques libéralités [2] au valet qui la servait, pour l'engager [3] à lui rendre ses soins avec zèle. Ce garçon avait l'âme

....
1. **Qui mérite l'empire de** : qui mérite de régner sur.
2. **Libéralités** : ici, don d'argent.
3. **L'engager** : l'inciter.

moins basse et moins dure que ses pareils. Il avait été témoin de notre
2380 entrevue ; ce tendre spectacle l'avait touché. Un louis d'or, dont je lui
fis présent, acheva de me l'attacher. Il me prit à l'écart, en descendant
dans les cours. Monsieur, me dit-il, si vous me voulez prendre à votre
service, ou me donner une honnête récompense pour me dédomma-
ger de la perte de l'emploi que j'occupe ici, je crois qu'il me sera
2385 facile de délivrer Mademoiselle Manon. J'ouvris l'oreille à cette proposition, et quoique je fusse dépourvu de tout, je lui fis des promesses
fort au-dessus de ses désirs. Je comptais bien qu'il me serait toujours
aisé de récompenser un homme de cette étoffe[1]. Sois persuadé, lui
dis-je, mon ami, qu'il n'y a rien que je ne fasse pour toi, et que ta
2390 fortune est aussi assurée que la mienne. Je voulus savoir quels moyens
il avait dessein d'employer. Nul autre, me dit-il, que de lui ouvrir le
soir la porte de sa chambre, et de vous la conduire jusqu'à celle de
la rue, où il faudra que vous soyez prêt à la recevoir. Je lui demandai
s'il n'était point à craindre qu'elle ne fût reconnue en traversant les
2395 galeries et les cours. Il confessa qu'il y avait quelque danger, mais il
me dit qu'il fallait bien risquer quelque chose. Quoique je fusse ravi
de le voir si résolu, j'appelai M. de T… pour lui communiquer ce
projet, et la seule raison qui semblait pouvoir le rendre douteux. Il y
trouva plus de difficulté que moi. Il convint qu'elle pouvait absolu-
2400 ment s'échapper de cette manière ; mais, si elle est reconnue, continua-t-il, si elle est arrêtée en fuyant, c'est peut-être fait d'elle pour
toujours. D'ailleurs, il vous faudrait donc quitter Paris sur-le-champ,
car vous ne seriez jamais assez caché aux recherches. On les redouble-
rait, autant par rapport à vous qu'à elle. Un homme s'échappe aisé-
2405 ment, quand il est seul, mais il est presque impossible de demeurer
inconnu avec une jolie femme. Quelque solide que me parût ce raisonnement, il ne put l'emporter dans mon esprit, sur un espoir si
proche de mettre Manon en liberté. Je le dis à M. de T…, et je le
priai de pardonner un peu d'imprudence et de témérité[2] à l'amour.

....

1. **Un homme de cette étoffe** : un tel homme.
2. **Témérité** : hardiesse qui peut paraître déplacée.

2410 J'ajoutai que mon dessein était, en effet, de quitter Paris, pour m'arrêter, comme j'avais déjà fait, dans quelque village voisin. Nous convînmes donc, avec le valet, de ne pas remettre son entreprise plus loin
qu'au jour suivant, et pour la rendre aussi certaine qu'il était en notre
pouvoir, nous résolûmes d'apporter des habits d'homme, dans la vue
2415 de faciliter notre sortie. Il n'était pas aisé de les faire entrer, mais je
ne manquai pas d'invention [1] pour en trouver le moyen. Je priai seulement M. de T… de mettre le lendemain deux vestes légères l'une sur
l'autre, et je me chargeai de tout le reste.

Nous retournâmes le matin à l'Hôpital. J'avais avec moi, pour
2420 Manon, du linge, des bas, etc., et par-dessus mon juste-au-corps, un
surtout [2] qui ne laissait rien voir de trop enflé dans mes poches. Nous
ne fûmes qu'un moment dans sa chambre. M. de T… lui laissa une
de ses deux vestes ; je lui donnai mon juste-au-corps, le surtout me
suffisant pour sortir. Il ne se trouva rien de manque à son ajustement,
2425 excepté la culotte que j'avais malheureusement oubliée. L'oubli de
cette pièce nécessaire nous eût, sans doute, apprêté à rire si l'embarras où il nous mettait eût été moins sérieux. J'étais au désespoir
qu'une bagatelle de cette nature fût capable de nous arrêter. Cependant, je pris mon parti, qui fut de sortir moi-même sans culotte. Je
2430 laissai la mienne à Manon. Mon surtout était long, et je me mis, à
l'aide de quelques épingles, en état de passer décemment la porte. Le
reste du jour me parut d'une longueur insupportable. Enfin, la nuit
étant venue, nous nous rendîmes un peu au-dessous de la porte de
l'Hôpital, dans un carrosse. Nous n'y fûmes pas longtemps sans voir
2435 Manon paraître avec son conducteur. Notre portière étant ouverte, ils
montèrent tous deux à l'instant. Je reçus ma chère maîtresse dans
mes bras. Elle tremblait comme une feuille. Le cocher me demanda
où il fallait toucher [3]. Touche au bout du monde, lui dis-je, et mène-
moi quelque part où je ne puisse jamais être séparé de Manon.

....

1. **Invention** : inspiration.
2. **Surtout** : vêtement ample que l'on mettait par-dessus tous les autres.
3. **Toucher** : aller, se rendre.

2440 Ce transport, dont je ne fus pas le maître, faillit de m'attirer un fâcheux embarras. Le cocher fit réflexion à mon langage, et lorsque je lui dis ensuite le nom de la rue où nous voulions être conduits, il me répondit qu'il craignait que je ne l'engageasse dans une mauvaise affaire, qu'il voyait bien que ce beau jeune homme, qui s'appelait
2445 Manon, était une fille que j'enlevais de l'Hôpital, et qu'il n'était pas d'humeur à se perdre pour l'amour de moi. La délicatesse de ce coquin n'était qu'une envie de me faire payer la voiture plus cher. Nous étions trop près de l'Hôpital pour ne pas filer doux. Tais-toi, lui dis-je, il y a un louis d'or à gagner pour toi. Il m'aurait aidé,
2450 après cela, à brûler l'Hôpital même. Nous gagnâmes la maison où demeurait Lescaut. Comme il était tard, M. de T… nous quitta en chemin, avec promesse de nous revoir le lendemain. Le valet demeura seul avec nous.

Je tenais Manon si étroitement serrée entre mes bras que nous
2455 n'occupions qu'une place dans le carrosse. Elle pleurait de joie, et je sentais ses larmes qui mouillaient mon visage mais, lorsqu'il fallut descendre pour entrer chez Lescaut, j'eus avec le cocher un nouveau démêlé[1], dont les suites furent funestes. Je me repentis de lui avoir promis un louis, non seulement parce que le présent était excessif,
2460 mais par une autre raison bien plus forte, qui était l'impuissance de le payer. Je fis appeler Lescaut. Il descendit de sa chambre pour venir à la porte. Je lui dis à l'oreille dans quel embarras je me trouvais. Comme il était d'une humeur brusque[2] et nullement accoutumé à ménager un fiacre[3], il me répondit que je me moquais. Un louis
2465 d'or ! ajouta-t-il. Vingt coups de canne à ce coquin-là ! J'eus beau lui représenter doucement qu'il allait nous perdre, il m'arracha ma canne, avec l'air d'en vouloir maltraiter le cocher. Celui-ci, à qui il était peut-être arrivé de tomber quelquefois sous la main d'un garde du corps ou d'un mousquetaire[4], s'enfuit de peur, avec son carrosse,

....

1. **Un nouveau démêlé** : une nouvelle dispute, une nouvelle querelle.

2. **Brusque** : empreinte de rudesse.

3. **Fiacre** : par métonymie, le cocher d'un fiacre.

4. **Mousquetaire** : cavalier armé d'un mousquet et appartenant aux troupes de la Maison du roi.

2470 en criant que je l'avais trompé, mais que j'aurais de ses nouvelles. Je lui répétai inutilement d'arrêter. Sa fuite me causa une extrême inquiétude. Je ne doutai point qu'il n'avertît le commissaire. Vous me perdez, dis-je à Lescaut. Je ne serais pas en sûreté chez vous ; il faut nous éloigner pour le moment. Je prêtai le bras à Manon pour mar-
2475 cher, et nous sortîmes promptement de cette dangereuse rue. Lescaut nous tint compagnie. C'est quelque chose d'admirable que la manière dont la Providence enchaîne les événements. À peine avions-nous marché cinq ou six minutes, qu'un homme, dont je ne découvris point le visage, reconnut Lescaut. Il le cherchait sans doute aux envi-
2480 rons de chez lui, avec le malheureux dessein qu'il exécuta. C'est Lescaut, dit-il, en lui lâchant un coup de pistolet ; il ira souper ce soir avec les anges. Il se déroba aussitôt. Lescaut tomba, sans le moindre mouvement de vie. Je pressai Manon de fuir, car nos secours étaient inutiles à un cadavre, et je craignais d'être arrêté par le guet[1], qui ne
2485 pouvait tarder à paraître. J'enfilai, avec elle et le valet, la première petite rue qui croisait. Elle était si éperdue[2] que j'avais de la peine à la soutenir. Enfin j'aperçus un fiacre au bout de la rue. Nous y mon-tâmes, mais lorsque le cocher me demanda où il fallait nous conduire, je fus embarrassé à lui répondre. Je n'avais point d'asile[3] assuré ni
2490 d'ami de confiance à qui j'osasse avoir recours. J'étais sans argent, n'ayant guère plus d'une demi-pistole dans ma bourse. La frayeur et la fatigue avaient tellement incommodé Manon qu'elle était à demi pâmée[4] près de moi. J'avais, d'ailleurs, l'imagination remplie du meurtre de Lescaut, et je n'étais pas encore sans appréhension de la
2495 part du guet. Quel parti prendre ? Je me souvins heureusement de l'auberge de Chaillot, où j'avais passé quelques jours avec Manon, lorsque nous étions allés dans ce village pour y demeurer. J'espérai non seulement d'y être en sûreté, mais d'y pouvoir vivre quelque temps sans être pressé de payer. Mène-nous à Chaillot, dis-je au

....

1. **Guet** : troupe armée chargée de la surveillance de la ville.
2. **Elle était si éperdue** : elle était troublée par une émotion si violente.
3. **Asile** : lieu où trouver refuge.
4. **À demi pâmée** : presque évanouie.

cocher. Il refusa d'y aller si tard, à moins d'une pistole : autre sujet d'embarras. Enfin nous convînmes de six francs ; c'était toute la somme qui restait dans ma bourse.

Je consolais Manon, en avançant ; mais, au fond, j'avais le désespoir dans le cœur. Je me serais donné mille fois la mort, si je n'eusse pas eu, dans mes bras, le seul bien qui m'attachait à la vie. Cette seule pensée me remettait. Je la tiens du moins, disais-je ; elle m'aime, elle est à moi. Tiberge a beau dire, ce n'est pas là un fantôme de bonheur. Je verrais périr tout l'univers sans y prendre intérêt. Pourquoi ? Parce que je n'ai plus d'affection de reste. Ce sentiment était vrai ; cependant, dans le temps que je faisais si peu de cas des biens du monde, je sentais que j'aurais eu besoin d'en avoir du moins une petite partie, pour mépriser encore plus souverainement tout le reste. L'amour est plus fort que l'abondance, plus fort que les trésors et les richesses, mais il a besoin de leur secours ; et rien n'est plus désespérant, pour un amant délicat, que de se voir ramené par là, malgré lui, à la grossièreté des âmes les plus basses.

Il était onze heures quand nous arrivâmes à Chaillot. Nous fûmes reçus à l'auberge comme des personnes de connaissance ; on ne fut pas surpris de voir Manon en habit d'homme, parce qu'on est accoutumé, à Paris et aux environs, de voir prendre aux femmes toutes sortes de formes. Je la fis servir aussi proprement que si j'eusse été dans la meilleure fortune. Elle ignorait que je fusse mal en argent ; je me gardai bien de lui en rien apprendre, étant résolu de retourner seul à Paris, le lendemain, pour chercher quelque remède à cette fâcheuse espèce de maladie.

Elle me parut pâle et maigrie, en soupant. Je ne m'en étais point aperçu à l'Hôpital, parce que la chambre où je l'avais vue n'était pas des plus claires. Je lui demandai si ce n'était point encore un effet de la frayeur qu'elle avait eue en voyant assassiner son frère. Elle m'assura que, quelque touchée qu'elle fût de cet accident, sa pâleur ne venait que d'avoir essuyé pendant trois mois mon absence. Tu m'aimes donc extrêmement ? lui répondis-je. Mille fois plus que je ne puis dire, reprit-elle. Tu ne me quitteras donc plus jamais ? ajoutai-je. Non, jamais, répliqua-t-elle ; et cette assurance fut confirmée par

2535 tant de caresses et de serments, qu'il me parut impossible, en effet, qu'elle pût jamais les oublier. J'ai toujours été persuadé qu'elle était sincère ; quelle raison aurait-elle eue de se contrefaire[1] jusqu'à ce point ? Mais elle était encore plus volage, ou plutôt elle n'était plus rien, et elle ne se reconnaissait pas elle-même, lorsque, ayant devant

2540 les yeux des femmes qui vivaient dans l'abondance, elle se trouvait dans la pauvreté et dans le besoin. J'étais à la veille d'en avoir une dernière preuve qui a surpassé toutes les autres, et qui a produit la plus étrange aventure qui soit jamais arrivée à un homme de ma naissance et de ma fortune.

2545 Comme je la connaissais de cette humeur, je me hâtai le lendemain d'aller à Paris. La mort de son frère et la nécessité d'avoir du linge et des habits pour elle et pour moi étaient de si bonnes raisons que je n'eus pas besoin de prétextes. Je sortis de l'auberge, avec le dessein, dis-je à Manon et à mon hôte, de prendre un carrosse de louage ;

2550 mais c'était une gasconnade[2]. La nécessité m'obligeant d'aller à pied, je marchai fort vite jusqu'au Cours-la-Reine[3], où j'avais dessein de m'arrêter. Il fallait bien prendre un moment de solitude et de tranquillité pour m'arranger et prévoir ce que j'allais faire à Paris.

Je m'assis sur l'herbe. J'entrai dans une mer de raisonnements et
2555 de réflexions, qui se réduisirent peu à peu à trois principaux articles. J'avais besoin d'un secours présent, pour un nombre infini de nécessités présentes. J'avais à chercher quelque voie qui pût, du moins, m'ouvrir des espérances pour l'avenir, et ce qui n'était pas de moindre importance, j'avais des informations et des mesures à

2560 prendre pour la sûreté de Manon et pour la mienne. Après m'être épuisé en projets et en combinaisons sur ces trois chefs[4], je jugeai encore à propos d'en retrancher[5] les deux derniers. Nous n'étions

....

1. Se contrefaire : se dissimuler, se masquer.

2. Gasconnade : propos, affirmation de fanfaron qui cherche à mystifier son entourage.

3. Cours-la-Reine : route qui longe la Seine et relie Chaillot à Paris.

4. Chefs : points principaux. Ici, actions à traiter, à réaliser.

5. Retrancher : supprimer, annuler.

pas mal à couvert, dans une chambre de Chaillot, et pour les besoins
futurs, je crus qu'il serait temps d'y penser lorsque j'aurais satisfait
2565 aux présents.

Il était donc question de remplir actuellement ma bourse. M. de
T... m'avait offert généreusement la sienne, mais j'avais une extrême
répugnance à le remettre moi-même sur cette matière. Quel personnage, que d'aller exposer sa misère à un étranger, et de le prier de
2570 nous faire part de son bien ! Il n'y a qu'une âme lâche qui en soit
capable, par une bassesse [1] qui l'empêche d'en sentir l'indignité, ou
un chrétien humble, par un excès de générosité qui le rend supérieur
à cette honte. Je n'étais ni un homme lâche, ni un bon chrétien ;
j'aurais donné la moitié de mon sang pour éviter cette humiliation.
2575 Tiberge, disais-je, le bon Tiberge, me refusera-t-il ce qu'il aura le pouvoir de me donner ? Non, il sera touché de ma misère ; mais il
m'assassinera par sa morale. Il faudra essuyer ses reproches, ses
exhortations [2], ses menaces ; il me fera acheter ses secours si cher,
que je donnerais encore une partie de mon sang plutôt que de
2580 m'exposer à cette scène fâcheuse qui me laissera du trouble et des
remords. Bon ! reprenais-je, il faut donc renoncer à tout espoir,
puisqu'il ne me reste point d'autre voie, et que je suis si éloigné de
m'arrêter à ces deux-là, que je verserais plus volontiers la moitié de
mon sang que d'en prendre une, c'est-à-dire tout mon sang plutôt
2585 que de les prendre toutes deux ? Oui, mon sang tout entier, ajoutai-
je, après une réflexion d'un moment ; je le donnerais plus volontiers,
sans doute, que de me réduire à de basses supplications [3]. Mais il
s'agit bien ici de mon sang ! Il s'agit de la vie et de l'entretien de
Manon, il s'agit de son amour et de sa fidélité. Qu'ai-je à mettre en
2590 balance avec elle ? Je n'y ai rien mis jusqu'à présent. Elle me tient
lieu de gloire, de bonheur et de fortune. Il y a bien des choses, sans
doute, que je donnerais ma vie pour obtenir ou pour éviter, mais
estimer une chose plus que ma vie n'est pas une raison pour l'estimer

....

1. **Bassesse** : action indigne sur le plan moral.
2. **Exhortations** : supplications.
3. **Supplications** : action de supplier, d'implorer la pitié de quelqu'un.

autant que Manon. Je ne fus pas longtemps à me déterminer, après
2595 ce raisonnement. Je continuai mon chemin, résolu d'aller d'abord
chez Tiberge, et de là chez M. de T…

En entrant à Paris, je pris un fiacre, quoique je n'eusse pas de quoi
le payer ; je comptais sur les secours que j'allais solliciter. Je me fis
conduire au Luxembourg[1], d'où j'envoyai avertir Tiberge que j'étais
2600 à l'attendre. Il satisfit mon impatience par sa promptitude[2]. Je lui
appris l'extrémité de mes besoins, sans nul détour. Il me demanda si
les cent pistoles que je lui avais rendues me suffiraient, et, sans
m'opposer un seul mot de difficulté, il me les alla chercher dans le
moment, avec cet air ouvert et ce plaisir à donner qui n'est connu
2605 que de l'amour et de la véritable amitié. Quoique je n'eusse pas eu
le moindre doute du succès de ma demande, je fus surpris de l'avoir
obtenue à si bon marché, c'est-à-dire sans qu'il m'eût querellé[3] sur
mon impénitence[4]. Mais je me trompais, en me croyant tout à fait
quitte de ses reproches, car lorsqu'il eut achevé de me compter son
2610 argent et que je me préparais à le quitter, il me pria de faire avec lui
un tour d'allée. Je ne lui avais point parlé de Manon ; il ignorait
qu'elle fût en liberté ; ainsi sa morale ne tomba que sur la fuite téméraire de Saint-Lazare et sur la crainte où il était qu'au lieu de profiter
des leçons de sagesse que j'y avais reçues, je ne reprisse le train du
2615 désordre[5]. Il me dit qu'étant allé pour me visiter à Saint-Lazare, le
lendemain de mon évasion, il avait été frappé au-delà de toute expression en apprenant la manière dont j'en étais sorti ; qu'il avait eu là-
dessus un entretien avec le supérieur ; que ce bon Père n'était pas
encore remis de son effroi ; qu'il avait eu néanmoins la générosité de
2620 déguiser à M. le Lieutenant général de Police les circonstances de
mon départ, et qu'il avait empêché que la mort du portier ne fût
connue au-dehors ; que je n'avais donc, de ce côté-là, nul sujet

....

1. **Luxembourg** : jardin parisien proche de Saint-Sulpice, où vit Tiberge.
2. **Promptitude** : rapidité.
3. **Querellé** : fait des reproches.
4. **Impénitence** : refus du repentir ; endurcissement dans le péché.
5. **Le train du désordre** : le mode de vie sans morale.

d'alarme, mais que, s'il me restait le moindre sentiment de sagesse, je profiterais de cet heureux tour[1] que le Ciel donnait à mes affaires ; que je devais commencer par écrire à mon père, et me remettre bien avec lui ; et que, si je voulais suivre une fois son conseil, il était d'avis que je quittasse Paris, pour retourner dans le sein de ma famille.

J'écoutai son discours jusqu'à la fin. Il y avait là bien des choses satisfaisantes. Je fus ravi, premièrement, de n'avoir rien à craindre du côté de Saint-Lazare. Les rues de Paris me redevenaient un pays libre. En second lieu, je m'applaudis de ce que Tiberge n'avait pas la moindre idée de la délivrance de Manon et de son retour avec moi. Je remarquais même qu'il avait évité de me parler d'elle, dans l'opinion, apparemment, qu'elle me tenait moins au cœur, puisque je paraissais si tranquille sur son sujet. Je résolus, sinon de retourner dans ma famille, du moins d'écrire à mon père, comme il me le conseillait, et de lui témoigner que j'étais disposé à rentrer dans l'ordre de mes devoirs et de ses volontés. Mon espérance était de l'engager à m'envoyer de l'argent sous prétexte de faire mes exercices à l'Académie car j'aurais eu peine à lui persuader que je fusse dans la disposition de retourner à l'état ecclésiastique. Et dans le fond, je n'avais nul éloignement[2] pour ce que je voulais lui promettre. J'étais bien aise, au contraire, de m'appliquer à quelque chose d'honnête et de raisonnable, autant que ce dessein pourrait s'accorder avec mon amour. Je faisais mon compte de[3] vivre avec ma maîtresse et de faire en même temps mes exercices, cela était fort compatible. Je fus si satisfait de toutes ces idées que je promis à Tiberge de faire partir, le jour même, une lettre pour mon père. J'entrai effectivement dans un bureau d'écriture[4], en le quittant, et j'écrivis d'une manière si tendre et si soumise, qu'en relisant ma lettre, je me flattai d'obtenir quelque chose du cœur paternel.

Quoique je fusse en état de prendre et de payer un fiacre après avoir quitté Tiberge, je me fis un plaisir de marcher fièrement à pied

....

1. **Tour** : manière dont quelque chose évolue.
2. **Je n'avais nul éloignement** : je n'avais pas de réticence.
3. **Je faisais mon compte de** : j'envisageais de.
4. **Bureau d'écriture** : lieu qui dispose du nécessaire pour écrire.

en allant chez M. de T… Je trouvais de la joie dans cet exercice de
ma liberté, pour laquelle mon ami m'avait assuré qu'il ne me restait
rien à craindre. Cependant il me revint tout d'un coup à l'esprit que
ses assurances ne regardaient que Saint-Lazare, et que j'avais, outre
cela, l'affaire de l'Hôpital sur les bras, sans compter la mort de Lescaut, dans laquelle j'étais mêlé, du moins comme témoin. Ce souvenir m'effraya si vivement que je me retirai dans la première allée, d'où
je fis appeler un carrosse. J'allai droit chez M. de T…, que je fis rire
de ma frayeur. Elle me parut risible à moi-même, lorsqu'il m'eut
appris que je n'avais rien à craindre du côté de l'Hôpital, ni de celui
de Lescaut. Il me dit que, dans la pensée qu'on pourrait le soupçonner d'avoir eu part à l'enlèvement de Manon, il était allé le matin à
l'Hôpital, et qu'il avait demandé à la voir en feignant d'ignorer ce
qui était arrivé ; qu'on était si éloigné de nous accuser, ou lui, ou moi,
qu'on s'était empressé, au contraire, de lui apprendre cette aventure
comme une étrange nouvelle, et qu'on admirait qu'une fille aussi jolie
que Manon eût pris le parti de fuir avec un valet : qu'il s'était contenté
de répondre froidement qu'il n'en était pas surpris, et qu'on fait tout
pour la liberté. Il continua de me raconter qu'il était allé de là chez
Lescaut, dans l'espérance de m'y trouver avec ma charmante maîtresse ; que l'hôte de la maison, qui était un carrossier [1], lui avait
protesté qu'il n'avait vu ni elle ni moi ; mais qu'il n'était pas étonnant
que nous n'eussions point paru chez lui, si c'était pour Lescaut que
nous devions y venir, parce que nous aurions sans doute appris qu'il
venait d'être tué à peu près dans le même temps. Sur quoi, il n'avait
pas refusé d'expliquer ce qu'il savait de la cause et des circonstances
de cette mort. Environ deux heures auparavant, un garde du corps,
des amis de Lescaut, l'était venu voir et lui avait proposé de jouer.
Lescaut avait gagné si rapidement que l'autre s'était trouvé cent écus
de moins en une heure, c'est-à-dire tout son argent. Ce malheureux,
qui se voyait sans un sou, avait prié Lescaut de lui prêter la moitié de
la somme qu'il avait perdue ; et sur quelques difficultés nées à cette

....
1. **Carrossier** : loueur de carrosse.

occasion, ils s'étaient querellés avec une animosité [1] extrême. Lescaut avait refusé de sortir pour mettre l'épée à la main, et l'autre avait juré, en le quittant, de lui casser la tête : ce qu'il avait exécuté le soir même. M. de T... eut l'honnêteté d'ajouter qu'il avait été fort inquiet par rapport à nous et qu'il continuait de m'offrir ses services. Je ne balançai point à lui apprendre le lieu de notre retraite. Il me pria de trouver bon qu'il allât souper avec nous.

Comme il ne me restait qu'à prendre du linge et des habits pour Manon, je lui dis que nous pouvions partir à l'heure même, s'il voulait avoir la complaisance de s'arrêter un moment avec moi chez quelques marchands. Je ne sais s'il crut que je lui faisais cette proposition dans la vue d'intéresser sa générosité, ou si ce fut par le simple mouvement d'une belle âme, mais ayant consenti à partir aussitôt, il me mena chez les marchands qui fournissaient sa maison ; il me fit choisir plusieurs étoffes d'un prix plus considérable que je ne me l'étais proposé, et lorsque je me disposais à les payer, il défendit absolument aux marchands de recevoir un sou de moi. Cette galanterie se fit de si bonne grâce que je crus pouvoir en profiter sans honte. Nous prîmes ensemble le chemin de Chaillot, où j'arrivai avec moins d'inquiétude que je n'en étais parti.

Le chevalier des Grieux ayant employé plus d'une heure à ce récit, je le priai de prendre un peu de relâche [2], et de nous tenir compagnie à souper. Notre attention lui fit juger que nous l'avions écouté avec plaisir. Il nous assura que nous trouverions quelque chose encore de plus intéressant dans la suite de son histoire, et lorsque nous eûmes fini de souper, il continua dans ces termes.

M de T est très généreux

....

1. Animosité : agressivité.
2. De prendre un peu de relâche : de faire une pause.

J. J. Pasquier, *Le chevalier des Grieux rend visite à Manon dans sa prison*, 1753.

Deuxième partie

Ma présence et les politesses de M. de T... dissipèrent tout ce qui pouvait rester de chagrin à Manon. Oublions nos terreurs passées, ma chère âme, lui dis-je en arrivant, et recommençons à vivre plus heureux que jamais. Après tout, l'amour est un bon maître ; la for-
5 tune ne saurait nous causer autant de peines qu'il nous fait goûter de plaisirs. Notre souper fut une vraie scène de joie. J'étais plus fier et plus content, avec Manon et mes cent pistoles, que le plus riche parti-san[1] de Paris avec ses trésors entassés. Il faut compter ses richesses par les moyens qu'on a de satisfaire ses désirs. Je n'en avais pas un
10 seul à remplir ; l'avenir même me causait peu d'embarras. J'étais presque sûr que mon père ne ferait pas difficulté de me donner de quoi vivre honorablement à Paris, parce qu'étant dans ma vingtième année, j'entrais en droit d'exiger ma part du bien de ma mère. Je ne cachai point à Manon que le fond de mes richesses n'était que de
15 cent pistoles. C'était assez pour attendre tranquillement une meilleure fortune, qui semblait ne me pouvoir manquer, soit par mes droits naturels ou par les ressources du jeu.

Ainsi, pendant les premières semaines, je ne pensai qu'à jouir de ma situation ; et la force de l'honneur, autant qu'un reste de ménage-
20 ment pour la police, me faisait remettre de jour en jour à renouer avec les associés de l'hôtel de T...[2], je me réduisis à jouer dans quelques

....

1. **Partisan** : financier de type fermier général, voir note 6, p. 61.
2. **Hôtel de T...** : hôtel de Transylvanie, voir note 1, p. 95.

assemblées moins décriées [1], où la faveur du sort m'épargna l'humiliation d'avoir recours à l'industrie. J'allais passer à la ville une partie
de l'après-midi, et je revenais souper à Chaillot, accompagné fort
25 souvent de M. de T..., dont l'amitié croissait de jour en jour pour
nous. Manon trouva des ressources contre l'ennui. Elle se lia, dans le
voisinage, avec quelques jeunes personnes que le printemps y avait
ramenées. La promenade et les petits exercices de leur sexe faisaient
alternativement leur occupation. Une partie de jeu, dont elles avaient
30 réglé les bornes, fournissait aux frais de la voiture. Elles allaient
prendre l'air au bois de Boulogne [2], et le soir, à mon retour, je retrou-
vais Manon plus belle, plus contente, et plus passionnée que jamais.

Il s'éleva néanmoins quelques nuages, qui semblèrent menacer
l'édifice de mon bonheur. Mais ils furent nettement dissipés [3], et
35 l'humeur folâtre [4] de Manon rendit le dénouement si comique, que
je trouve encore de la douceur dans un souvenir qui me représente
sa tendresse et les agréments de son esprit.

Le seul valet qui composait notre domestique me prit un jour à
l'écart pour me dire, avec beaucoup d'embarras, qu'il avait un secret
40 d'importance à me communiquer. Je l'encourageai à parler librement.
A̶p̶r̶è̶s̶ ̶q̶u̶e̶l̶q̶u̶e̶s̶ détours, il me fit entendre q̶u'un s̶e̶i̶g̶n̶e̶u̶r̶ étranger
semblait avoir pris beaucoup d'amour pour Mademoiselle Manon.
Le trouble de mon sang se fit sentir dans toutes mes veines. En a-
t-elle pour lui ? interrompis-je plus brusquement que la prudence ne
45 permettait pour m'éclaircir. Ma vivacité l'effraya. Il me répondit, d'un
air inquiet, que sa pénétration [5] n'avait pas été si loin, mais qu'ayant
observé, depuis plusieurs jours, que cet étranger venait assidûment [6]
au bois de Boulogne, qu'il y descendait de son carrosse, et que,

....

1. **Moins décriées** : de moins mauvaises réputations.
2. **Bois de Boulogne** : grand parc boisé situé à l'ouest de Paris ; lieu de promenade depuis le XVIIe siècle.
3. **Dissipés** : estompés.
4. **Humeur folâtre** : humeur joueuse, plaisante.
5. **Pénétration** : sagacité ; capacité à sonder la psychologie humaine.
6. **Assidûment** : avec régularité.

s'engageant seul dans les contre-allées [1], il paraissait chercher l'occa-
50 sion de voir ou de rencontrer mademoiselle, il lui était venu à l'esprit
de faire quelque liaison avec ses gens, pour apprendre le nom de leur
maître ; qu'ils le traitaient de prince italien, et qu'ils le soupçonnaient
eux-mêmes de quelque aventure galante ; qu'il n'avait pu se procurer
d'autres lumières, ajouta-t-il en tremblant, parce que le Prince, étant
55 alors sorti du bois, s'était approché familièrement de lui, et lui avait
demandé son nom ; après quoi, comme s'il eût deviné qu'il était à
notre service, il l'avait félicité d'appartenir à la plus charmante personne du monde.

J'attendais impatiemment la suite de ce récit. Il le finit par des
60 excuses timides, que je n'attribuai qu'à mes imprudentes agitations.
Je le pressai en vain de continuer sans déguisement [2]. Il me protesta
qu'il ne savait rien de plus, et que ce qu'il venait de me raconter étant
arrivé le jour précédent, il n'avait pas revu les gens du prince. Je le
rassurai, non seulement par des éloges, mais par une honnête récom-
65 pense, et sans lui marquer la moindre défiance de Manon, je lui
recommandai, d'un ton plus tranquille, de veiller sur toutes les
démarches de l'étranger.

Au fond, sa frayeur me laissa de cruels doutes. Elle pouvait lui avoir
fait supprimer une partie de la vérité. Cependant, après quelques
70 réflexions, je revins de mes alarmes, jusqu'à regretter d'avoir donné
cette marque de faiblesse. Je ne pouvais faire un crime à Manon d'être
aimée. Il y avait beaucoup d'apparence qu'elle ignorait sa conquête ;
et quelle vie allais-je mener si j'étais capable d'ouvrir si facilement
l'entrée de mon cœur à la jalousie ? Je retournai à Paris le jour sui-
75 vant, sans avoir formé d'autre dessein que de hâter [3] le progrès de
ma fortune en jouant plus gros jeu, pour me mettre en état de quitter
Chaillot au premier sujet d'inquiétude. Le soir, je n'appris rien de
nuisible à mon repos. L'étranger avait reparu au bois de Boulogne,

....

1. **Contre-allées** : allées latérales, parallèles à la voie principale.
2. **Déguisement** : tromperie, dissimulation, cachoterie.
3. **Hâter** : accélérer.

et prenant droit[1] de ce qui s'y était passé la veille pour se rapprocher
80 de mon confident, il lui avait parlé de son amour, mais dans des
termes qui ne supposaient aucune intelligence[2] avec Manon. Il l'avait
interrogé sur mille détails. Enfin, il avait tenté de le mettre dans ses
intérêts par des promesses considérables, et tirant une lettre qu'il
tenait prête, il lui avait offert inutilement quelques louis d'or pour la
85 rendre à sa maîtresse.

Deux jours se passèrent sans aucun autre incident. Le troisième fut
plus orageux. J'appris, en arrivant de la ville assez tard, que Manon,
pendant sa promenade, s'était écartée un moment de ses compagnes,
et que l'étranger, qui la suivait à peu de distance, s'étant approché
90 d'elle au signe qu'elle lui en avait fait, elle lui avait remis une lettre
qu'il avait reçue avec des transports de joie. Il n'avait eu le temps
de les exprimer qu'en baisant amoureusement les caractères[3], parce
qu'elle s'était aussitôt dérobée. Mais elle avait paru d'une gaieté extraordinaire pendant le reste du jour, et depuis qu'elle était rentrée au
95 logis, cette humeur ne l'avait pas abandonnée. Je frémis, sans doute,
à chaque mot. Es-tu bien sûr, dis-je tristement à mon valet, que tes
yeux ne t'aient pas trompé ? Il prit le Ciel à témoin de sa bonne foi.
Je ne sais à quoi les tourments de mon cœur m'auraient porté si
Manon, qui m'avait entendu rentrer, ne fût venue au-devant de moi
100 avec un air d'impatience et des plaintes de ma lenteur. Elle n'attendit
point ma réponse pour m'accabler de[4] caresses, et lorsqu'elle se vit
seule avec moi, elle me fit des reproches fort vifs de l'habitude que je
prenais de revenir si tard. Mon silence lui laissant la liberté de continuer, elle me dit que, depuis trois semaines, je n'avais pas passé une
105 journée entière avec elle ; qu'elle ne pouvait soutenir de si longues
absences ; qu'elle me demandait du moins un jour par intervalles et
que, dès le lendemain, elle voulait me voir près d'elle du matin au

....

1. **Prenant droit** : prenant prétexte ; s'appuyant sur un précédent pour légitimer
une action.
2. **Intelligence** : accord de vues et de sentiments.
3. **Caractères** : lettres ; signes typographiques.
4. **M'accabler de** : me couvrir de.

soir. J'y serai, n'en doutez pas, lui répondis-je d'un ton assez brusque. Elle marqua peu d'attention pour mon chagrin, et dans le mouvement
110 de sa joie, qui me parut en effet d'une vivacité singulière, elle me fit mille peintures plaisantes de la manière dont elle avait passé le jour. Étrange fille ! me disais-je à moi-même ; que dois-je attendre de ce prélude[1] ? L'aventure de notre première séparation me revint à l'esprit. Cependant je croyais voir, dans le fond de sa joie et de ses
115 caresses, un air de vérité qui s'accordait avec les apparences.

Il ne me fut pas difficile de rejeter la tristesse, dont je ne pus me défendre pendant notre souper, sur une perte que je me plaignis d'avoir faite au jeu. J'avais regardé comme un extrême avantage que l'idée de ne pas quitter Chaillot le jour suivant fût venue d'elle-même.
120 C'était gagner du temps pour mes délibérations. Ma présence éloignait toutes sortes de craintes pour le lendemain, et si je ne remarquais rien qui m'obligeât de faire éclater mes découvertes, j'étais déjà résolu de transporter, le jour d'après, mon établissement à la ville, dans un quartier où je n'eusse rien à démêler avec les princes. Cet
125 arrangement me fit passer une nuit plus tranquille, mais il ne m'ôtait pas la douleur d'avoir à trembler pour une nouvelle infidélité.

À mon réveil, Manon me déclara que, pour passer le jour dans notre appartement, elle ne prétendait pas que j'en eusse l'air plus négligé[2], et qu'elle voulait que mes cheveux fussent accommodés[3]
130 de ses propres mains. Je les avais fort beaux. C'était un amusement qu'elle s'était donné plusieurs fois ; mais elle y apporta plus de soins que je ne lui en avais jamais vu prendre. Je fus obligé, pour la satisfaire, de m'asseoir devant sa toilette[4], et d'essuyer[5] toutes les petites recherches qu'elle imagina pour ma parure. Dans le cours de son
135 travail, elle me faisait tourner souvent le visage vers elle, et s'appuyant des deux mains sur mes épaules, elle me regardait avec une curiosité

....

1. **Ce prélude** : cette introduction.
2. **Air négligé** : apparence peu soignée.
3. **Accommodés** : coiffés.
4. **Toilette** : meuble garni des divers objets servant à la toilette et à la parure.
5. **D'essuyer** : de supporter, d'accepter.

avide. Ensuite, exprimant sa satisfaction par un ou deux baisers, elle
me faisait reprendre ma situation pour continuer son ouvrage. Ce
badinage nous occupa jusqu'à l'heure du dîner. Le goût qu'elle y
140 avait pris m'avait paru si naturel, et sa gaieté sentait si peu l'artifice,
que ne pouvant concilier des apparences si constantes avec le projet
d'une noire trahison, je fus tenté plusieurs fois de lui ouvrir mon
cœur, et de me décharger d'un fardeau [1] qui commençait à me peser.
Mais je me flattais, à chaque instant, que l'ouverture viendrait d'elle,
145 et je m'en faisais d'avance un délicieux triomphe.

Nous rentrâmes dans son cabinet. Elle se mit à rajuster mes cheveux, et ma complaisance me faisait céder à toutes ses volontés,
lorsqu'on vint l'avertir que le prince de... demandait à la voir. Ce
nom m'échauffa [2] jusqu'au transport. Quoi donc ? m'écriai-je en la
150 repoussant. Qui ? Quel prince ? Elle ne répondit point à mes questions. Faites-le monter, dit-elle froidement au valet ; et se tournant
vers moi : Cher amant, toi que j'adore, reprit-elle d'un ton enchanteur, je te demande un moment de complaisance, un moment, un
seul moment. Je t'en aimerai mille fois plus. Je t'en saurai gré [3] toute
155 ma vie.

L'indignation et la surprise me lièrent la langue. Elle répétait ses
instances, et je cherchais des expressions pour les rejeter avec mépris.
Mais, entendant ouvrir la porte de l'antichambre [4], elle empoigna
d'une main mes cheveux, qui étaient flottants sur mes épaules, elle
160 prit de l'autre son miroir de toilette ; elle employa toute sa force pour
me traîner dans cet état jusqu'à la porte du cabinet, et l'ouvrant du
genou, elle offrit à l'étranger, que le bruit semblait avoir arrêté au
milieu de la chambre, un spectacle qui ne dut pas lui causer peu
d'étonnement. Je vis un homme fort bien mis, mais d'assez mauvaise
165 mine [5]. Dans l'embarras où le jetait cette scène, il ne laissa pas de

....
1. **Fardeau** : poids.
2. **M'échauffa** : me frappa, m'émut.
3. **Je t'en saurai gré** : je t'en serai reconnaissante.
4. **Antichambre** : entrée précédant la salle où l'on reçoit de la visite.
5. **Mine** : apparence physique.

faire une profonde révérence. Manon ne lui donna pas le temps d'ouvrir la bouche. Elle lui présenta son miroir : Voyez, monsieur, lui dit-elle, regardez-vous bien, et rendez-moi justice. Vous me demandez de l'amour. Voici l'homme que j'aime, et que j'ai juré d'aimer toute

170 ma vie. Faites la comparaison vous-même. Si vous croyez lui pouvoir disputer mon cœur, apprenez-moi donc sur quel fondement, car je vous déclare qu'aux yeux de votre servante très humble, tous les princes d'Italie ne valent pas un des cheveux que je tiens.

Pendant cette folle harangue [1], qu'elle avait apparemment méditée,
175 je faisais des efforts inutiles pour me dégager, et prenant pitié d'un homme de considération, je me sentais porté à réparer ce petit outrage par mes politesses. Mais, s'étant remis assez facilement, sa réponse, que je trouvai un peu grossière, me fit perdre cette disposition. Mademoiselle, mademoiselle, lui dit-il avec un sourire forcé,
180 j'ouvre en effet les yeux, et je vous trouve bien moins novice [2] que je ne me l'étais figuré. Il se retira aussitôt sans jeter les yeux sur elle, en ajoutant, d'une voix plus basse, que les femmes de France ne valaient pas mieux que celles d'Italie. Rien ne m'invitait, dans cette occasion, à lui faire prendre une meilleure idée du beau sexe.

185 Manon quitta mes cheveux, se jeta dans un fauteuil, et fit retentir la chambre de longs éclats de rire. Je ne dissimulerai pas que je fus touché, jusqu'au fond du cœur, d'un sacrifice que je ne pouvais attribuer qu'à l'amour. Cependant la plaisanterie me parut excessive. Je lui en fis des reproches. Elle me raconta que mon rival, après l'avoir
190 obsédée pendant plusieurs jours au bois de Boulogne, et lui avoir fait deviner ses sentiments par des grimaces [3], avait pris le parti de lui en faire une déclaration ouverte, accompagnée de son nom et de tous ses titres, dans une lettre qu'il lui avait fait remettre par le cocher qui la conduisait avec ses compagnes ; qu'il lui promettait, au-delà des
195 monts, une brillante fortune et des adorations éternelles ; qu'elle était

....
1. **Harangue** : discours solennel.
2. **Novice** : innocente, naïve.
3. **Grimaces** : politesses excessives.

revenue à Chaillot dans la résolution de me communiquer cette aventure, mais qu'ayant conçu que nous en pouvions tirer de l'amusement, elle n'avait pu résister à son imagination, qu'elle avait offert au Prince italien, par une réponse flatteuse[1], la liberté de la voir chez elle, et qu'elle s'était fait un second plaisir de me faire entrer dans son plan, sans m'en avoir fait naître le moindre soupçon. Je ne lui dis pas un mot des lumières qui m'étaient venues par une autre voie, et l'ivresse de l'amour triomphant me fit tout approuver.

J'ai remarqué, dans toute ma vie, que le Ciel a toujours choisi, pour me frapper de ses plus rudes châtiments, le temps où ma fortune me semblait le mieux établie. Je me croyais si heureux, avec l'amitié de M. de T... et la tendresse de Manon, qu'on n'aurait pu me faire comprendre que j'eusse à craindre quelque nouveau malheur. Cependant, il s'en préparait un si funeste, qu'il m'a réduit à l'état où vous m'avez vu à Pacy, et par degrés à des extrémités si déplorables que vous aurez peine à croire mon récit fidèle.

Un jour que nous avions M. de T... à souper, nous entendîmes le bruit d'un carrosse qui s'arrêtait à la porte de l'hôtellerie. La curiosité nous fit désirer de savoir qui pouvait arriver à cette heure. On nous dit que c'était le jeune G... M..., c'est-à-dire le fils de notre plus cruel ennemi, de ce vieux débauché qui m'avait mis à Saint-Lazare et Manon à l'Hôpital. Son nom me fit monter la rougeur au visage. C'est le Ciel qui me l'amène, dis-je à M. de T..., pour le punir de la lâcheté de son père. Il ne m'échappera pas que nous n'ayons mesuré nos épées. M. de T..., qui le connaissait et qui était même de ses meilleurs amis, s'efforça de me faire prendre d'autres sentiments pour lui. Il m'assura que c'était un jeune homme très aimable, et si peu capable d'avoir eu part à l'action de son père que je ne le verrais pas moi-même un moment sans lui accorder mon estime et sans désirer la sienne. Après avoir ajouté mille choses à son avantage, il me pria de consentir qu'il allât lui proposer de venir prendre place avec nous, et de s'accommoder du reste de notre souper. Il prévint l'objection du péril où c'était exposer Manon que de découvrir sa demeure au

....

1. **Flatteuse** : agréable, encourageante.

fils de notre ennemi, en protestant, sur son honneur et sur sa foi,
230 que, lorsqu'il nous connaîtrait, nous n'aurions point de plus zélé
défenseur. Je ne fis difficulté de rien, après de telles assurances. M. de
T… ne nous l'amena point sans avoir pris un moment pour l'informer qui nous étions. Il entra d'un air qui nous prévint effectivement
en sa faveur. Il m'embrassa. Nous nous assîmes. Il admira Manon,
235 moi, tout ce qui nous appartenait, et il mangea d'un appétit qui fit
honneur à notre souper. Lorsqu'on eut desservi[1], la conversation
devint plus sérieuse. Il baissa les yeux pour nous parler de l'excès où
son père s'était porté contre nous. Il nous fit les excuses les plus
soumises. Je les abrège, nous dit-il, pour ne pas renouveler un souve-
240 nir qui me cause trop de honte. Si elles étaient sincères dès le commencement, elles le devinrent bien plus dans la suite, car il n'eut
pas passé une demi-heure dans cet entretien, que je m'aperçus de
l'impression que les charmes de Manon faisaient sur lui. Ses regards
et ses manières s'attendrirent par degrés. Il ne laissa rien échapper
245 néanmoins dans ses discours, mais, sans être aidé de la jalousie,
j'avais trop d'expérience en amour pour ne pas discerner ce qui venait
de cette source. Il nous tint compagnie pendant une partie de la nuit,
et il ne nous quitta qu'après s'être félicité de notre connaissance, et
nous avoir demandé la permission de venir nous renouveler quelque-
250 fois l'offre de ses services. Il partit le matin avec M. de T…, qui se
mit avec lui dans son carrosse.

Je ne me sentais, comme j'ai dit, aucun penchant à la jalousie.
J'avais plus de crédulité[2] que jamais pour les serments de Manon.
Cette charmante créature était si absolument maîtresse de mon âme
255 que je n'avais pas un seul petit sentiment qui ne fût de l'estime et de
l'amour. Loin de lui faire un crime d'avoir plu au jeune G… M…,
j'étais ravi de l'effet de ses charmes, et je m'applaudissais d'être aimé
d'une fille que tout le monde trouvait aimable. Je ne jugeai pas même
à propos de[3] lui communiquer mes soupçons. Nous fûmes occupés,
....

1. **Desservi** : débarrassé la table.
2. **Crédulité** : confiance.
3. **Je ne jugeai pas même à propos de** : je ne jugeai pas même approprié de,
souhaitable de.

260 pendant quelques jours, du soin de faire ajuster ses habits, et à délibérer si nous pouvions aller à la comédie sans appréhender d'être reconnus. M. de T… revint nous voir avant la fin de la semaine. Nous le
consultâmes là-dessus. Il vit bien qu'il fallait dire oui, pour faire plaisir à Manon. Nous résolûmes d'y aller le même soir avec lui.

265 Cependant cette résolution ne put s'exécuter, car m'ayant tiré aussitôt en particulier : Je suis, me dit-il, dans le dernier embarras depuis
que je ne vous ai vu, et la visite que je vous fais aujourd'hui en est
une suite. G… M… aime votre maîtresse. Il m'en a fait confidence.
Je suis son intime ami, et disposé en tout à le servir ; mais je ne suis
270 pas moins le vôtre. J'ai considéré que ses intentions sont injustes et
je les ai condamnées. J'aurais gardé son secret s'il n'avait dessein
d'employer, pour plaire, que les voies communes, mais il est bien
informé de l'humeur [1] de Manon. Il a su, je ne sais d'où, qu'elle
aime l'abondance et les plaisirs, et comme il jouit déjà d'un bien
275 considérable, il m'a déclaré qu'il veut la tenter d'abord par un très
gros présent et par l'offre de dix mille livres de pension. Toutes choses
égales, j'aurais peut-être eu beaucoup plus de violence à me faire pour
le trahir, mais la justice s'est jointe en votre faveur à l'amitié ; d'autant
plus qu'ayant été la cause imprudente de sa passion, en l'introduisant
280 ici, je suis obligé de prévenir les effets du mal que j'ai causé.

Je remerciai M. de T… d'un service de cette importance, et je lui
avouai, avec un parfait retour de confiance, que le caractère de
Manon était tel que G… M… se le figurait, c'est-à-dire qu'elle ne
pouvait supporter le nom de la pauvreté. Cependant, lui dis-je,
285 lorsqu'il n'est question que du plus ou du moins, je ne la crois pas
capable de m'abandonner pour un autre. Je suis en état de ne la
laisser manquer de rien, et je compte que ma fortune va croître de
jour en jour. Je ne crains qu'une chose, ajoutai-je, c'est que G… M…
ne se serve de la connaissance qu'il a de notre demeure pour nous
290 rendre quelque mauvais office [2]. M. de T… m'assura que je devais
être sans appréhension de ce côté-là ; que G… M… était capable

....

1. **De l'humeur** : du caractère, de la personnalité.

2. **Nous rendre quelque mauvais office** : nous faire un mauvais coup, une action
visant à nous nuire.

d'une folie amoureuse, mais qu'il ne l'était point d'une bassesse ; que
s'il avait la lâcheté d'en commettre une, il serait le premier, lui qui
parlait, à l'en punir et à réparer par là le malheur qu'il avait eu d'y
295 donner occasion. Je vous suis obligé [1] de ce sentiment, repris-je, mais
le mal serait fait et le remède [2] fort incertain. Ainsi le parti le plus
sage est de le prévenir, en quittant Chaillot pour prendre une autre
demeure. Oui, reprit M. de T… Mais vous aurez peine à le faire aussi
promptement qu'il faudrait, car G… M… doit être ici à midi ; il me
300 le dit hier, et c'est ce qui m'a porté à venir si matin [3], pour vous
informer de ses vues. Il peut arriver à tout moment.

Un avis si pressant me fit regarder cette affaire d'un œil plus
sérieux. Comme il me semblait impossible d'éviter la visite de G…
M…, et qu'il me le serait aussi, sans doute, d'empêcher qu'il ne
305 s'ouvrît à Manon, je pris le parti de la prévenir moi-même sur le
dessein de ce nouveau rival. Je m'imaginai que, me sachant instruit
des propositions qu'il lui ferait, et les recevant à mes yeux, elle aurait
assez de force pour les rejeter. Je découvris ma pensée à M. de T…,
qui me répondit que cela était extrêmement délicat. Je l'avoue, lui
310 dis-je, mais toutes les raisons qu'on peut avoir d'être sûr d'une maîtresse, je les ai de compter sur l'affection de la mienne. Il n'y aurait
que la grandeur des offres qui pût l'éblouir, et je vous ai dit qu'elle
ne connaît point l'intérêt. Elle aime ses aises [4], mais elle m'aime
aussi, et, dans la situation où sont mes affaires, je ne saurais croire
315 qu'elle me préfère le fils d'un homme qui l'a mise à l'Hôpital. En un
mot, je persistai dans mon dessein, et m'étant retiré à l'écart avec
Manon, je lui déclarai naturellement tout ce que je venais
d'apprendre.

Elle me remercia de la bonne opinion que j'avais d'elle, et elle me
320 promit de recevoir les offres de G… M… d'une manière qui lui ôterait
l'envie de les renouveler. Non, lui dis-je, il ne faut pas l'irriter par une

....

1. **Je vous suis obligé** : je vous suis reconnaissant.
2. **Le remède** : le moyen de le réparer.
3. **Si matin** : si tôt le matin.
4. **Ses aises** : les éléments qui rendent sa vie confortable et facile.

brusquerie. Il peut nous nuire [1]. Mais tu sais assez, toi, friponne [2],
ajoutai-je en riant, comment te défaire d'un amant désagréable ou
incommode. Elle reprit, après avoir un peu rêvé : Il me vient un des-
325 sein admirable, s'écria-t-elle, et je suis toute glorieuse [3] de l'invention.
G... M... est le fils de notre plus cruel ennemi ; il faut nous venger
du père, non pas sur le fils, mais sur sa bourse. Je veux l'écouter,
accepter ses présents, et me moquer de lui. Le projet est joli, lui dis-
je, mais tu ne songes pas, mon pauvre enfant [4], que c'est le chemin
330 qui nous a conduits droit à l'Hôpital. J'eus beau lui représenter le
péril de cette entreprise, elle me dit qu'il ne s'agissait que de bien
prendre nos mesures, et elle répondit à toutes mes objections.
Donnez-moi un amant qui n'entre point aveuglément dans tous les
caprices d'une maîtresse adorée, et je conviendrai que j'eus tort de
335 céder si facilement. La résolution fut prise de faire une dupe de G...
M..., et par un tour bizarre de mon sort, il arriva que je devins la
sienne.

Nous vîmes paraître son carrosse vers les onze heures. Il nous fit
des compliments fort recherchés [5] sur la liberté qu'il prenait de venir
340 dîner avec nous. Il ne fut pas surpris de trouver M. de T..., qui lui
avait promis la veille de s'y rendre aussi, et qui avait feint quelques
affaires pour se dispenser de [6] venir dans la même voiture. Quoiqu'il
n'y eût pas un seul de nous qui ne portât la trahison dans le cœur,
nous nous mîmes à table avec un air de confiance et d'amitié. G...
345 M... trouva aisément l'occasion de déclarer ses sentiments à Manon.
Je ne dus pas lui paraître gênant, car je m'absentai exprès pendant
quelques minutes. Je m'aperçus à mon retour, qu'on ne l'avait pas
désespéré par un excès de rigueur. Il était de la meilleure humeur du
monde. J'affectai de le paraître aussi. Il riait intérieurement de ma

....

1. **Nuire** : causer du tort.
2. **Friponne** : femme espiègle et maligne (sens mélioratif et ton affectueux).
3. **Je suis toute glorieuse** : je me félicite.
4. **Enfant** : ici, personne innocente et naïve.
5. **Recherchés** : travaillés, réfléchis, choisis.
6. **Se dispenser de** : se soustraire à une action ou à une obligation.

350 simplicité, et moi de la sienne. Pendant tout l'après-midi, nous fûmes l'un pour l'autre une scène [1] fort agréable. Je lui ménageai encore, avant son départ, un moment d'entretien particulier avec Manon, de sorte qu'il eut lieu de s'applaudir de ma complaisance autant que de la bonne chère.

355 Aussitôt qu'il fut monté en carrosse avec M. de T..., Manon accourut à moi, les bras ouverts, et m'embrassa en éclatant de rire. Elle me répéta ses discours et ses propositions, sans y changer un mot. Ils se réduisaient à ceci : il l'adorait. Il voulait partager avec elle quarante mille livres de rente [2] dont il jouissait déjà, sans compter ce qu'il 360 attendait après la mort de son père. Elle allait être maîtresse de son cœur et de sa fortune, et, pour gage [3] de ses bienfaits, il était prêt à lui donner un carrosse, un hôtel meublé, une femme de chambre, trois laquais et un cuisinier. Voilà un fils, dis-je à Manon, bien autrement généreux que son père. Parlons de bonne foi [4], ajoutai-je ; cette 365 offre ne vous tente-t-elle point ? Moi ? répondit-elle, en ajustant à sa pensée deux vers de Racine :

Moi ! vous me soupçonnez de cette perfidie ?
Moi ! je pourrais souffrir un visage odieux,
Qui rappelle toujours l'Hôpital à mes yeux ?

370 Non, repris-je, en continuant la parodie [5] :

J'aurais peine à penser que l'Hôpital, Madame,
Fût un trait dont l'Amour [6] l'eût gravé dans votre âme [7].

....

1. **Une scène** : un divertissement.
2. **Rente** : revenu régulier obtenu sans travailler.
3. **Pour gage** : pour salaire.
4. **De bonne foi** : en toute sincérité.
5. **Parodie** : imitation ironique d'un modèle.
6. **Amour** : Cupidon, dieu de l'amour représenté sous les traits d'un angelot lançant des flèches.
7. Les vers ici parodiés viennent de la pièce de Racine, *Iphigénie* (1674) : « Moi ? vous me soupçonnez de cette perfidie ?/ Moi, j'aimerais, madame, un vainqueur furieux,/ Qui toujours tout sanglant se présente à mes yeux », « Ces morts, cette

Mais c'en est un bien séduisant qu'un hôtel meublé avec un carrosse et trois laquais ; et l'amour en a peu d'aussi forts. Elle me pro-
375 testa que son cœur était à moi pour toujours, et qu'il ne recevrait
jamais d'autres traits [1] que les miens. Les promesses qu'il m'a faites,
me dit-elle, sont un aiguillon [2] de vengeance, plutôt qu'un trait
d'amour. Je lui demandai si elle était dans le dessein d'accepter l'hôtel
et le carrosse. Elle me répondit qu'elle n'en voulait qu'à son argent.
380 La difficulté était d'obtenir l'un sans l'autre. Nous résolûmes
d'attendre l'entière explication du projet de G… M…, dans une lettre
qu'il avait promis de lui écrire. Elle la reçut en effet le lendemain, par
un laquais sans livrée [3], qui se procura fort adroitement l'occasion de
lui parler sans témoins. Elle lui dit d'attendre sa réponse, et elle vint
385 m'apporter aussitôt sa lettre. Nous l'ouvrîmes ensemble. Outre les
lieux communs de tendresse, elle contenait le détail des promesses
de mon rival. Il ne bornait point sa dépense. Il s'engageait à lui compter dix mille francs, en prenant possession de l'hôtel, et à réparer
tellement les diminutions de cette somme, qu'elle l'eût toujours
390 devant elle en argent comptant [4]. Le jour de l'inauguration n'était pas
reculé trop loin : il ne lui en demandait que deux pour les préparatifs,
et il lui marquait le nom de la rue et de l'hôtel, où il lui promettait
de l'attendre l'après-midi du second jour, si elle pouvait se dérober
de mes mains [5]. C'était l'unique point sur lequel il la conjurait de le
395 tirer d'inquiétude ; il paraissait sûr de tout le reste, mais il ajoutait
que, si elle prévoyait de la difficulté à m'échapper, il trouverait le
moyen de rendre sa fuite aisée.

G… M… était plus fin que son père ; il voulait tenir sa proie avant
que de compter ses espèces. Nous délibérâmes sur la conduite que

....

Lesbos, ces cendres, cette flamme/ Sont les traits dont l'amour l'a gravé dans
votre âme » (vers 674-676 et 681-682).

1. Traits : projectiles telle la flèche. Le terme appartint au langage imagé de
l'Amour, représenté comme un archer.

2. Un aiguillon : une pique.

3. Livrée : uniforme.

4. En argent comptant : en liquide.

5. Se dérober de mes mains : échapper à ma surveillance.

400 Manon avait à tenir. Je fis encore des efforts pour lui ôter cette entreprise de la tête et je lui en représentai tous les dangers. Rien ne fut
capable d'ébranler sa résolution.

Elle fit une courte réponse à G… M…, pour l'assurer qu'elle ne
trouverait pas de difficulté à se rendre à Paris le jour marqué, et qu'il
405 pouvait l'attendre avec certitude. Nous réglâmes ensuite que je parti-
rais sur-le-champ pour aller louer un nouveau logement dans quelque
village, de l'autre côté de Paris, et que je transporterais avec moi notre
petit équipage ; que le lendemain après-midi, qui était le temps de
son assignation, elle se rendrait de bonne heure à Paris ; qu'après
410 avoir reçu les présents de G… M…, elle le prierait instamment de la
conduire à la Comédie ; qu'elle prendrait avec elle tout ce qu'elle
pourrait porter de la somme, et qu'elle chargerait du reste mon valet,
qu'elle voulait mener avec elle. C'était toujours le même qui l'avait
délivrée de l'Hôpital, et qui nous était infiniment attaché. Je devais
415 me trouver, avec un fiacre, à l'entrée de la rue Saint-André-des-Arcs [1],
et l'y laisser vers les sept heures, pour m'avancer dans l'obscurité à
la porte de la Comédie. Manon me promettait d'inventer des prétextes pour sortir un instant de sa loge, et de l'employer à descendre
pour me rejoindre. L'exécution du reste était facile. Nous aurions
420 regagné mon fiacre en un moment, et nous serions sortis de Paris
par le faubourg Saint-Antoine [2], qui était le chemin de notre nouvelle
demeure.

Ce dessein, tout extravagant qu'il était, nous parut assez bien
arrangé. Mais il y avait, dans le fond, une folle imprudence à s'imaginer
425 que quand il eût réussi le plus heureusement du monde, nous eussions jamais pu nous mettre à couvert des [3] suites. Cependant, nous
nous exposâmes avec la plus téméraire confiance. Manon partit avec
Marcel : c'est ainsi que se nommait notre valet. Je la vis partir avec

....

1. **Rue Saint-André-des-Arcs** : actuelle rue Saint-André-des-Arts, proche de la place
Saint-Michel, située sur la rive de la Seine, dans le 6ᵉ arrondissement de Paris.
2. **Faubourg Saint-Antoine** : route qui mène vers l'est de Paris (donc à l'opposé
de Chaillot).
3. **Nous mettre à couvert des** : nous protéger des.

douleur. Je lui dis en l'embrassant : Manon, ne me trompez point,
430 me serez-vous fidèle ? Elle se plaignit tendrement de ma défiance, et
elle me renouvela tous ses serments.

Son compte était d'arriver à Paris sur les trois heures. Je partis après
elle. J'allais me morfondre le reste de l'après-midi, dans le café de
Féré, au pont Saint-Michel ; j'y demeurai jusqu'à la nuit. J'en sortis
435 alors pour prendre un fiacre, que je postai, suivant notre projet, à
l'entrée de la rue Saint-André-des-Arcs ; ensuite je gagnai à pied la
porte de la Comédie. Je fus surpris de n'y pas trouver Marcel, qui
devait être à m'attendre. Je pris patience pendant une heure,
confondu dans[1] une foule de laquais, et l'œil ouvert sur tous les
440 passants. Enfin, sept heures étant sonnées, sans que j'eusse rien
aperçu qui eût rapport à nos desseins, je pris un billet de parterre[2]
pour aller voir si je découvrirais Manon et G... M... dans les loges[3].
Ils n'y étaient ni l'un ni l'autre. Je retournai à la porte, où je passai
encore un quart d'heure, transporté d'impatience et d'inquiétude.
445 N'ayant rien vu paraître, je rejoignis mon fiacre, sans pouvoir m'arrêter à la moindre résolution. Le cocher, m'ayant aperçu, vint quelques
pas au-devant de moi pour me dire, d'un air mystérieux, qu'une jolie
demoiselle m'attendait depuis une heure dans le carrosse ; qu'elle
m'avait demandé, à des signes qu'il avait bien reconnus, et qu'ayant
450 appris que je devais revenir, elle avait dit qu'elle ne s'impatienterait
point à m'attendre. Je me figurai aussitôt que c'était Manon. J'approchai ; mais je vis un joli petit visage, qui n'était pas le sien. C'était
une étrangère, qui me demanda d'abord si elle n'avait pas l'honneur
de parler à M. le chevalier des Grieux. Je lui dis que c'était mon nom.
455 J'ai une lettre à vous rendre, reprit-elle, qui vous instruira du sujet qui
m'amène, et par quel rapport[4] j'ai l'avantage de connaître votre nom.

....

1. Confondu dans : mêlé à, caché dans.
2. Parterre : dans la salle de théâtre, espace le plus accessible, réservé au public
populaire qui reste debout pendant la représentation.
3. Loges : petits salons cloisonnés, en surplomb par rapport à la scène, dans
lesquels se trouvait le public aisé et mondain.
4. Rapport : lien, intermédiaire.

Je la priai de me donner le temps de la lire dans un cabaret voisin.
Elle voulut me suivre, et elle me conseilla de demander une chambre
à part. De qui vient cette lettre ? lui dis-je en montant : elle me remit
460 à [1] la lecture.

Je reconnus la main de Manon. Voici à peu près ce qu'elle me
marquait : G... M... l'avait reçue avec une politesse et une magnificence au-delà de toutes ses idées. Il l'avait comblée de présents ; il lui
faisait envisager un sort de reine. Elle m'assurait néanmoins qu'elle
465 ne m'oubliait pas dans cette nouvelle splendeur ; mais que, n'ayant
pu faire consentir G... M... à la mener ce soir à la Comédie, elle
remettait à un autre jour le plaisir de me voir ; et que, pour me consoler un peu de la peine qu'elle prévoyait que cette nouvelle pouvait me
causer, elle avait trouvé le moyen de me procurer [2] une des plus jolies
470 filles de Paris, qui serait la porteuse de son billet. *Signé, votre fidèle
amante, MANON LESCAUT.*

Il y avait quelque chose de si cruel et de si insultant pour moi dans
cette lettre, que demeurant suspendu quelque temps entre la colère
et la douleur, j'entrepris de faire un effort pour oublier éternellement
475 mon ingrate et parjure [3] maîtresse. Je jetai les yeux sur la fille qui était
devant moi : elle était extrêmement jolie, et j'aurais souhaité qu'elle
l'eût été assez pour me rendre parjure et infidèle à mon tour. Mais je
n'y trouvai point ces yeux fins et languissants, ce port [4] divin, ce teint
de la composition de l'Amour, enfin ce fonds inépuisable de charmes
480 que la nature avait prodigués à la perfide Manon. Non, non, lui dis-
je en cessant de la regarder, l'ingrate qui vous envoie savait fort bien
qu'elle vous faisait faire une démarche inutile. Retournez à elle, et
dites-lui de ma part qu'elle jouisse de son crime, et qu'elle en jouisse,
s'il se peut, sans remords. Je l'abandonne sans retour, et je renonce en
485 même temps à toutes les femmes, qui ne sauraient être aussi aimables
qu'elle, et qui sont, sans doute, aussi lâches et d'aussi mauvaise foi [5].
....

1. **Me remit à** : me renvoya à.
2. **Me procurer** : mettre à ma disposition, m'offrir.
3. **Parjure** : traître, infidèle.
4. **Port** : manière de se tenir, grâce, mouvement.
5. **D'aussi mauvaise foi** : aussi dissimulatrices, insincères, malhonnêtes.

Je fus alors sur le point de descendre et de me retirer, sans prétendre davantage à Manon, et la jalousie mortelle qui me déchirait le cœur se déguisant en une morne[1] et sombre tranquillité, je me crus
490 d'autant plus proche de ma guérison que je ne sentais nul de ces mouvements violents dont j'avais été agité dans les mêmes occasions. Hélas ! j'étais la dupe de l'amour autant que je croyais l'être de G… M… et de Manon.

Cette fille qui m'avait apporté la lettre, me voyant prêt à descendre
495 l'escalier, me demanda ce que je voulais donc qu'elle rapportât à M. de G… M… et à la dame qui était avec lui. Je rentrai dans la chambre à cette question, et par un changement incroyable à ceux qui n'ont jamais senti de passions violentes, je me trouvai, tout d'un coup, de la tranquillité où je croyais être, dans un transport terrible
500 de fureur. Va, lui dis je, rapporte au traître G… M… et à sa perfide maîtresse le désespoir où ta maudite lettre m'a jeté, mais apprends-leur qu'ils n'en riront pas longtemps, et que je les poignarderai tous deux de ma propre main. Je me jetai sur une chaise. Mon chapeau tomba d'un côté, et ma canne de l'autre. Deux ruisseaux de larmes
505 amères commencèrent à couler de mes yeux. L'accès de rage que je venais de sentir se changea dans une profonde douleur ; je ne fis plus que pleurer, en poussant des gémissements et des soupirs. Approche, mon enfant, approche, m'écriai-je en parlant à la jeune fille ; approche, puisque c'est toi qu'on envoie pour me consoler. Dis-moi
510 si tu sais des consolations contre la rage et le désespoir, contre l'envie de se donner la mort à soi-même, après avoir tué deux perfides qui ne méritent pas de vivre. Oui, approche, continuai-je, en voyant qu'elle faisait vers moi quelques pas timides et incertains. Viens essuyer mes larmes, viens rendre la paix à mon cœur, viens me dire
515 que tu m'aimes, afin que je m'accoutume à l'être d'une autre que de mon infidèle. Tu es jolie, je pourrai peut-être t'aimer à mon tour. Cette pauvre enfant, qui n'avait pas seize ou dix-sept ans, et qui

....

1. **Morne** : triste.

paraissait avoir plus de pudeur [1] que ses pareilles [2], était extraordinairement surprise d'une si étrange scène. Elle s'approcha néanmoins
520 pour me faire quelques caresses, mais je l'écartai aussitôt, en la
repoussant de mes mains. Que veux-tu de moi ? lui dis-je. Ah ! tu es
une femme, tu es d'un sexe que je déteste et que je ne puis plus
souffrir. La douceur de ton visage me menace encore de quelque trahison. Va-t'en et laisse-moi seul ici. Elle me fit une révérence, sans
525 oser rien dire, et elle se tourna pour sortir. Je lui criai de s'arrêter.
Mais apprends-moi du moins, repris-je, pourquoi, comment, à quel
dessein tu as été envoyée ici. Comment as-tu découvert mon nom et
le lieu où tu pouvais me trouver ?
     Elle me dit qu'elle connaissait de longue main [3] M. de G... M... ;
530 qu'il l'avait envoyé chercher à cinq heures, et qu'ayant suivi le laquais
qui l'avait avertie, elle était allée dans une grande maison, où elle
l'avait trouvé qui jouait au piquet [4] avec une jolie dame, et qu'ils
l'avaient chargée tous deux de me rendre la lettre qu'elle m'avait
apportée, après lui avoir appris qu'elle me trouverait dans un carrosse
535 au bout de la rue Saint-André. Je lui demandai s'ils ne lui avaient rien
dit de plus. Elle me répondit, en rougissant, qu'ils lui avaient fait
espérer que je la prendrais pour me tenir compagnie. On t'a trompée,
lui dis-je ; ma pauvre fille, on t'a trompée. Tu es une femme, il te faut
un homme ; mais il t'en faut un qui soit riche et heureux, et ce n'est
540 pas ici que tu le peux trouver. Retourne, retourne à M. de G... M...
Il a tout ce qu'il faut pour être aimé des belles ; il a des hôtels meublés
et des équipages [5] à donner. Pour moi, qui n'ai que de l'amour et de
la constance à offrir, les femmes méprisent ma misère et font leur
jouet de ma simplicité.
545   J'ajoutai mille choses, ou tristes ou violentes, suivant que les passions qui m'agitaient tour à tour cédaient ou emportaient le dessus.

....

1. **Pudeur** : décence, retenue.
2. **Ses pareilles** : ses semblables, les autres femmes.
3. **De longue main** : depuis longtemps.
4. **Piquet** : jeu de cartes.
5. **Équipages** : beaux habits.

Cependant, à force de me tourmenter, mes transports diminuèrent assez pour faire place à quelques réflexions. Je comparai cette dernière infortune à celles que j'avais déjà essuyées dans le même genre,
550 et je ne trouvai pas qu'il y eût plus à désespérer que dans les premières. Je connaissais Manon ; pourquoi m'affliger tant d'un malheur que j'avais dû prévoir ? Pourquoi ne pas m'employer plutôt à chercher du remède ? Il était encore temps. Je devais du moins n'y pas épargner mes soins, si je ne voulais avoir à me reprocher d'avoir
555 contribué, par ma négligence, à mes propres peines. Je me mis làdessus à considérer tous les moyens qui pouvaient m'ouvrir un chemin à l'espérance.

Entreprendre de l'arracher avec violence des mains de G... M...,
c'était un parti [1] désespéré, qui n'était propre qu'à me perdre, et qui
560 n'avait pas la moindre apparence de succès [2]. Mais il me semblait que si j'eusse pu me procurer le moindre entretien avec elle, j'aurais gagné infailliblement quelque chose sur son cœur. J'en connaissais si bien tous les endroits sensibles ! J'étais si sûr d'être aimé d'elle ! Cette bizarrerie même de m'avoir envoyé une jolie fille pour me consoler,
565 j'aurais parié qu'elle venait de son invention, et que c'était un effet de sa compassion pour mes peines. Je résolus d'employer toute mon industrie pour la voir. Parmi quantité de voies [3] que j'examinai l'une après l'autre, je m'arrêtai à celle-ci. M. de T... avait commencé à me rendre service avec trop d'affection pour me laisser le moindre doute
570 de sa sincérité et de son zèle. Je me proposai d'aller chez lui sur-lechamp, et de l'engager à faire appeler G... M... sous le prétexte d'une affaire importante. Il ne me fallait qu'une demi-heure pour parler à Manon. Mon dessein était de me faire introduire dans sa chambre même, et je crus que cela me serait aisé dans l'absence de G... M...
575 Cette résolution m'ayant rendu plus tranquille, je payai libéralement la jeune fille, qui était encore avec moi, et pour lui ôter l'envie de

....

1. **Un parti** : une option, un choix.
2. **Qui n'avait pas la moindre apparence de succès** : qui n'avait pas la moindre chance de réussir.
3. **Voies** : moyens, recours, possibilités.

retourner chez ceux qui me l'avaient envoyée, je pris son adresse, en lui faisant espérer que j'irais passer la nuit avec elle. Je montai dans mon fiacre, et je me fis conduire à grand train[1] chez M. de T... Je fus
580 assez heureux pour l'y trouver. J'avais eu, là-dessus, de l'inquiétude en chemin. Un mot le mit au fait de mes peines et du service que je venais lui demander. Il fut si étonné d'apprendre que G... M... avait pu séduire Manon, qu'ignorant que j'avais eu part moi-même à mon malheur, il m'offrit généreusement de rassembler tous ses amis, pour
585 employer leurs bras et leurs épées à la délivrance de ma maîtresse. Je lui fis comprendre que cet éclat pouvait être pernicieux à Manon et à moi. Réservons notre sang, lui dis-je, pour l'extrémité. Je médite une voie plus douce et dont je n'espère pas moins de succès. Il s'engagea, sans exception, à faire tout ce que je demanderais de lui ; et lui ayant
590 répété qu'il ne s'agissait que de faire avertir G... M... qu'il avait à lui parler, et de le tenir dehors une heure ou deux, il partit aussitôt avec moi pour me satisfaire.

Nous cherchâmes de quel expédient il pourrait se servir pour l'arrêter si longtemps. Je lui conseillai de lui écrire d'abord un billet simple,
595 daté d'un cabaret, par lequel il le prierait de s'y rendre aussitôt, pour une affaire si importante qu'elle ne pouvait souffrir de délai. J'observerai, ajoutai-je, le moment de sa sortie, et je m'introduirai sans peine dans la maison, n'y étant connu que de Manon et de Marcel, qui est mon valet. Pour vous, qui serez pendant ce temps-là avec G... M...,
600 vous pourrez lui dire que cette affaire importante, pour laquelle vous souhaitez de lui parler, est un besoin d'argent, que vous venez de perdre le vôtre au jeu, et que vous avez joué beaucoup plus sur votre parole, avec le même malheur. Il lui faudra du temps pour vous mener à son coffre-fort, et j'en aurai suffisamment pour exécuter mon
605 dessein.

M. de T... suivit cet arrangement de point en point. Je le laissai dans un cabaret, où il écrivit promptement sa lettre. J'allai me placer à quelques pas de la maison de Manon. Je vis arriver le porteur du message, et G... M... sortir à pied, un moment après, suivi d'un

....

1. **À grand train** : rapidement.

laquais. Lui ayant laissé le temps de s'éloigner de la rue, je m'avançai
à la porte de mon infidèle, et malgré toute ma colère, je frappai avec
le respect qu'on a pour un temple. Heureusement, ce fut Marcel qui
vint m'ouvrir. Je lui fis signe de se taire. Quoique je n'eusse rien à
craindre des autres domestiques, je lui demandai tout bas s'il pouvait
615 me conduire dans la chambre où était Manon, sans que je fusse
aperçu. Il me dit que cela était aisé en montant doucement par le
grand escalier. Allons donc promptement, lui dis-je, et tâche d'empêcher, pendant que j'y serai qu'il n'y monte personne. Je pénétrai sans
obstacle jusqu'à l'appartement.

620   Manon était occupée à lire. Ce fut là que j'eus lieu d'admirer le
caractère de cette étrange fille. Loin d'être effrayée et de paraître
timide en m'apercevant, elle ne donna que ces marques légères de
surprise dont on n'est pas le maître à la vue d'une personne qu'on
croit éloignée. Ah ! c'est vous, mon amour, me dit-elle en venant
625 m'embrasser avec sa tendresse ordinaire. Bon Dieu ! que vous êtes
hardi ! Qui vous aurait attendu aujourd'hui dans ce lieu ? Je me déga-
geai de ses bras, et loin de répondre à ses caresses, je la repoussai
avec dédain, et je fis deux ou trois pas en arrière pour m'éloigner
d'elle. Ce mouvement ne laissa pas de la déconcerter. Elle demeura
630 dans la situation où elle était et elle jeta les yeux sur moi en changeant
de couleur. J'étais, dans le fond, si charmé de la revoir, qu'avec tant
de justes sujets de colère, j'avais à peine la force d'ouvrir la bouche
pour la quereller. Cependant mon cœur saignait du cruel outrage
qu'elle m'avait fait. Je le rappelais vivement à ma mémoire, pour exci-
635 ter mon dépit, et je tâchais de faire briller dans mes yeux un autre
feu que celui de l'amour. Comme je demeurai quelque temps en
silence, et qu'elle remarqua mon agitation, je la vis trembler, apparemment par un effet de sa crainte.

    Je ne pus soutenir ce spectacle. Ah ! Manon, lui dis-je d'un ton
640 tendre, infidèle et parjure Manon ! par où commencerai-je à me
plaindre ? Je vous vois pâle et tremblante, et je suis encore si sensible
à vos moindres peines, que je crains de vous affliger trop par mes
reproches. Mais, Manon, je vous le dis, j'ai le cœur percé de la douleur de votre trahison. Ce sont là des coups qu'on ne porte point à

645 un amant, quand on n'a pas résolu sa mort. Voici la troisième fois, Manon, je les ai bien comptées ; il est impossible que cela s'oublie. C'est à vous de considérer, à l'heure même, quel parti vous voulez prendre, car mon triste cœur n'est plus à l'épreuve d'un si cruel traitement. Je sens qu'il succombe et qu'il est prêt à se fendre de douleur.
650 Je n'en puis plus, ajoutai-je en m'asseyant sur une chaise ; j'ai à peine la force de parler et de me soutenir.

Elle ne me répondit point, mais, lorsque je fus assis, elle se laissa tomber à genoux et elle appuya sa tête sur les miens, en cachant son visage de mes mains. Je sentis en un instant qu'elle les mouillait de
655 ses larmes. Dieux ! de quels mouvements [1] n'étais-je point agité ! Ah ! Manon, Manon, repris-je avec un soupir, il est bien tard de me donner des larmes lorsque vous avez causé ma mort. Vous affectez une tristesse que vous ne sauriez sentir. Le plus grand de vos maux est sans doute ma présence, qui a toujours été importune à vos plai-
660 sirs. Ouvrez les yeux, voyez qui je suis ; on ne verse pas des pleurs si tendres pour un malheureux qu'on a trahi, et qu'on abandonne cruellement. Elle baisait mes mains sans changer de posture. Inconstante [2] Manon, repris-je encore, fille ingrate et sans foi [3], où sont vos promesses et vos serments ? Amante mille fois volage et cruelle,
665 qu'as-tu fait de cet amour que tu me jurais encore aujourd'hui ? Juste Ciel, ajoutai-je, est-ce ainsi qu'une infidèle se rit de vous, après vous avoir attesté si saintement [4] ? C'est donc le parjure [5] qui est récompensé ! Le désespoir et l'abandon sont pour la constance et la fidélité.

Ces paroles furent accompagnées d'une réflexion si amère, que j'en
670 laissai échapper malgré moi quelques larmes. Manon s'en aperçut au changement de ma voix. Elle rompit enfin le silence. Il faut bien que je sois coupable, me dit-elle tristement, puisque j'ai pu vous causer tant de douleur et d'émotion ; mais que le Ciel me punisse si j'ai cru

....

1. **De quels mouvements** : de quelles émotions.
2. **Inconstante** : changeante, infidèle, libertine.
3. **Sans foi** : sans fidélité.
4. **Vous avoir attesté si saintement** : vous avoir assuré avec tant d'aplomb.
5. **Le parjure** : l'infidélité, la trahison.

l'être, ou si j'ai eu la pensée de le devenir ! Ce discours me parut si
675 dépourvu de sens et de bonne foi, que je ne pus me défendre d'un
vif mouvement de colère. Horrible dissimulation ! m'écriai-je. Je vois
mieux que jamais que tu n'es qu'une coquine et une perfide. C'est à
présent que je connais ton misérable caractère. Adieu, lâche créature,
continuai-je en me levant ; j'aime mieux mourir mille fois que d'avoir
680 désormais le moindre commerce avec toi. Que le Ciel me punisse
moi-même si je t'honore jamais du moindre regard ! Demeure avec
ton nouvel amant, aime-le, déteste-moi, renonce à l'honneur, au bon
sens ; je m'en ris, tout m'est égal.

Elle fut si épouvantée de ce transport, que, demeurant à genoux
685 près de la chaise d'où je m'étais levé, elle me regardait en tremblant
et sans oser respirer. Je fis encore quelques pas vers la porte, en tournant la tête, et tenant les yeux fixés sur elle. Mais il aurait fallu que
j'eusse perdu tous sentiments d'humanité pour m'endurcir[1] contre
tant de charmes. J'étais si éloigné d'avoir cette force barbare que,
690 passant tout d'un coup à l'extrémité opposée, je retournai vers elle,
ou plutôt, je m'y précipitai sans réflexion. Je la pris entre mes bras,
je lui donnai mille tendres baisers. Je lui demandai pardon de mon
emportement. Je confessai que j'étais un brutal, et que je ne méritais
pas le bonheur d'être aimé d'une fille comme elle. Je la fis asseoir, et,
695 m'étant mis à genoux à mon tour, je la conjurai de m'écouter en cet
état. Là, tout ce qu'un amant soumis et passionné peut imaginer de
plus respectueux et de plus tendre, je le renfermai[2] en peu de mots
dans mes excuses. Je lui demandai en grâce de prononcer qu'elle me
pardonnait. Elle laissa tomber ses bras sur mon cou, en disant que
700 c'était elle-même qui avait besoin de ma bonté pour me faire oublier
les chagrins qu'elle me causait, et qu'elle commençait à craindre avec
raison que je ne goûtasse point ce qu'elle avait à me dire pour se
justifier. Moi ! interrompis-je aussitôt, ah ! je ne vous demande point
de justification. J'approuve tout ce que vous avez fait. Ce n'est point

....

1. **M'endurcir** : devenir indifférent.
2. **Je le renfermai** : je le ramassai, résumai, synthétisai.

705 à moi d'exiger des raisons de votre conduite ; trop content, trop heureux, si ma chère Manon ne m'ôte point la tendresse de son cœur !
Mais, continuai-je, en réfléchissant sur l'état de mon sort, toute-puis-
sante Manon ! vous qui faites à votre gré mes joies et mes douleurs,
après vous avoir satisfait par mes humiliations et par les marques de
710 mon repentir, ne me sera-t-il point permis de vous parler de ma tristesse et de mes peines ? Apprendrai-je de vous ce qu'il faut que je
devienne aujourd'hui, et si c'est sans retour que vous allez signer ma
mort, en passant la nuit avec mon rival ?

Elle fut quelque temps à méditer sa réponse : Mon Chevalier, me
715 dit-elle, en reprenant un air tranquille, si vous vous étiez d'abord
expliqué si nettement, vous vous seriez épargné bien du trouble et à
moi une scène bien affligeante. Puisque votre peine ne vient que de
votre jalousie, je l'aurais guérie en m'offrant à vous suivre sur-le-
champ au bout du monde. Mais je me suis figuré que c'était la lettre
720 que je vous ai écrite sous les yeux de M. de G… M… et la fille que
nous vous avons envoyée qui causaient votre chagrin. J'ai cru que
vous auriez pu regarder ma lettre comme une raillerie et cette fille, en
vous imaginant qu'elle était allée vous trouver de ma part, comme
une déclaration que je renonçais à vous pour m'attacher à G… M…
725 C'est cette pensée qui m'a jetée tout d'un coup dans la consternation,
car, quelque innocente que je fusse, je trouvais, en y pensant, que les
apparences ne m'étaient pas favorables. Cependant, continua-t-elle,
je veux que vous soyez mon juge, après que je vous aurai expliqué la
vérité du fait.

730 Elle m'apprit alors tout ce qui lui était arrivé depuis qu'elle avait
trouvé G… M…, qui l'attendait dans le lieu où nous étions. Il l'avait
reçue effectivement comme la première princesse du monde. Il lui
avait montré tous les appartements, qui étaient d'un goût et d'une
propreté admirables. Il lui avait compté dix mille livres dans son cabi-
735 net, et il y avait ajouté quelques bijoux, parmi lesquels étaient le collier et les bracelets de perles qu'elle avait déjà eus de son père. Il
l'avait menée de là dans un salon qu'elle n'avait pas encore vu, où
elle avait trouvé une collation exquise. Il l'avait fait servir par les
nouveaux domestiques qu'il avait pris pour elle, en leur ordonnant

740 de la regarder désormais comme leur maîtresse. Enfin, il lui avait fait
voir le carrosse, les chevaux et tout le reste de ses présents ; après
quoi, il lui avait proposé une partie de jeu, pour attendre le souper.
Je vous avoue, continua-t-elle, que j'ai été frappée [1] de cette magnificence. J'ai fait réflexion que ce serait dommage de nous priver tout
745 d'un coup de tant de biens, en me contentant d'emporter les dix mille
francs et les bijoux, que c'était une fortune toute faite pour vous et
pour moi, et que nous pourrions vivre agréablement aux dépens de
G… M… Au lieu de lui proposer la Comédie, je me suis mis dans la
tête de le sonder [2] sur votre sujet, pour pressentir [3] quelles facilités
750 nous aurions à nous voir, en supposant l'exécution de mon système.
Je l'ai trouvé d'un caractère fort traitable [4]. Il m'a demandé ce que je
pensais de vous, et si je n'avais pas eu quelque regret à vous quitter.
Je lui ai dit que vous étiez si aimable et que vous en aviez toujours
usé si honnêtement avec moi, qu'il n'était pas naturel que je pusse
755 vous haïr. Il a confessé que vous aviez du mérite, et qu'il s'était senti
porté à désirer votre amitié. Il a voulu savoir de quelle manière je
croyais que vous prendriez mon départ, surtout lorsque vous vien-
driez à savoir que j'étais entre ses mains. Je lui ai répondu que la date
de notre amour était déjà si ancienne qu'il avait eu le temps de se
760 refroidir [5] un peu, que vous n'étiez pas d'ailleurs fort à votre aise [6],
et que vous ne regarderiez peut-être pas ma perte comme un grand
malheur, parce qu'elle vous déchargerait d'un fardeau qui vous pesait
sur les bras. J'ai ajouté qu'étant tout à fait convaincue que vous agi-
riez pacifiquement, je n'avais pas fait difficulté de vous dire que je
765 venais à Paris pour quelques affaires, que vous y aviez consenti et
qu'y étant venu vous-même, vous n'aviez pas paru extrêmement
inquiet, lorsque je vous avais quitté. Si je croyais, m'a-t-il dit, qu'il

....

1. **Frappée** : éblouie, émerveillée.
2. **Le sonder** : l'interroger.
3. **Pressentir** : déterminer.
4. **Traitable** : facile, ouvert.
5. **Se refroidir** : s'atténuer jusqu'à disparaître.
6. **Vous n'étiez d'ailleurs pas fort à votre aise** : vous manquiez d'argent.

fût d'humeur à bien vivre avec moi, je serais le premier à lui offrir mes services et mes civilités. Je l'ai assuré que, du caractère dont je vous connaissais, je ne doutais point que vous n'y répondissiez honnêtement, surtout, lui ai-je dit, s'il pouvait vous servir dans vos affaires, qui étaient fort dérangées [1] depuis que vous étiez mal avec votre famille. Il m'a interrompue, pour me protester qu'il vous rendrait tous les services qui dépendraient de lui, et que, si vous vouliez même vous embarquer dans un autre amour, il vous procurerait une jolie maîtresse, qu'il avait quittée pour s'attacher à moi. J'ai applaudi à son idée, ajouta-t-elle, pour prévenir plus parfaitement tous ses soupçons, et me confirmant de plus en plus dans mon projet, je ne souhaitais que de pouvoir trouver le moyen de vous en informer, de peur que vous ne fussiez trop alarmé lorsque vous me verriez manquer à notre assignation. C'est dans cette vue [2] que je lui ai proposé de vous envoyer cette nouvelle maîtresse dès le soir même, afin d'avoir une occasion de vous écrire ; j'étais obligée d'avoir recours à cette adresse [3], parce que je ne pouvais espérer qu'il me laissât libre un moment. Il a ri de ma proposition. Il a appelé son laquais, et lui ayant demandé s'il pourrait retrouver sur-le-champ son ancienne maîtresse, il l'a envoyé de côté et d'autre pour la chercher. Il s'imaginait que c'était à Chaillot qu'il fallait qu'elle allât vous trouver, mais je lui ai appris qu'en vous quittant je vous avais promis de vous rejoindre à la Comédie, ou que, si quelque raison m'empêchait d'y aller, vous vous étiez engagé à m'attendre dans un carrosse au bout de la rue Saint-André ; qu'il valait mieux, par conséquent, vous envoyer là votre nouvelle amante, ne fût-ce que pour vous empêcher de vous y morfondre [4] pendant toute la nuit. Je lui ai dit encore qu'il était à propos de vous écrire un mot pour vous avertir de cet échange, que vous auriez peine à comprendre sans cela. Il y a consenti, mais j'ai été obligée d'écrire en sa présence, et je me suis bien gardée de

....

1. **Dérangées** : en désordre, en difficulté (financière).
2. **Dans cette vue** : à cette fin, dans cet objectif.
3. **Adresse** : ici, ruse.
4. **Vous y morfondre** : vous y lamenter, vous y désespérer.

C'est pourquoi la lettre a dit des mauvaises nouvelles

m'expliquer trop ouvertement dans ma lettre. Voilà, ajouta Manon, de quelle manière les choses se sont passées. Je ne vous déguise rien,
800 ni de ma conduite, ni de mes desseins. La jeune fille est venue, je l'ai trouvée jolie, et comme je ne doutais point que mon absence ne vous causât de la peine, c'était sincèrement que je souhaitais qu'elle pût servir à vous désennuyer quelques moments, car la fidélité que je souhaite de vous est celle du cœur. J'aurais été ravie de pouvoir vous
805 envoyer Marcel, mais je n'ai pu me procurer un moment pour l'instruire [1] de ce que j'avais à vous faire savoir. Elle conclut enfin son récit, en m'apprenant l'embarras où G... M... s'était trouvé en recevant le billet de M. de T... Il a balancé, me dit-elle, s'il devait me quitter, et il m'a assuré que son retour ne tarderait point. C'est ce qui
810 fait que je ne vous vois point ici sans inquiétude, et que j'ai marqué de la surprise à votre arrivée.

J'écoutai ce discours avec beaucoup de patience. J'y trouvais assurément quantité de traits cruels et mortifiants pour moi, car le dessein de son infidélité était si clair qu'elle n'avait pas même eu le soin de
815 me le déguiser. Elle ne pouvait espérer que G... M... la laissât, toute la nuit, comme une vestale [2]. C'était donc avec lui qu'elle comptait de la passer. Quel aveu pour un amant ! Cependant, je considérai que j'étais cause en partie de sa faute, par la connaissance que je lui avais donnée d'abord des sentiments que G... M... avait pour elle, et
820 par la complaisance que j'avais eue d'entrer aveuglément dans le plan téméraire de son aventure. D'ailleurs, par un tour naturel de génie qui m'est particulier, je fus touché de l'ingénuité [3] de son récit, et de cette manière bonne et ouverte avec laquelle elle me racontait jusqu'aux circonstances dont j'étais le plus offensé. Elle pèche [4] sans
825 malice, disais-je en moi-même ; elle est légère et imprudente, mais

....

1. L'instruire : l'informer.
2. Vestale : dans la mythologie romaine, prêtresse de Vesta, vouée à la chasteté et chargée d'entretenir le feu sacré. Par extension, femme d'une parfaite chasteté.
3. L'ingénuité : l'innocence, la naïveté.
4. Elle pèche : elle commet des péchés, des fautes proscrites par la loi divine ou morale.

elle est droite et sincère. Ajoutez que l'amour suffisait seul pour me fermer les yeux sur toutes ses fautes. J'étais trop satisfait de l'espérance de l'enlever le soir même à mon rival. Je lui dis néanmoins : Et la nuit, avec qui l'auriez-vous passée ? Cette question, que je lui fis
830 tristement, l'embarrassa. Elle ne me répondit que par des mais et des si interrompus. J'eus pitié de sa peine, et rompant ce discours, je lui déclarai naturellement que j'attendais d'elle qu'elle me suivît à l'heure même. Je le veux bien, me dit-elle ; mais vous n'approuvez donc pas mon projet ? Ah ! n'est-ce pas assez, repartis-je, que j'approuve tout
835 ce que vous avez fait jusqu'à présent ? Quoi ! nous n'emporterons pas même les dix mille francs ? répliqua-t-elle. Il me les a donnés. Ils sont à moi. Je lui conseillai d'abandonner tout, et de ne penser qu'à nous éloigner promptement, car, quoiqu'il y eût à peine une demi-heure que j'étais avec elle, je craignais le retour de G… M… Cepen-
840 dant, elle me fit de si pressantes instances pour me faire consentir à ne pas sortir les mains vides, que je crus lui devoir accorder quelque chose après avoir tant obtenu d'elle.

Dans le temps que nous nous préparions au départ, j'entendis frapper à la porte de la rue. Je ne doutai nullement que ce ne fût G…
845 M…, et dans le trouble où cette pensée me jeta, je dis à Manon que c'était un homme mort s'il paraissait. Effectivement, je n'étais pas assez revenu de mes transports pour me modérer à sa vue. Marcel finit ma peine en m'apportant un billet qu'il avait reçu pour moi à la porte. Il était de M. de T… Il me marquait que, G… M… étant allé
850 lui chercher de l'argent à sa maison, il profitait de son absence pour me communiquer une pensée fort plaisante : qu'il lui semblait que je ne pouvais me venger plus agréablement de mon rival qu'en mangeant son souper et en couchant, cette nuit même, dans le lit qu'il espérait d'occuper avec ma maîtresse ; que cela lui paraissait assez
855 facile, si je pouvais m'assurer de trois ou quatre hommes qui eussent assez de résolution pour l'arrêter dans la rue, et de fidélité pour le garder à vue jusqu'au lendemain ; que, pour lui, il promettait de l'amuser encore une heure pour le moins, par des raisons qu'il tenait prêtes pour son retour. Je montrai ce billet à Manon, et je lui appris
860 de quelle ruse je m'étais servi pour m'introduire librement chez elle.

Mon invention et celle de M. de T... lui parurent admirables. Nous en rîmes à notre aise pendant quelques moments. Mais, lorsque je lui parlai de la dernière comme d'un badinage, je fus surpris qu'elle insistât sérieusement à me la proposer comme une chose dont l'idée la ravissait. En vain lui demandai-je où elle voulait que je trouvasse, tout d'un coup, des gens propres à arrêter G... M... et à le garder fidèlement. Elle me dit qu'il fallait du moins tenter, puisque M. de T... nous garantissait encore une heure, et pour réponse à mes autres objections, elle me dit que je faisais le tyran et que je n'avais pas de complaisance pour elle. Elle ne trouvait rien de si joli que ce projet. Vous aurez son couvert à souper, me répétait-elle, vous coucherez dans ses draps, et, demain, de grand matin, vous enlèverez sa maîtresse et son argent. Vous serez bien vengé du père et du fils.

Je cédai à ses instances, malgré les mouvements secrets de mon cœur qui semblaient me présager une catastrophe malheureuse. Je sortis, dans le dessein de prier deux ou trois gardes du corps, avec lesquels Lescaut m'avait mis en liaison, de se charger du soin d'arrêter G... M... Je n'en trouvai qu'un au logis, mais c'était un homme entreprenant, qui n'eut pas plus tôt su de quoi il était question qu'il m'assura du succès. Il me demanda seulement dix pistoles, pour récompenser trois soldats aux gardes, qu'il prit la résolution d'employer, en se mettant à leur tête. Je le priai de ne pas perdre de temps. Il les assembla en moins d'un quart d'heure. Je l'attendais à sa maison, et lorsqu'il fut de retour avec ses associés, je le conduisis moi-même au coin d'une rue par laquelle G... M... devait nécessairement rentrer dans celle de Manon. Je lui recommandai de ne le pas maltraiter, mais de le garder si étroitement jusqu'à sept heures du matin, que je pusse être assuré qu'il ne lui échapperait pas. Il me dit que son dessein était de le conduire à sa chambre et de l'obliger à se déshabiller, ou même à se coucher dans son lit, tandis que lui et ses trois braves passeraient la nuit à boire et à jouer. Je demeurai avec eux jusqu'au moment où je vis paraître G... M..., et je me retirai alors quelques pas au-dessous, dans un endroit obscur, pour être témoin d'une scène si extraordinaire. Le garde du corps l'aborda, le pistolet au poing, et lui expliqua civilement qu'il n'en voulait ni à sa vie ni à son argent, mais que, s'il faisait la moindre difficulté de le suivre, ou s'il jetait le moindre cri, il allait lui brûler la cervelle. G… M…, le voyant soutenu par trois soldats, et craignant sans doute la bourre [1] du pistolet, ne fit pas de résistance. Je le vis emmener comme un mouton.

Je retournai aussitôt chez Manon, et pour ôter tout soupçon aux domestiques, je lui dis, en entrant, qu'il ne fallait pas attendre M. de G… M… pour souper, qu'il lui était survenu des affaires qui le retenaient malgré lui, et qu'il m'avait prié de venir lui en faire ses excuses et souper avec elle, ce que je regardais comme une grande faveur auprès d'une si belle dame. Elle seconda fort adroitement mon dessein. Nous nous mîmes à table. Nous y prîmes un air grave, pendant que les laquais demeurèrent à nous servir. Enfin, les ayant congédiés [2], nous passâmes une des plus charmantes soirées de notre vie. J'ordonnai en secret à Marcel de chercher un fiacre et de l'avertir de se trouver le lendemain à la porte avant six heures du matin. Je feignis de quitter Manon vers minuit ; mais étant rentré doucement, par le secours de Marcel, je me préparai à occuper le lit de G… M…, comme j'avais rempli sa place à table. Pendant ce temps-là, notre mauvais génie travaillait à nous perdre. Nous étions dans le délire du plaisir, et le glaive était suspendu sur nos têtes. Le fil qui le soutenait allait se rompre. Mais, pour faire mieux entendre toutes les circonstances de notre ruine, il faut en éclaircir la cause.

G… M… était suivi d'un laquais, lorsqu'il avait été arrêté par le garde du corps. Ce garçon, effrayé de l'aventure de son maître, retourna en fuyant sur ses pas, et la première démarche qu'il fit, pour le secourir, fut d'aller avertir le vieux G… M… de ce qui venait d'arriver. Une si fâcheuse nouvelle ne pouvait manquer de l'alarmer beaucoup : il n'avait que ce fils, et sa vivacité était extrême pour son âge. Il voulut savoir d'abord du laquais tout ce que son fils avait fait l'après-midi, s'il s'était querellé avec quelqu'un, s'il avait pris part au

....

1. **La bourre** : matière bourrée dans les armes à feu au-dessus de la charge pour la retenir et la presser.
2. **Congédiés** : écartés, fait sortir.

démêlé d'un autre, s'il s'était trouvé dans quelque maison suspecte. Celui-ci, qui croyait son maître dans le dernier danger et qui s'imaginait ne devoir plus rien ménager pour lui procurer du secours, découvrit tout ce qu'il savait de son amour pour Manon et la dépense qu'il avait faite pour elle, la manière dont il avait passé l'après-midi dans sa maison jusqu'aux environs de neuf heures, sa sortie et le malheur de son retour. C'en fut assez pour faire soupçonner au vieillard que l'affaire de son fils était une querelle d'amour. Quoiqu'il fût au moins dix heures et demie du soir, il ne balança point à se rendre aussitôt chez M. le Lieutenant de Police. Il le pria de faire donner des ordres particuliers à toutes les escouades du guet [1], et lui en ayant demandé une pour se faire accompagner, il courut lui-même vers la rue où son fils avait été arrêté. Il visita tous les endroits de la ville où il espérait de le pouvoir trouver, et n'ayant pu découvrir ses traces, il se fit conduire enfin à la maison de sa maîtresse, où il se figura qu'il pouvait être retourné.

J'allais me mettre au lit, lorsqu'il arriva. La porte de la chambre étant fermée, je n'entendis point frapper à celle de la rue ; mais il entra suivi de deux archers, et s'étant informé inutilement de ce qu'était devenu son fils, il lui prit envie de voir sa maîtresse, pour tirer d'elle quelque lumière. Il monte à l'appartement, toujours accompagné de ses archers. Nous étions prêts à nous mettre au lit. Il ouvre la porte, et il nous glace le sang par sa vue. Ô Dieu ! c'est le vieux G… M…, dis-je à Manon. Je saute sur mon épée ; elle était malheureusement embarrassée dans mon ceinturon. Les archers, qui virent mon mouvement, s'approchèrent aussitôt pour me la saisir. Un homme en chemise est sans résistance. Ils m'ôtèrent tous les moyens de me défendre.

G… M…, quoique troublé par ce spectacle, ne tarda point à me reconnaître. Il remit [2] encore plus aisément Manon. Est-ce une illusion ? nous dit-il gravement ; ne vois-je point le chevalier des Grieux et Manon Lescaut ? J'étais si enragé de honte et de douleur, que je

....

1. **Les escouades du guet** : voir note 1, p. 133.
2. **Il remit** : il reconnut.

ne lui fis pas de réponse. Il parut rouler [1], pendant quelque temps,
960 diverses pensées dans sa tête, et comme si elles eussent allumé tout
d'un coup sa colère, il s'écria en s'adressant à moi : Ah ! malheureux,
je suis sûr que tu as tué mon fils ! Cette injure me piqua vivement.
Vieux scélérat [2], lui répondis-je avec fierté, si j'avais eu à tuer
quelqu'un de ta famille, c'est par toi que j'aurais commencé. Tenez-
965 le bien, dit-il aux archers. Il faut qu'il me dise des nouvelles de mon
fils ; je le ferai pendre demain, s'il ne m'apprend tout à l'heure [3] ce
qu'il en a fait. Tu me feras pendre ? repris-je. Infâme ! ce sont tes
pareils qu'il faut chercher au gibet [4]. Apprends que je suis d'un sang
plus noble et plus pur que le tien. Oui, ajoutai-je, je sais ce qui est
970 arrivé à ton fils, et si tu m'irrites davantage, je le ferai étrangler avant
qu'il soit demain, et je te promets le même sort après lui.

Je commis une imprudence en lui confessant que je savais où était
son fils ; mais l'excès de ma colère me fit faire cette indiscrétion. Il
appela aussitôt cinq ou six autres archers, qui l'attendaient à la porte,
975 et il leur ordonna de s'assurer de [5] tous les domestiques de la maison.
Ah ! monsieur le Chevalier, reprit-il d'un ton railleur, vous savez où est
mon fils et vous le ferez étrangler, dites-vous ? Comptez que nous y
mettrons bon ordre. Je sentis aussitôt la faute que j'avais commise. Il
s'approcha de Manon, qui était assise sur le lit en pleurant ; il lui dit
980 quelques galanteries ironiques sur l'empire [6] qu'elle avait sur le père et
sur le fils, et sur le bon usage qu'elle en faisait. Ce vieux monstre
d'incontinence voulut prendre quelques familiarités avec elle. Garde-
toi de [7] la toucher ! m'écriai-je, il n'y aurait rien de sacré qui te pût
sauver de mes mains. Il sortit en laissant trois archers dans la chambre,
985 auxquels il ordonna de nous faire prendre promptement nos habits.

....

1. **Rouler** : penser confusément.
2. **Scélérat** : vaurien, bandit.
3. **Tout à l'heure** : immédiatement.
4. **Gibet** : lieu où l'on pendait les condamnés à mort les roturiers.
5. **S'assurer de** : arrêter.
6. **L'empire** : l'influence, l'emprise.
7. **Garde-toi de** : retiens-toi de, ne t'avise pas de.

Je ne sais quels étaient alors ses desseins sur nous. Peut-être eussions-nous obtenu la liberté en lui apprenant où était son fils. Je méditais, en m'habillant, si ce n'était pas le meilleur parti. Mais, s'il était dans cette disposition [1] en quittant notre chambre, elle était bien
990 changée lorsqu'il y revint. Il était allé interroger les domestiques de Manon, que les archers avaient arrêtés. Il ne put rien apprendre de ceux qu'elle avait reçus de son fils, mais, lorsqu'il sut que Marcel nous avait servis auparavant, il résolut de le faire parler en l'intimidant par des menaces.

995 C'était un garçon fidèle, mais simple et grossier [2]. Le souvenir de ce qu'il avait fait à l'Hôpital, pour délivrer Manon, joint à la terreur que G... M... lui inspirait, fit tant d'impression sur son esprit faible qu'il s'imagina qu'on allait le conduire à la potence [3] ou sur la roue [4].
Il promit de découvrir tout ce qui était venu à sa connaissance, si
1000 l'on voulait lui sauver la vie. G... M... se persuada là-dessus qu'il y avait quelque chose, dans nos affaires, de plus sérieux et de plus criminel qu'il n'avait eu lieu jusque-là de se le figurer. Il offrit à Marcel, non seulement la vie, mais des récompenses pour sa confession [5]. Ce malheureux lui apprit une partie de notre dessein, sur
1005 lequel nous n'avions pas fait difficulté de nous entretenir devant lui, parce qu'il devait y entrer pour quelque chose. Il est vrai qu'il ignorait entièrement les changements que nous y avions faits à Paris ; mais il avait été informé, en partant de Chaillot, du plan de l'entreprise et du rôle qu'il y devait jouer. Il lui déclara donc que notre vue était de
1010 duper son fils, et que Manon devait recevoir, ou avait déjà reçu, dix mille francs, qui, selon notre projet, ne retourneraient jamais aux héritiers de la maison de G... M...

ils ont dupé GM

....

1. **S'il était dans cette disposition** : s'il avait cette intention.
2. **Grossier** : sans éducation.
3. **Potence** : instrument de supplice utilisé pour pendre un condamné.
4. **Roue** : supplice introduit en France au XVIe siècle et consistant à rompre les membres du condamné avant de l'attacher à une roue.
5. **Confession** : fait de se confier, de passer aux aveux.

Après cette découverte, le vieillard emporté[1] remonta brusquement dans notre chambre. Il passa, sans parler, dans le cabinet, où il n'eut pas de peine à trouver la somme et les bijoux. Il revint à nous avec un visage enflammé, et, nous montrant ce qu'il lui plut de nommer notre larcin[2], il nous accabla de reproches outrageants[3]. Il fit voir de près, à Manon, le collier de perles et les bracelets. Les reconnaissez-vous ? lui dit-il avec un sourire moqueur. Ce n'était pas la première fois que vous les eussiez vus. Les mêmes, sur ma foi. Ils étaient de votre goût, ma belle, je me le persuade aisément. Les pauvres enfants ! ajouta-t-il. Ils sont bien aimables, en effet, l'un et l'autre ; mais ils sont un peu fripons. Mon cœur crevait de rage à ce discours insultant. J'aurais donné, pour être libre un moment... Juste Ciel ! que n'aurais-je pas donné ! Enfin, je me fis violence pour lui dire, avec une modération qui n'était qu'un raffinement[4] de fureur : Finissons, monsieur, ces insolentes railleries. De quoi est-il question ? Voyons, que prétendez-vous faire de nous ? Il est question, monsieur le Chevalier, me répondit-il, d'aller de ce pas au Châtelet[5]. Il fera jour demain ; nous verrons plus clair dans nos affaires, et j'espère que vous me ferez la grâce, à la fin, de m'apprendre où est mon fils.

Je compris, sans beaucoup de réflexions, que c'était une chose d'une terrible conséquence pour nous d'être une fois renfermés[6] au Châtelet. J'en prévis, en tremblant, tous les dangers. Malgré toute ma fierté, je reconnus qu'il fallait plier sous le poids de ma fortune et flatter mon plus cruel ennemi, pour en obtenir quelque chose par la soumission. Je le priai, d'un ton honnête, de m'écouter un moment. Je me rends justice, monsieur, lui dis-je. Je confesse que la jeunesse m'a fait commettre de grandes fautes, et que vous en êtes assez blessé

....

1. **Emporté** : pris de colère.

2. **Larcin** : vol.

3. **Outrageants** : humiliants, insultants.

4. **Un raffinement** : un surcroît.

5. **Châtelet** : le Grand Châtelet était une forteresse abritant l'une des principales prisons de Paris. Il protégeait l'accès au Grand-Pont sur la Seine.

6. **Une fois renfermés** : une fois de plus détenus.

1040 pour vous plaindre. Mais, si vous connaissez la force de l'amour, si vous pouvez juger de ce que souffre un malheureux jeune homme à qui l'on enlève tout ce qu'il aime, vous me trouverez peut-être pardonnable d'avoir cherché le plaisir d'une petite vengeance, ou du moins, vous me croirez assez puni par l'affront [1] que je viens de rece-

1045 voir. Il n'est besoin ni de prison ni de supplice pour me forcer de vous découvrir où est Monsieur votre fils. Il est en sûreté. Mon dessein n'a pas été de lui nuire ni de vous offenser. Je suis prêt à vous nommer le lieu où il passe tranquillement la nuit, si vous me faites la grâce de nous accorder la liberté. Ce vieux tigre, loin d'être touché de ma

1050 prière, me tourna le dos en riant. Il lâcha seulement quelques mots, pour me faire comprendre qu'il savait notre dessein jusqu'à l'origine. Pour ce qui regardait son fils, il ajouta brutalement qu'il se retrouverait assez, puisque je ne l'avais pas assassiné. Conduisez-les au Petit-Châtelet [2], dit-il aux archers, et prenez garde que le Chevalier ne vous

1055 échappe. C'est un rusé, qui s'est déjà sauvé de Saint-Lazare.

Il sortit, et me laissa dans l'état que vous pouvez vous imaginer. Ô Ciel ! m'écriai-je, je recevrai avec soumission tous les coups qui viennent de ta main, mais qu'un malheureux coquin ait le pouvoir de me traiter avec cette tyrannie, c'est ce qui me réduit au dernier

1060 désespoir. Les archers nous prièrent de ne pas les faire attendre plus longtemps. Ils avaient un carrosse à la porte. Je tendis la main à Manon pour descendre. Venez, ma chère reine, lui dis-je, venez vous soumettre à toute la rigueur de notre sort. Il plaira peut-être au Ciel de nous rendre quelque jour plus heureux.

1065 Nous partîmes dans le même carrosse. Elle se mit dans mes bras. Je ne lui avais pas entendu prononcer un mot depuis le premier moment de l'arrivée de G… M… ; mais, se trouvant seule alors avec moi, elle me dit mille tendresses en se reprochant d'être la cause de mon malheur. Je l'assurai que je ne me plaindrais jamais de mon sort,

1070 tant qu'elle ne cesserait pas de m'aimer. Ce n'est pas moi qui suis à

....

1. L'affront : l'humiliation, l'offense.
2. Petit-Châtelet : prison et porte fortifiée protégeant l'accès au Petit-Pont sur la Seine.

plaindre, continuai-je. Quelques mois de prison ne m'effraient nullement, et je préférerai toujours le Châtelet à Saint-Lazare. Mais c'est
pour toi, ma chère âme, que mon cœur s'intéresse. Quel sort pour
une créature si charmante ! Ciel, comment traitez-vous avec tant de
1075 rigueur le plus parfait de vos ouvrages [1] ? Pourquoi ne sommes-nous
pas nés, l'un et l'autre, avec des qualités conformes à notre misère ?
Nous avons reçu de l'esprit, du goût, des sentiments. Hélas ! quel
triste usage en faisons-nous, tandis que tant d'âmes basses et dignes
de notre sort jouissent de toutes les faveurs de la fortune ! Ces
1080 réflexions me pénétraient de douleur ; mais ce n'était rien en comparaison de celles qui regardaient l'avenir, car je séchais [2] de crainte
pour Manon. Elle avait déjà été à l'Hôpital, et, quand elle en fût
sortie par la bonne porte, je savais que les rechutes en ce genre étaient
d'une conséquence extrêmement dangereuse. J'aurais voulu lui expri-
1085 mer mes frayeurs ; j'appréhendais de lui en causer trop. Je tremblais
pour elle, sans oser l'avertir du danger, et je l'embrassais en soupirant, pour l'assurer, du moins, de mon amour, qui était presque le
seul sentiment que j'osasse exprimer. Manon, lui dis-je, parlez sincèrement ; m'aimerez-vous toujours ? Elle me répondit qu'elle était bien
1090 malheureuse que j'en pusse douter. Hé bien, repris-je, je n'en doute
point, et je veux braver tous nos ennemis avec cette assurance.
J'emploierai ma famille pour sortir du Châtelet ; et tout mon sang ne
sera utile à rien si je ne vous en tire pas aussitôt que je serai libre.
Nous arrivâmes à la prison. On nous mit chacun dans un lieu
1095 séparé. Ce coup me fut moins rude, parce que je l'avais prévu. Je
recommandai Manon au concierge [3], en lui apprenant que j'étais un
homme de quelque distinction [4], et lui promettant une récompense
considérable. J'embrassai ma chère maîtresse, avant que de la quitter.
Je la conjurai de ne pas s'affliger excessivement et de ne rien craindre

....

1. **Ouvrages** : créations. Ici, Manon.
2. **Je séchais** : je me languissais, je dépérissais.
3. **Je recommandai Manon au concierge** : j'invitai le concierge à faire preuve de
bienveillance envers Manon.
4. **Un homme de quelque distinction** : un homme bien né, un noble.

1100 tant que je serais au monde. Je n'étais pas sans argent ; je lui en
donnai une partie et je payai au concierge, sur ce qui me restait, un
mois de grosse pension d'avance pour elle et pour moi.

Mon argent eut un fort bon effet. On me mit dans une chambre
proprement meublée, et l'on m'assura que Manon en avait une
1105 pareille. Je m'occupai aussitôt des moyens de hâter ma liberté. Il était
clair qu'il n'y avait rien d'absolument criminel dans mon affaire, et
supposant même que le dessein de notre vol fût prouvé par la déposition [1] de Marcel, je savais fort bien qu'on ne punit point les simples
volontés. Je résolus d'écrire promptement à mon père, pour le prier
1110 de venir en personne à Paris. J'avais bien moins de honte, comme je
l'ai dit, d'être au Châtelet qu'à Saint-Lazare ; d'ailleurs, quoique je
conservasse tout le respect dû à l'autorité paternelle, l'âge et l'expérience avaient diminué beaucoup ma timidité. J'écrivis donc, et l'on
ne fit pas difficulté, au Châtelet, de laisser sortir ma lettre ; mais
1115 c'était une peine que j'aurais pu m'épargner, si j'avais su que mon
père devait arriver le lendemain à Paris.

Il avait reçu celle que je lui avais écrite huit jours auparavant. Il en
avait ressenti une joie extrême ; mais, de quelque espérance que je
l'eusse flatté au sujet de ma conversion, il n'avait pas cru devoir
1120 s'arrêter tout à fait à mes promesses. Il avait pris le parti de venir
s'assurer de mon changement par ses yeux, et de régler sa conduite
sur la sincérité de mon repentir. Il arriva le lendemain de mon emprisonnement. Sa première visite fut celle qu'il rendit à Tiberge, à qui je
l'avais prié d'adresser sa réponse. Il ne put savoir de lui ni ma
1125 demeure ni ma condition présente ; il en apprit seulement mes principales aventures, depuis que je m'étais échappé de Saint-Sulpice.
Tiberge lui parla fort avantageusement des dispositions que je lui
avais marquées pour le bien, dans notre dernière entrevue. Il ajouta
qu'il me croyait entièrement dégagé [2] de Manon, mais qu'il était sur-
1130 pris, néanmoins, que je ne lui eusse pas donné de mes nouvelles

....

1. **Déposition** : déclaration que fait un témoin ou un plaignant devant une autorité policière ou judiciaire.
2. **Dégagé** : dépassionné, libre de sentiments.

depuis huit jours. Mon père n'était pas dupe ; il comprit qu'il y avait quelque chose qui échappait à la pénétration de Tiberge, dans le silence dont il se plaignait, et il employa tant de soins pour découvrir mes traces que, deux jours après son arrivée, il apprit que j'étais au Châtelet.

Avant que de recevoir sa visite, à laquelle j'étais fort éloigné de m'attendre si tôt, je reçus celle de M. le Lieutenant général de Police, ou pour expliquer les choses par leur nom, je subis l'interrogatoire. Il me fit quelques reproches, mais ils n'étaient ni durs ni désobligeants[1]. Il me dit, avec douceur, qu'il plaignait ma mauvaise conduite ; que j'avais manqué de sagesse en me faisant un ennemi tel que M. de G… M… ; qu'à la vérité il était aisé de remarquer qu'il y avait, dans mon affaire, plus d'imprudence et de légèreté que de malice ; mais que c'était néanmoins la seconde fois que je me trouvais sujet à son tribunal, et qu'il avait espéré que je fusse devenu plus sage, après avoir pris deux ou trois mois de leçons à Saint-Lazare. Charmé d'avoir affaire à un juge raisonnable, je m'expliquai avec lui d'une manière si respectueuse et si modérée, qu'il parut extrêmement satisfait de mes réponses. Il me dit que je ne devais pas me livrer trop au chagrin, et qu'il se sentait disposé à me rendre service, en faveur de ma naissance et de ma jeunesse. Je me hasardai à lui recommander Manon, et à lui faire l'éloge de sa douceur et de son bon naturel[2]. Il me répondit, en riant, qu'il ne l'avait point encore vue, mais qu'on la représentait comme une dangereuse personne. Ce mot excita tellement ma tendresse que je lui dis mille choses passionnées pour la défense de ma pauvre maîtresse, et je ne pus m'empêcher de répandre quelques larmes. Il ordonna qu'on me reconduisît à ma chambre. Amour, amour ! s'écria ce grave magistrat en me voyant sortir, ne te réconcilieras-tu jamais avec la sagesse ?

J'étais à[3] m'entretenir tristement de mes idées, et à réfléchir sur la conversation que j'avais eue avec M. le Lieutenant général de Police,

....

1. **Désobligeants** : désagréables, peu aimables.
2. **Son bon naturel** : sa personnalité bonne, simple, facile et agréable.
3. **J'étais à** : j'étais en train de.

lorsque j'entendis ouvrir la porte de ma chambre : c'était mon père. Quoique je dusse être à demi préparé à cette vue, puisque je m'y attendais quelques jours plus tard, je ne laissai pas d'en être frappé si vivement que je me serais précipité au fond de la terre, si elle s'était entr'ouverte à mes pieds. J'allai l'embrasser, avec toutes les marques d'une extrême confusion. Il s'assit sans que ni lui ni moi eussions encore ouvert la bouche.

Comme je demeurais debout, les yeux baissés et la tête découverte : Asseyez-vous, monsieur, me dit-il gravement, asseyez-vous. Grâce au scandale de votre libertinage et de vos friponneries, j'ai découvert le lieu de votre demeure. C'est l'avantage d'un mérite tel que le vôtre de ne pouvoir demeurer caché. Vous allez à la renommée[1] par un chemin infaillible[2]. J'espère que le terme en sera bientôt la Grève[3], et que vous aurez, effectivement, la gloire d'y être exposé à l'admiration de tout le monde.

Je ne répondis rien. Il continua : Qu'un père est malheureux, lorsque, après avoir aimé tendrement un fils et n'avoir rien épargné pour en faire un honnête homme, il n'y trouve, à la fin, qu'un fripon qui le déshonore ! On se console d'un malheur de fortune : le temps l'efface, et le chagrin diminue ; mais quel remède contre un mal qui augmente tous les jours, tel que les désordres d'un fils vicieux qui a perdu tous sentiments d'honneur ? Tu ne dis rien, malheureux, ajouta-t-il ; voyez cette modestie contrefaite[4] et cet air de douceur hypocrite ; ne le prendrait-on pas pour le plus honnête homme de sa race[5] ?

Quoique je fusse obligé de reconnaître que je méritais une partie de ces outrages, il me parut néanmoins que c'était les porter à l'excès. Je crus qu'il m'était permis d'expliquer naturellement ma pensée. Je vous assure, monsieur, lui dis-je, que la modestie où vous me voyez devant

1. **Renommée** : célébrité.
2. **Infaillible** : certain.
3. **La Grève** : allusion à la place de Grève (actuelle place de l'Hôtel-de-Ville) où avaient lieu les exécutions publiques.
4. **Contrefaite** : simulée.
5. **Race** : lignée.

vous n'est nullement affectée [1] ; c'est la situation naturelle d'un fils bien
né, qui respecte infiniment son père, et surtout un père irrité. Je ne
prétends pas non plus passer pour l'homme le plus réglé de notre race.
Je me connais digne de vos reproches, mais je vous conjure d'y mettre
un peu plus de bonté et de ne pas me traiter comme le plus infâme de
1195 tous les hommes. Je ne mérite pas des noms si durs. C'est l'amour,
vous le savez, qui a causé toutes mes fautes. Fatale passion ! Hélas !
n'en connaissez-vous pas la force, et se peut-il que votre sang, qui est
la source du mien, n'ait jamais ressenti les mêmes ardeurs ? L'amour
m'a rendu trop tendre, trop passionné, trop fidèle et, peut-être, trop
1200 complaisant pour les désirs d'une maîtresse toute charmante ; voilà
mes crimes. En voyez-vous là quelqu'un qui vous déshonore ? Allons,
mon cher père, ajoutai-je tendrement, un peu de pitié pour un fils qui
a toujours été plein de respect et d'affection pour vous, qui n'a pas
renoncé, comme vous pensez, à l'honneur et au devoir, et qui est mille
1205 fois plus à plaindre que vous ne sauriez vous l'imaginer. Je laissai
tomber quelques larmes en finissant ces paroles.

   Un cœur de père est le chef-d'œuvre de la nature ; elle y règne,
pour ainsi parler, avec complaisance, et elle en règle elle-même tous
les ressorts. Le mien, qui était avec cela homme d'esprit et de goût,
1210 fut si touché du tour que j'avais donné à mes excuses qu'il ne fut pas
le maître de me cacher ce changement. Viens, mon pauvre Chevalier,
me dit-il, viens m'embrasser ; tu me fais pitié. Je l'embrassai ; il me
serra d'une manière qui me fit juger de ce qui se passait dans son
cœur. Mais quel moyen prendrons-nous donc, reprit-il, pour te tirer
1215 d'ici ? Explique-moi toutes tes affaires sans déguisement. Comme il
n'y avait rien, après tout, dans le gros [2] de ma conduite, qui pût me
déshonorer absolument, du moins en la mesurant sur [3] celle des
jeunes gens d'un certain monde, et qu'une maîtresse ne passe point
pour une infamie dans le siècle où nous sommes, non plus qu'un peu
1220 d'adresse à s'attirer la fortune du jeu, je fis sincèrement à mon père

....
1. **Affectée** : feinte.
2. **Le gros** : la globalité.
3. **En la mesurant sur** : en la comparant à.

le détail [1] de la vie que j'avais menée. À chaque faute dont je lui faisais l'aveu, j'avais soin de joindre des exemples célèbres, pour en diminuer la honte. Je vis avec une maîtresse, lui disais-je, sans être lié par les cérémonies du mariage : M. le duc de… en entretient deux,
1225 aux yeux de tout Paris ; M. de… en a une depuis dix ans, qu'il aime avec une fidélité qu'il n'a jamais eue pour sa femme ; les deux tiers des honnêtes gens de France se font honneur d'en avoir. J'ai usé de quelque supercherie [2] au jeu : M. le marquis de… et le comte de… n'ont point d'autres revenus ; M. le prince de… et M. le duc de…
1230 sont les chefs d'une bande de chevaliers du même Ordre. Pour ce qui regardait [3] mes desseins sur la bourse des deux G… M…, j'aurais pu prouver aussi facilement que je n'étais pas sans modèles ; mais il me restait trop d'honneur pour ne pas me condamner moi-même, avec tous ceux dont j'aurais pu me proposer l'exemple, de sorte que je
1235 priai mon père de pardonner cette faiblesse aux deux violentes passions qui m'avaient agité, la vengeance et l'amour. Il me demanda si je pouvais lui donner quelques ouvertures sur les plus courts moyens d'obtenir ma liberté, et d'une manière qui pût lui faire éviter l'éclat. Je lui appris les sentiments de bonté que le Lieutenant général de
1240 Police avait pour moi. Si vous trouvez quelques difficultés, lui dis-je, elles ne peuvent venir que de la part des G… M… ; ainsi, je crois qu'il serait à propos [4] que vous prissiez la peine de les voir. Il me le promit. Je n'osai le prier de solliciter pour Manon. Ce ne fut point un défaut de hardiesse, mais un effet de la crainte où j'étais de le
1245 révolter par cette proposition, et de lui faire naître quelque dessein funeste à elle et à moi. Je suis encore à savoir si cette crainte n'a pas causé mes plus grandes infortunes en m'empêchant de tenter les dispositions de mon père, et de faire des efforts pour lui en inspirer de favorables à ma malheureuse maîtresse. J'aurais peut-être excité
1250 encore une fois sa pitié. Je l'aurais mis en garde contre les impressions

....

1. **Je fis […] le détail** : je dressai un récit détaillé.
2. **Supercherie** : tromperie.
3. **Pour ce qui regardait** : en ce qui concernait.
4. **Il serait à propos** : il serait approprié, il conviendrait.

qu'il allait recevoir trop facilement du vieux G... M... Que sais-je ?
Ma mauvaise destinée l'aurait peut-être emporté sur tous mes efforts,
mais je n'aurais eu qu'elle, du moins, et la cruauté de mes ennemis,
à accuser de mon malheur.

1255   En me quittant, mon père alla faire une visite à M. de G... M... Il
le trouva avec son fils, à qui le garde du corps avait honnêtement
rendu la liberté. Je n'ai jamais su les particularités de leur conversation, mais il ne m'a été que trop facile d'en juger par ses mortels
effets. Ils allèrent ensemble, je dis les deux pères, chez M. le Lieute-
1260 nant général de Police, auquel ils demandèrent deux grâces : l'une,
de me faire sortir sur-le-champ du Châtelet ; l'autre, d'enfermer
Manon pour le reste de ses jours, ou de l'envoyer en Amérique. On
commençait, dans le même temps, à embarquer quantité de gens sans
aveu [1] pour le Mississippi. M. le Lieutenant général de Police leur
1265 donna sa parole de faire partir Manon par le premier vaisseau. M. de
G... M... et mon père vinrent aussitôt m'apporter ensemble la nouvelle de ma liberté. M. de G... M... me fit un compliment civil [2] sur
le passé, et m'ayant félicité sur le bonheur que j'avais d'avoir un tel
père, il m'exhorta à profiter désormais de ses leçons et de ses
1270 exemples. Mon père m'ordonna de lui faire des excuses de l'injure
prétendue que j'avais faite à sa famille, et de le remercier de s'être
employé avec lui pour mon élargissement. Nous sortîmes ensemble,
sans avoir dit un mot de ma maîtresse. Je n'osai même parler d'elle
aux guichetiers en leur présence. Hélas ! mes tristes recommanda-
1275 tions eussent été bien inutiles ! L'ordre cruel était venu en même
temps que celui de ma délivrance. Cette fille infortunée fut conduite,
une heure après, à l'Hôpital, pour y être associée à [3] quelques malheureuses qui étaient condamnées à subir le même sort. Mon père
m'ayant obligé de le suivre à la maison où il avait pris sa demeure, il
1280 était presque six heures du soir lorsque je trouvai le moment de me
dérober de ses yeux pour retourner au Châtelet. Je n'avais dessein

....

1. **Gens sans aveu** : individus sans moralité.
2. **Civil** : poli.
3. **Associée à** : mélangée à.

que de faire tenir quelques rafraîchissements à Manon, et de la recommander au concierge, car je ne me promettais pas que la liberté de la voir me fût accordée. Je n'avais point encore eu le temps, non plus,
1285 de réfléchir aux moyens de la délivrer.

Je demandai à parler au concierge. Il avait été content de ma libéralité et de ma douceur, de sorte qu'ayant quelque disposition à me rendre service, il me parla du sort de Manon comme d'un malheur dont il avait beaucoup de regret parce qu'il pouvait m'affliger. Je ne
1290 compris point ce langage. Nous nous entretînmes quelques moments sans nous entendre. À la fin, s'apercevant que j'avais besoin d'une explication, il me la donna, telle que j'ai déjà eu horreur de vous la dire, et que j'ai encore de la répéter. Jamais apoplexie [1] violente ne causa d'effet plus subit [2] et plus terrible. Je tombai, avec une palpita-
1295 tion [3] de cœur si douloureuse, qu'à l'instant que je perdis la connaissance, je me crus délivré de la vie pour toujours. Il me resta même quelque chose de cette pensée lorsque je revins à moi. Je tournai mes regards vers toutes les parties de la chambre et sur moi-même, pour m'assurer si je portais encore la malheureuse qualité d'homme vivant.
1300 Il est certain qu'en ne suivant que le mouvement naturel qui fait chercher à se délivrer de ses peines, rien ne pouvait me paraître plus doux que la mort, dans ce moment de désespoir et de consternation. La religion même ne pouvait me faire envisager rien de plus insupportable, après la vie, que les convulsions [4] cruelles dont j'étais tour-
1305 menté. Cependant, par un miracle propre à l'amour, je retrouvai bientôt assez de force pour remercier le Ciel de m'avoir rendu la connaissance et la raison. Ma mort n'eût été utile qu'à moi. Manon avait besoin de ma vie pour la délivrer, pour la secourir, pour la venger. Je jurai de m'y employer sans ménagement [5].

.... *il veut la libérer*

1. **Apoplexie** : perte de connaissance brutale.
2. **Subit** : soudain, immédiat.
3. **Palpitation** : battement de cœur accéléré, tachycardie.
4. **Convulsions** : agitations violentes, tremblements.
5. **M'y employer sans ménagement** : m'y engager de toutes mes forces [à secourir Manon, à la venger].

1310   Le concierge me donna toute l'assistance que j'eusse pu attendre
du meilleur de mes amis. Je reçus ses services avec une vive reconnaissance. Hélas ! lui dis-je, vous êtes donc touché de mes peines ? Tout
le monde m'abandonne. Mon père même est sans doute un de mes
plus cruels persécuteurs. Personne n'a pitié de moi. Vous seul, dans
1315   le séjour de la dureté et de la barbarie, vous marquez de la compassion pour le plus misérable de tous les hommes ! Il me conseillait de
ne point paraître dans la rue sans être un peu remis du trouble où
j'étais. Laissez, laissez, répondis-je en sortant ; je vous reverrai plus
tôt que vous ne pensez. Préparez-moi le plus noir de vos cachots [1] ;
1320   je vais travailler à le mériter. En effet, mes premières résolutions
n'allaient à rien moins qu'à me défaire des deux G... M... et du Lieutenant général de Police, et fondre ensuite à main armée sur l'Hôpital, avec tous ceux que je pourrais engager dans ma querelle. Mon
père lui-même eût à peine été respecté, dans une vengeance qui me
1325   paraissait si juste, car le concierge ne m'avait pas caché que lui et
G... M... étaient les auteurs de ma perte. Mais, lorsque j'eus fait
quelques pas dans les rues, et que l'air eut un peu rafraîchi mon sang
et mes humeurs, ma fureur fit place peu à peu à des sentiments plus
raisonnables. La mort de nos ennemis eût été d'une faible utilité pour
1330   Manon, et elle m'eût exposé sans doute à me voir ôter tous les
moyens de la secourir. D'ailleurs, aurais-je eu recours à un lâche
assassinat ? Quelle autre voie pouvais-je m'ouvrir à la vengeance ? Je
recueillis toutes mes forces et tous mes esprits pour travailler d'abord
à la délivrance de Manon, remettant tout le reste après le succès de
1335   cette importante entreprise. Il me restait peu d'argent. C'était, néanmoins, un fondement nécessaire, par lequel il fallait commencer. Je
ne voyais que trois personnes de qui j'en pusse attendre : M. de T...,
mon père et Tiberge. Il y avait peu d'apparence d'obtenir quelque
chose des deux derniers, et j'avais honte de fatiguer l'autre par mes
1340   importunités. Mais ce n'est point dans le désespoir qu'on garde des
ménagements. J'allai sur-le-champ au Séminaire de Saint-Sulpice,
sans m'embarrasser si j'y serais reconnu. Je fis appeler Tiberge. Ses

....

1. **Cachots** : en prison, cellules obscures où l'on enferme les détenus réfractaires.

premières paroles me firent comprendre qu'il ignorait encore mes dernières aventures. Cette idée me fit changer le dessein que j'avais, de
1345 l'attendrir par la compassion. Je lui parlai, en général, du plaisir que j'avais eu de revoir mon père, et je le priai ensuite de me prêter quelque argent, sous prétexte de payer, avant mon départ de Paris, quelques dettes que je souhaitais de tenir inconnues. Il me présenta aussitôt sa bourse. Je pris cinq cents francs sur six cents que j'y trou-
1350 vai. Je lui offris mon billet [1] ; il était trop généreux pour l'accepter.

Je tournai [2] de là chez M. de T... Je n'eus point de réserve avec lui. Je lui fis l'exposition de mes malheurs et de mes peines : il en savait déjà jusqu'aux moindres circonstances, par le soin qu'il avait eu de suivre l'aventure du jeune G... M... ; il m'écouta néanmoins, et il me
1355 plaignit beaucoup. Lorsque je lui demandai ses conseils sur les moyens de délivrer Manon, il me répondit tristement qu'il y voyait si peu de jour, qu'à moins d'un secours extraordinaire du Ciel, il fallait renoncer à l'espérance, qu'il avait passé exprès à l'Hôpital, depuis qu'elle y était renfermée, qu'il n'avait pu obtenir lui-même la liberté
1360 de la voir ; que les ordres du Lieutenant général de Police étaient de la dernière rigueur, et que, pour comble d'infortune, la malheureuse bande où elle devait entrer était destinée à partir le surlendemain du jour où nous étions. J'étais si consterné de son discours qu'il eût pu parler une heure sans que j'eusse pensé à l'interrompre. Il continua
1365 de me dire qu'il ne m'était point allé voir au Châtelet, pour se donner plus de facilité à me servir lorsqu'on le croirait sans liaison avec moi ; que, depuis quelques heures que j'en étais sorti, il avait eu le chagrin d'ignorer où je m'étais retiré, et qu'il avait souhaité de me voir promptement pour me donner le seul conseil dont il semblait que je
1370 pusse espérer du changement dans le sort de Manon, mais un conseil dangereux, auquel il me priait de cacher éternellement qu'il eût part : c'était de choisir quelques braves qui eussent le courage d'attaquer les gardes de Manon lorsqu'ils seraient sortis de Paris avec elle. Il

....

1. **Billet** : mot écrit par lequel on s'engage à rembourser une dette.

2. **Je tournai** : je bifurquai, je me rendis.

n'attendit point que je lui parlasse de mon indigence. Voilà cent pis-
1375 toles, me dit-il, en me présentant une bourse, qui pourront vous être
de quelque usage. Vous me les remettrez, lorsque la fortune aura réta-
bli vos affaires. Il ajouta que, si le soin de sa réputation lui eût permis
d'entreprendre lui-même la délivrance de ma maîtresse, il m'eût offert
son bras et son épée.

1380   Cette excessive générosité me toucha jusqu'aux larmes. J'employai,
pour lui marquer ma reconnaissance, toute la vivacité que mon affliction me laissait de reste. Je lui demandai s'il n'y avait rien à espérer,
par la voie des intercessions [1], auprès du Lieutenant général de Police.
Il me dit qu'il y avait pensé, mais qu'il croyait cette ressource inutile,
1385 parce qu'une grâce [2] de cette nature ne pouvait se demander sans
motif, et qu'il ne voyait pas bien quel motif on pouvait employer
pour se faire un intercesseur [3] d'une personne grave et puissante ;
que, si l'on pouvait se flatter de quelque chose de ce côté-là, ce ne
pouvait être qu'en faisant changer de sentiment à M. de G... M... et
1390 à mon père, et en les engageant à prier eux-mêmes M. le Lieutenant
général de Police de révoquer sa sentence [4]. Il m'offrit de faire tous
ses efforts pour gagner le jeune G... M..., quoiqu'il le crût un peu
refroidi à son égard par quelques soupçons qu'il avait conçus de lui
à l'occasion de notre affaire, et il m'exhorta à ne rien omettre [5], de
1395 mon côté, pour fléchir l'esprit de mon père.

  Ce n'était pas une légère entreprise pour moi, je ne dis pas seulement par la difficulté que je devais naturellement trouver à le vaincre,
mais par une autre raison qui me faisait même redouter ses
approches : je m'étais dérobé de son logement contre ses ordres, et
1400 j'étais fort résolu de n'y pas retourner depuis que j'avais appris la
triste destinée de Manon. J'appréhendais avec sujet [6] qu'il ne me fît

....

1. Par la voie des intercessions : en recourant à des personnes influentes.
2. Grâce : mesure de clémence.
3. Intercesseur : défenseur d'une cause.
4. De révoquer sa sentence : d'annuler sa condamnation.
5. Omettre : oublier.
6. Avec sujet : avec raison.

retenir malgré moi, et qu'il ne me reconduisît de même en province. Mon frère aîné avait usé autrefois de cette méthode. Il est vrai que j'étais devenu plus âgé, mais l'âge était une faible raison contre la force. Cependant je trouvai une voie qui me sauvait du danger, c'était de le faire appeler dans un endroit public et de m'annoncer à lui sous un autre nom. Je pris aussitôt ce parti. M. de T… s'en alla chez G… M… et moi au Luxembourg, d'où j'envoyai avertir mon père qu'un gentilhomme [1] de ses serviteurs était à l'attendre. Je craignais qu'il n'eût quelque peine à venir, parce que la nuit approchait. Il parut néanmoins peu après, suivi de son laquais. Je le priai de prendre une allée où nous puissions être seuls. Nous fîmes cent pas, pour le moins, sans parler. Il s'imaginait bien, sans doute, que tant de préparations ne s'étaient pas faites sans un dessein d'importance. Il attendait ma harangue, et je la méditais.

Enfin, j'ouvris la bouche. Monsieur, lui dis-je en tremblant, vous êtes un bon père. Vous m'avez comblé de grâces [2] et vous m'avez pardonné un nombre infini de fautes. Aussi le Ciel m'est-il témoin que j'ai pour vous tous les sentiments du fils le plus tendre et le plus respectueux. Mais il me semble… que votre rigueur… Hé bien ! ma rigueur ? interrompit mon père, qui trouvait sans doute que je parlais lentement pour son impatience. Ah ! monsieur, repris-je, il me semble que votre rigueur est extrême, dans le traitement que vous avez fait à la malheureuse Manon. Vous vous en êtes rapporté à M. de G… M… Sa haine vous l'a représentée sous les plus noires couleurs. Vous vous êtes formé d'elle une affreuse idée. Cependant, c'est la plus douce et la plus aimable créature qui fût jamais. Que n'a-t-il plu au Ciel de vous inspirer l'envie de la voir un moment ! Je ne suis pas plus sûr qu'elle est charmante, que je le suis qu'elle vous l'aurait paru. Vous auriez pris parti pour elle ; vous auriez détesté les noirs artifices de G… M… ; vous auriez eu compassion d'elle et de moi. Hélas ! j'en suis sûr. Votre cœur n'est pas insensible ; vous vous seriez laissé attendrir. Il m'interrompit encore, voyant que je parlais avec une ardeur

....
1. **Gentilhomme** : noble.
2. **Grâces** : faveurs.

qui ne m'aurait pas permis de finir sitôt. Il voulut savoir à quoi j'avais
1435 dessein d'en venir [1] par un discours si passionné. À vous demander
la vie, répondis-je, que je ne puis conserver un moment si Manon
part une fois pour l'Amérique. Non, non, me dit-il d'un ton sévère ;
j'aime mieux te voir sans vie que sans sagesse et sans honneur.
N'allons donc pas plus loin ! m'écriai-je en l'arrêtant par le bras.
1440 Ôtez-la-moi, cette vie odieuse et insupportable, car, dans le désespoir
où vous me jetez, la mort sera une faveur pour moi. C'est un présent
digne de la main d'un père.

Je ne te donnerais que ce que tu mérites, répliqua-t-il. Je connais
bien des pères qui n'auraient pas attendu si longtemps pour être eux-
1445 mêmes tes bourreaux, mais c'est ma bonté excessive qui t'a perdu.

Je me jetai à ses genoux. Ah ! s'il vous en reste encore, lui dis-je en
les embrassant, ne vous endurcissez donc pas contre mes pleurs.
Songez que je suis votre fils... Hélas ! souvenez-vous de ma mère.
Vous l'aimiez si tendrement ! Auriez-vous souffert qu'on l'eût arra-
1450 chée de vos bras ? Vous l'auriez défendue jusqu'à la mort. Les autres
n'ont-ils pas un cœur comme vous ? Peut-on être barbare, après avoir
une fois éprouvé ce que c'est que la tendresse et la douleur ?

Ne me parle pas davantage de ta mère, reprit-il d'une voix irritée,
ce souvenir échauffe mon indignation [2]. Tes désordres la feraient
1455 mourir de douleur, si elle eût assez vécu pour les voir. Finissons cet
entretien, ajouta-t-il ; il m'importune, et ne me fera point changer de
résolution. Je retourne au logis ; je t'ordonne de me suivre. Le ton
sec et dur avec lequel il m'intima cet ordre me fit trop comprendre
que son cœur était inflexible. Je m'éloignai de quelques pas, dans
1460 la crainte qu'il ne lui prît envie de m'arrêter de ses propres mains.
N'augmentez pas mon désespoir, lui dis-je, en me forçant de vous
désobéir. Il est impossible que je vous suive. Il ne l'est pas moins que
je vive, après la dureté avec laquelle vous me traitez. Ainsi je vous dis
un éternel adieu. Ma mort, que vous apprendrez bientôt, ajoutai-je
1465 tristement, vous fera peut-être reprendre pour moi des sentiments de

....

1. **À quoi j'avais dessein d'en venir** : à quoi je voulais en venir.
2. **Échauffe mon indignation** : m'irrite.

c'est la dernière fois qu'il vois son père

père. Comme je me tournais pour le quitter : Tu refuses donc de me suivre ? s'écria-t-il avec une vive colère. Va, cours à ta perte. Adieu, fils ingrat et rebelle. Adieu, lui dis-je dans mon transport, adieu, père barbare et dénaturé [1].

1470   Je sortis aussitôt du Luxembourg. Je marchai dans les rues comme un furieux jusqu'à la maison de M. de T… Je levais, en marchant, les yeux et les mains pour invoquer toutes les puissances célestes. Ô Ciel ! disais-je, serez-vous aussi impitoyable que les hommes ? Je n'ai plus de secours à attendre que de vous. M. de T… n'était point encore
1475   retourné chez lui, mais il revint après que je l'y eus attendu quelques moments. Sa négociation n'avait pas réussi mieux que la mienne. Il me le dit d'un visage abattu. Le jeune G… M…, quoique moins irrité que son père contre Manon et contre moi, n'avait pas voulu entreprendre de le solliciter en notre faveur. Il s'en était défendu par la
1480   crainte qu'il avait lui-même de ce vieillard vindicatif [2], qui s'était déjà fort emporté contre lui en lui reprochant ses desseins de commerce avec Manon. Il ne me restait donc que la voie de la violence, telle que M. de T… m'en avait tracé le plan ; j'y réduisis toutes mes espérances. Elles sont bien incertaines, lui dis-je, mais la plus solide et la
1485   plus consolante pour moi est celle de périr du moins dans l'entreprise. Je le quittai en le priant de me secourir par ses vœux, et je ne pensai plus qu'à m'associer des camarades à qui je pusse communiquer une étincelle de mon courage et de ma résolution.

Le premier qui s'offrit à mon esprit, fut le même garde du corps
1490   que j'avais employé pour arrêter G… M… J'avais dessein aussi d'aller passer la nuit dans sa chambre, n'ayant pas eu l'esprit assez libre, pendant l'après-midi, pour me procurer un logement. Je le trouvai seul. Il eut de la joie de me voir sorti du Châtelet. Il m'offrit affectueusement ses services. Je lui expliquai ceux qu'il pouvait me rendre. Il
1495   avait assez de bon sens pour en apercevoir toutes les difficultés, mais il fut assez généreux pour entreprendre de les surmonter. Nous employâmes une partie de la nuit à raisonner sur mon dessein. Il me

....

1. **Dénaturé** : qui trahit sa nature.
2. **Vindicatif** : animé d'un désir de vengeance.

parla des trois soldats aux gardes, dont il s'était servi dans la dernière occasion, comme de trois braves à l'épreuve. M. de T… m'avait informé exactement du nombre des archers qui devaient conduire Manon ; ils n'étaient que six. Cinq hommes hardis et résolus suffisaient pour donner l'épouvante à ces misérables, qui ne sont point capables de se défendre honorablement lorsqu'ils peuvent éviter le péril du combat par une lâcheté. Comme je ne manquais point d'argent, le garde du corps me conseilla de ne rien épargner pour assurer le succès de notre attaque Il nous faut des chevaux, me dit-il, avec des pistolets, et chacun notre mousqueton [1]. Je me charge de prendre demain le soin de ces préparatifs. Il faudra aussi trois habits communs pour nos soldats, qui n'oseraient paraître dans une affaire de cette nature avec l'uniforme du régiment. Je lui mis entre les mains les cent pistoles que j'avais reçues de M. de T… Elles furent employées, le lendemain, jusqu'au dernier sol. Les trois soldats passèrent en revue devant moi. Je les animai par de grandes promesses, et pour leur ôter toute défiance, je commençai par leur faire présent, à chacun, de dix pistoles. Le jour de l'exécution étant venu, j'en envoyai un de grand matin à l'Hôpital, pour s'instruire, par ses propres yeux, du moment auquel les archers partiraient avec leur proie. Quoique je n'eusse pris cette précaution que par un excès d'inquiétude et de prévoyance, il se trouva qu'elle avait été absolument nécessaire. J'avais compté sur quelques fausses informations qu'on m'avait données de leur route, et, m'étant persuadé que c'était à La Rochelle [2] que cette déplorable [3] troupe devait être embarquée, j'aurais perdu mes peines à l'attendre sur le chemin d'Orléans. Cependant, je fus informé, par le rapport du soldat aux gardes, qu'elle prenait le chemin de Normandie, et que c'était du Havre-de-Grâce qu'elle devait partir pour l'Amérique.

....

1. **Mousqueton** : fusil à canon court.
2. **La Rochelle** : port de Charente.
3. **Déplorable** : qui suscite l'affliction.

Nous nous rendîmes aussitôt à la porte Saint-Honoré[1], observant de[2] marcher par des rues différentes. Nous nous réunîmes au bout du faubourg[3]. Nos chevaux étaient frais. Nous ne tardâmes point à

1530 découvrir les six gardes et les deux misérables voitures que vous vîtes à Pacy, il y a deux ans. Ce spectacle faillit de m'ôter la force et la connaissance. Ô fortune, m'écriai-je, fortune cruelle ! accorde-moi ici, du moins, la mort ou la victoire. Nous tînmes conseil un moment sur la manière dont nous ferions notre attaque. Les archers n'étaient

1535 guère plus de quatre cents pas devant nous, et nous pouvions les couper en passant au travers d'un petit champ, autour duquel le grand chemin tournait. Le garde du corps fut d'avis de prendre cette voie, pour les surprendre en fondant tout d'un coup sur eux. J'approuvai sa pensée et je fus le premier à piquer[4] mon cheval. Mais

1540 la fortune avait rejeté impitoyablement mes vœux. Les archers, voyant cinq cavaliers accourir vers eux, ne doutèrent point que ce ne fût pour les attaquer. Ils se mirent en défense, en préparant leurs baïonnettes et leurs fusils d'un air assez résolu. Cette vue, qui ne fit que nous animer, le garde du corps et moi, ôta tout d'un coup le courage à nos

1545 trois lâches compagnons. Ils s'arrêtèrent comme de concert, et, s'étant dit entre eux quelques mots que je n'entendis point, ils tournèrent la tête de leurs chevaux, pour reprendre le chemin de Paris à bride abattue[5]. Dieux ! me dit le garde du corps, qui paraissait aussi éperdu[6] que moi de cette infâme désertion, qu'allons-nous faire ?

1550 Nous ne sommes que deux. J'avais perdu la voix, de fureur et d'étonnement. Je m'arrêtai, incertain si ma première vengeance ne devait pas s'employer à la poursuite et au châtiment des lâches qui m'abandonnaient. Je les regardais fuir et je jetais les yeux, de l'autre côté,

....

1. **Porte Saint-Honoré** : la porte Saint-Honoré est l'une des entrées dans la ville de Paris. Elle donne sur le faubourg Saint-Honoré, cœur politique de la capitale.
2. **Observant de** : prenant garde à.
3. **Faubourg** : quartier populaire situé aux limites de la ville, ou à sa périphérie.
4. **Piquer** : éperonner, faire accélérer.
5. **À bride abattue** : à grande vitesse.
6. **Éperdu** : égaré, confus.

sur les archers. S'il m'eût été possible de me partager, j'aurais fondu
tout à la fois sur ces deux objets de ma rage ; je les dévorais tous
ensemble. Le garde du corps, qui jugeait de mon incertitude par le
mouvement égaré de mes yeux, me pria d'écouter son conseil.
N'étant que deux, me dit-il, il y aurait de la folie à attaquer six
hommes aussi bien armés que nous et qui paraissent nous attendre
de pied ferme. Il faut retourner à Paris et tâcher de réussir mieux
dans le choix de nos braves. Les archers ne sauraient faire de grandes
journées avec deux pesantes voitures ; nous les rejoindrons demain
sans peine.

Je fis un moment de réflexion sur ce parti, mais, ne voyant de tous
côtés que des sujets de désespoir, je pris une résolution véritablement
désespérée. Ce fut de remercier mon compagnon de ses services, et,
loin d'attaquer les archers, je résolus d'aller, avec soumission, les
prier de me recevoir dans leur troupe pour accompagner Manon avec
eux jusqu'au Havre-de-Grâce et passer ensuite au-delà des mers avec
elle. Tout le monde me persécute ou me trahit, dis-je au garde du
corps. Je n'ai plus de fond à faire [1] sur personne. Je n'attends plus
rien, ni de la fortune, ni du secours des hommes. Mes malheurs sont
au comble ; il ne me reste plus que de m'y soumettre. Ainsi, je ferme
les yeux à toute espérance. Puisse le Ciel récompenser votre générosité ! Adieu, je vais aider mon mauvais sort à consommer ma ruine,
en y courant moi-même volontairement. Il fit inutilement ses efforts
pour m'engager à retourner à Paris. Je le priai de me laisser suivre
mes résolutions et de me quitter sur-le-champ, de peur que les archers
ne continuassent de croire que notre dessein était de les attaquer.

J'allai seul vers eux, d'un pas lent et le visage si consterné [2] qu'ils
ne durent rien trouver d'effrayant dans mes approches. Ils se tenaient
néanmoins en défense. Rassurez-vous, messieurs, leur dis-je, en les
abordant ; je ne vous apporte point la guerre, je viens vous demander
des grâces. Je les priai de continuer leur chemin sans défiance et je

....

1. Je n'ai plus de fond à faire : je ne peux plus compter.
2. Consterné : découragé, accablé.

1585 leur appris, en marchant, les faveurs que j'attendais d'eux. Ils consul-
tèrent ensemble de quelle manière ils devaient recevoir cette ouverture. Le chef de la bande prit la parole pour les autres. Il me répondit
que les ordres qu'ils avaient de veiller sur leurs captives étaient d'une
extrême rigueur ; que je lui paraissais néanmoins si joli homme que
1590 lui et ses compagnons se relâcheraient un peu de leur devoir ; mais
que je devais comprendre qu'il fallait qu'il m'en coûtât quelque
chose. Il me restait environ quinze pistoles ; je leur dis naturellement
en quoi consistait le fond de ma bourse. Hé bien ! me dit l'archer,
nous en userons généreusement. Il ne vous coûtera qu'un écu par
1595 heure pour entretenir [1] celle de nos filles qui vous plaira le plus ;
c'est le prix courant de Paris. Je ne leur avais pas parlé de Manon
en particulier, parce que je n'avais pas dessein qu'ils connussent ma
passion. Ils s'imaginèrent d'abord que ce n'était qu'une fantaisie de
jeune homme qui me faisait chercher un peu de passe-temps avec ces
1600 créatures ; mais lorsqu'ils crurent s'être aperçus que j'étais amoureux,
ils augmentèrent tellement le tribut [2], que ma bourse se trouva épuisée en partant de Mantes, où nous avions couché, le jour que nous
arrivâmes à Pacy.

Vous dirai-je quel fut le déplorable sujet de mes entretiens avec
1605 Manon pendant cette route, ou quelle impression sa vue fit sur moi
lorsque j'eus obtenu des gardes la liberté d'approcher de son chariot ? Ah ! les expressions ne rendent jamais qu'à demi les sentiments
du cœur. Mais figurez-vous [3] ma pauvre maîtresse enchaînée par le
milieu du corps, assise sur quelques poignées de paille, la tête
1610 appuyée languissamment sur un côté de la voiture, le visage pâle et
mouillé d'un ruisseau de larmes qui se faisaient un passage au travers
de ses paupières, quoiqu'elle eût continuellement les yeux fermés.
Elle n'avait pas même eu la curiosité de les ouvrir lorsqu'elle avait
entendu le bruit de ses gardes, qui craignaient d'être attaqués. Son
1615 linge était sale et dérangé, ses mains délicates exposées à l'injure de

....
1. **Entretenir** : pouvoir parler à.
2. **Le tribut** : le prix, la contribution.
3. **Figurez-vous** : imaginez-vous.

l'air ; enfin, tout ce composé charmant, cette figure capable de ramener l'univers à l'idolâtrie [1], paraissait dans un désordre et un abattement inexprimables. J'employai quelque temps à la considérer, en allant à cheval à côté du chariot. J'étais si peu à moi-même que je fus sur le point, plusieurs fois, de tomber dangereusement. Mes soupirs et mes exclamations fréquentes m'attirèrent d'elle quelques regards. Elle me reconnut, et je remarquai que, dans le premier mouvement, elle tenta de se précipiter hors de la voiture pour venir à moi ; mais, étant retenue par sa chaîne, elle retomba dans sa première attitude. Je priai les archers d'arrêter un moment par compassion ; ils y consentirent par avarice. Je quittai mon cheval pour m'asseoir auprès d'elle. Elle était si languissante et si affaiblie qu'elle fut longtemps sans pouvoir se servir de sa langue ni remuer ses mains. Je les mouillais pendant ce temps-là de mes pleurs, et, ne pouvant proférer moi-même une seule parole, nous étions l'un et l'autre dans une des plus tristes situations dont il y ait jamais eu d'exemple. Nos expressions ne le furent pas moins, lorsque nous eûmes retrouvé la liberté de parler. Manon parla peu. Il semblait que la honte et la douleur eussent altéré les organes de sa voix ; le son en était faible et tremblant. Elle me remercia de ne l'avoir pas oubliée, et de la satisfaction que je lui accordais, dit-elle en soupirant, de me voir du moins encore une fois et de me dire le dernier adieu. Mais, lorsque je l'eus assurée que rien n'était capable de me séparer d'elle et que j'étais disposé à la suivre jusqu'à l'extrémité du monde pour prendre soin d'elle, pour la servir, pour l'aimer et pour attacher inséparablement ma misérable destinée à la sienne, cette pauvre fille se livra à des sentiments si tendres et si douloureux, que j'appréhendai quelque chose pour sa vie d'une si violente émotion. Tous les mouvements de son âme semblaient se réunir dans ses yeux. Elle les tenait fixés sur moi. Quelquefois elle ouvrait la bouche, sans avoir la force d'achever quelques mots qu'elle commençait. Il lui en échappait néanmoins quelques-uns. C'étaient des marques d'admiration sur mon amour, de tendres plaintes de son excès, des doutes qu'elle pût être assez heureuse pour

....

1. **L'idolâtrie** : la vénération.

elle le décourage de la suivre

m'avoir inspiré une passion si parfaite, des instances pour me faire
1650 renoncer au dessein de la suivre et chercher ailleurs un bonheur digne
de moi, qu'elle me disait que je ne pouvais espérer avec elle.

En dépit du plus cruel de tous les sorts, je trouvais ma félicité dans
ses regards et dans la certitude que j'avais de son affection. J'avais
perdu, à la vérité, tout ce que le reste des hommes estime ; mais
1655 j'étais maître du cœur de Manon, le seul bien que j'estimais. Vivre en
Europe, vivre en Amérique, que m'importait-il en quel endroit vivre,
si j'étais sûr d'y être heureux en y vivant avec ma maîtresse ? Tout
l'univers n'est-il pas la patrie de deux amants fidèles ? Ne trouvent-
ils pas l'un dans l'autre, père, mère, parents, amis, richesses et féli-
1660 cité[1] ? Si quelque chose me causait de l'inquiétude, c'était la crainte
de voir Manon exposée aux besoins de l'indigence. Je me supposais
déjà, avec elle, dans une région inculte[2] et habitée par des sauvages.
Je suis bien sûr, disais-je, qu'il ne saurait y en avoir d'aussi cruels que
G… M… et mon père. Ils nous laisseront du moins vivre en paix. Si
1665 les relations qu'on en fait sont fidèles, ils suivent les lois de la nature.
Ils ne connaissent ni les fureurs de l'avarice, qui possèdent G… M…,
ni les idées fantastiques[3] de l'honneur, qui m'ont fait un ennemi de
mon père. Ils ne troubleront point deux amants qu'ils verront vivre
avec autant de simplicité qu'eux. J'étais donc tranquille de ce côté-là.
1670 Mais je ne me formais point des idées romanesques par rapport aux
besoins communs de la vie. J'avais éprouvé trop souvent qu'il y a
des nécessités insupportables, surtout pour une fille délicate qui est
accoutumée à une vie commode et abondante. J'étais au désespoir
d'avoir épuisé inutilement ma bourse et que le peu d'argent qui me
1675 restait fût encore sur le point de m'être ravi par la friponnerie des
archers. Je concevais qu'avec une petite somme j'aurais pu espérer,
non seulement de me soutenir quelque temps contre la misère en
Amérique, où l'argent était rare, mais d'y former même quelque
entreprise pour un établissement durable. Cette considération me fit

....
1. **Félicité** : bonheur extrême.
2. **Inculte** : vierge, dont la terre n'est pas travaillée par l'homme.
3. **Fantastiques** : extravagantes.

1680 naître la pensée d'écrire à Tiberge, que j'avais toujours trouvé si
prompt à m'offrir les secours de l'amitié. J'écrivis, dès la première
ville où nous passâmes. Je ne lui apportai point d'autre motif que le
pressant besoin dans lequel je prévoyais que je me trouverais au
Havre-de-Grâce où je lui confessais que j'étais allé conduire Manon.
1685 Je lui demandais cent pistoles. Faites-les-moi tenir au Havre, lui
disais-je, par le maître de la poste. Vous voyez bien que c'est la dernière fois que j'importune votre affection et que, ma malheureuse
maîtresse m'étant enlevée pour toujours, je ne puis la laisser partir
sans quelques soulagements qui adoucissent son sort et mes mortels
1690 regrets.

Les archers devinrent si intraitables, lorsqu'ils eurent découvert la
violence de ma passion, que, redoublant continuellement le prix de
leurs moindres faveurs, ils me réduisirent bientôt à la dernière indigence. L'amour, d'ailleurs, ne me permettait guère de ménager ma
1695 bourse. Je m'oubliais du matin au soir près de Manon, et ce n'était
plus par heure que le temps m'était mesuré, c'était par la longueur
entière des jours. Enfin, ma bourse étant tout à fait vide, je me trouvai
exposé aux caprices et à la brutalité de six misérables, qui me traitaient avec une hauteur insupportable. Vous en fûtes témoin à Pacy.
1700 Votre rencontre fut un heureux moment de relâche, qui me fut
accordé par la fortune. Votre pitié, à la vue de mes peines, fut ma
seule recommandation auprès de votre cœur généreux. Le secours,
que vous m'accordâtes libéralement, servit à me faire gagner Le
Havre, et les archers tinrent leur promesse avec plus de fidélité que
1705 je ne l'espérais.

Nous arrivâmes au Havre. J'allai d'abord à la poste. Tiberge n'avait
point encore eu le temps de me répondre. Je m'informai exactement
quel jour je pouvais attendre sa lettre. Elle ne pouvait arriver que
deux jours après, et par une étrange disposition de mon mauvais sort,
1710 il se trouva que notre vaisseau devait partir le matin de celui auquel
j'attendais l'ordinaire [1]. Je ne puis vous représenter mon désespoir.
Quoi ! m'écriai-je, dans le malheur même, il faudra toujours que je

....

1. **L'ordinaire** : le courrier.

Charles Édouard Delort, *L'Embarquement de Manon Lescaut*, 1875.

sois distingué par des excès ! Manon répondit : Hélas ! une vie si malheureuse mérite-t-elle le soin que nous en prenons ? Mourons au
1715 Havre, mon cher Chevalier. Que la mort finisse tout d'un coup nos misères ! Irons-nous les traîner dans un pays inconnu, où nous devons nous attendre, sans doute, à d'horribles extrémités, puisqu'on a voulu m'en faire un supplice ? Mourons, me répéta-t-elle ; ou du moins, donne-moi la mort, et va chercher un autre sort dans les bras
1720 d'une amante plus heureuse. Non, non, lui dis-je, c'est pour moi un sort digne d'envie que d'être malheureux avec vous. Son discours me fit trembler. Je jugeai qu'elle était accablée de ses maux. Je m'efforçai de prendre un air plus tranquille, pour lui ôter ces funestes pensées de mort et de désespoir. Je résolus de tenir la même conduite à
1725 l'avenir ; et j'ai éprouvé, dans la suite, que rien n'est plus capable d'inspirer du courage à une femme que l'intrépidité [1] d'un homme qu'elle aime.

Lorsque j'eus perdu l'espérance de recevoir du secours de Tiberge, je vendis mon cheval. L'argent que j'en tirai, joint à ce qui me restait
1730 encore de vos libéralités, me composa la petite somme de dix-sept pistoles. J'en employai sept à l'achat de quelques soulagements néces- saires [2] à Manon, et je serrai les dix autres avec soin, comme le fonde ment de notre fortune et de nos espérances en Amérique. Je n'eus point de peine à me faire recevoir dans le vaisseau. On cherchait alors
1735 des jeunes gens qui fussent disposés à se joindre volontairement à la colonie [3]. Le passage et la nourriture me furent accordés gratis [4]. La poste de Paris devant partir le lendemain, j'y laissai une lettre pour Tiberge. Elle était touchante et capable de l'attendrir, sans doute, au dernier point, puisqu'elle lui fit prendre une résolution qui ne pouvait
1740 venir que d'un fond infini de tendresse et de générosité pour un ami malheureux.

Nous mîmes à la voile. Le vent ne cessa point de nous être favo- rable. J'obtins du capitaine un lieu à part pour Manon et pour moi.
....

1. **L'intrépidité** : le courage hardi qui fait ignorer la peur et les dangers.
2. **Soulagements nécessaires** : aides en biens matériels.
3. **Colonie** : lieu d'implantation de colons ; il s'agit ici de la Louisiane.
4. **Gratis** : gratuitement.

Il eut la bonté de nous regarder d'un autre œil que le commun de
1745 nos misérables associés. Je l'avais pris en particulier dès le premier
jour, et, pour m'attirer de lui quelque considération, je lui avais
découvert une partie de mes infortunes. Je ne crus pas me rendre
coupable d'un mensonge honteux en lui disant que j'étais marié à
Manon. Il feignit de le croire, et il m'accorda sa protection. Nous en
1750 reçûmes des marques pendant toute la navigation. Il eut soin de nous
faire nourrir honnêtement, et les égards qu'il eut pour nous servirent
à nous faire respecter des compagnons de notre misère. J'avais une
attention continuelle à ne pas laisser souffrir la moindre incommodité
à Manon. Elle le remarquait bien, et cette vue, jointe au vif ressenti-
1755 ment de l'étrange extrémité où je m'étais réduit pour elle, la rendait
si tendre et si passionnée, si attentive aussi à mes plus légers besoins,
que c'était, entre elle et moi, une perpétuelle émulation[1] de services
et d'amour. Je ne regrettais point l'Europe. Au contraire, plus nous
avancions vers l'Amérique, plus je sentais mon cœur s'élargir et deve-
1760 nir tranquille. Si j'eusse pu m'assurer de n'y pas manquer des nécessités absolues de la vie[2], j'aurais remercié la fortune d'avoir donné un
tour si favorable à nos malheurs.

Après une navigation de deux mois, nous abordâmes enfin au
rivage désiré. Le pays ne nous offrit rien d'agréable à la première vue.
1765 C'étaient des campagnes stériles et inhabitées, où l'on voyait à peine
quelques roseaux et quelques arbres dépouillés par le vent. Nulle
trace d'hommes ni d'animaux. Cependant, le capitaine ayant fait tirer
quelques pièces de notre artillerie[3], nous ne fûmes pas longtemps
sans apercevoir une troupe de citoyens du Nouvel Orléans[4], qui
1770 s'approchèrent de nous avec de vives marques de joie. Nous n'avions
pas découvert la ville. Elle est cachée, de ce côté-là, par une petite

....

1. **Émulation** : désir d'égaler l'autre dans son action, de faire aussi bien que lui.
2. **Nécessités absolues de la vie** : besoins essentiels.
3. **Artillerie** : armement.
4. **Nouvel Orléans** : il s'agit de La Nouvelle-Orléans, ville fondée en 1718 par
Jean-Baptiste Le Moyne et des colons français. Son nom fut choisi pour rendre
hommage à Philippe, duc d'Orléans, régent de la France à l'époque.

colline. Nous fûmes reçus comme des gens descendus du Ciel. Ces pauvres habitants s'empressaient pour nous faire mille questions sur l'état de la France et sur les différentes provinces où ils étaient nés.

1775 Ils nous embrassaient comme leurs frères et comme de chers compagnons qui venaient partager leur misère et leur solitude. Nous prîmes le chemin de la ville avec eux, mais nous fûmes surpris de découvrir, en avançant, que, ce qu'on nous avait vanté jusqu'alors comme une bonne ville, n'était qu'un assemblage de quelques pauvres cabanes.

1780 Elles étaient habitées par cinq ou six cents personnes. La maison du Gouverneur nous parut un peu distinguée par sa hauteur et par sa situation. Elle est défendue par quelques ouvrages de terre, autour desquels règne un large fossé.

Nous fûmes d'abord présentés à lui. Il s'entretint longtemps en
1785 secret avec le capitaine, et, revenant ensuite à nous, il considéra, l'une après l'autre, toutes les filles qui étaient arrivées par le vaisseau. Elles étaient au nombre de trente, car nous en avions trouvé au Havre une autre bande, qui s'était jointe à la nôtre. Le Gouverneur, les ayant longtemps examinées, fit appeler divers jeunes gens de la ville qui
1790 languissaient dans l'attente d'une épouse. Il donna les plus jolies aux principaux et le reste fut tiré au sort. Il n'avait point encore parlé à Manon, mais, lorsqu'il eut ordonné aux autres de se retirer, il nous fit demeurer, elle et moi. J'apprends du capitaine, nous dit-il, que vous êtes mariés et qu'il vous a reconnus sur la route pour deux
1795 personnes d'esprit et de mérite. Je n'entre point dans les raisons qui ont causé votre malheur, mais, s'il est vrai que vous ayez autant de savoir-vivre que votre figure me le promet, je n'épargnerai rien pour adoucir votre sort, et vous contribuerez vous-même à me faire trouver quelque agrément [1] dans ce lieu sauvage et désert. Je lui répondis de
1800 la manière que je crus la plus propre à confirmer l'idée qu'il avait de nous. Il donna quelques ordres pour nous faire préparer un logement dans la ville, et il nous retint à souper avec lui. Je lui trouvai beaucoup de politesse, pour un chef de malheureux bannis. Il ne nous fit point de questions, en public, sur le fond de nos aventures. La conversation

....

1. **Agrément** : attrait, plaisir.

1805 fut générale, et, malgré notre tristesse, nous nous efforçâmes, Manon
et moi, de contribuer à la rendre agréable.

Le soir, il nous fit conduire au logement qu'on nous avait préparé.
Nous trouvâmes une misérable cabane, composée de planches et de
boue, qui consistait en deux ou trois chambres de plain-pied [1], avec
1810 un grenier au-dessus. Il y avait fait mettre cinq ou six chaises et
quelques commodités nécessaires à la vie. Manon parut effrayée à
la vue d'une si triste demeure. C'était pour moi qu'elle s'affligeait,
beaucoup plus que pour elle-même. Elle s'assit, lorsque nous fûmes
seuls, et elle se mit à pleurer amèrement. J'entrepris d'abord de la
1815 consoler, mais lorsqu'elle m'eut fait entendre que c'était moi seul
qu'elle plaignait, et qu'elle ne considérait, dans nos malheurs communs, que ce que j'avais à souffrir, j'affectai de montrer assez de
courage, et même assez de joie pour lui en inspirer. De quoi me
plaindrai-je ? lui dis-je. Je possède tout ce que je désire. Vous
1820 m'aimez ; n'est-ce pas ? Quel autre bonheur me suis-je jamais proposé ? Laissons au Ciel le soin de notre fortune. Je ne la trouve pas
si désespérée. Le Gouverneur est un homme civil ; il nous a marqué [2]
de la considération ; il ne permettra pas que nous manquions du
nécessaire. Pour ce qui regarde la pauvreté de notre cabane et la gros-
1825 sièreté [3] de nos meubles, vous avez pu remarquer qu'il y a peu de
personnes ici qui paraissent mieux logées et mieux meublées que
nous. Et puis, tu es une chimiste admirable, ajoutai-je en l'embrassant, tu transformes tout en or.

Vous serez donc la plus riche personne de l'univers, me répondit-
1830 elle, car, s'il n'y eut jamais d'amour tel que le vôtre, il est impossible
aussi d'être aimé plus tendrement que vous l'êtes. Je me rends justice,
continua-t-elle. Je sens bien que je n'ai jamais mérité ce prodigieux
attachement que vous avez pour moi. Je vous ai causé des chagrins,
que vous n'avez pu me pardonner sans une bonté extrême. J'ai été
1835 légère et volage, et même en vous aimant éperdument, comme j'ai

....

1. **De plain-pied** : du même niveau.
2. **Marqué** : montré, manifesté.
3. **Grossièreté** : qualité médiocre.

toujours fait, je n'étais qu'une ingrate. Mais vous ne sauriez croire combien je suis changée. Mes larmes, que vous avez vues couler si souvent depuis notre départ de France, n'ont pas eu une seule fois mes malheurs pour objet. J'ai cessé de les sentir aussitôt que vous
1840 avez commencé à les partager. Je n'ai pleuré que de tendresse et de compassion pour vous. Je ne me console point d'avoir pu vous chagriner un moment dans ma vie. Je ne cesse point de me reprocher mes inconstances et de m'attendrir, en admirant de quoi l'amour vous a rendu capable pour une malheureuse qui n'en était pas digne, et qui
1845 ne paierait pas bien de tout son sang, ajouta-t-elle avec une abondance de larmes, la moitié des peines qu'elle vous a causées.

Ses pleurs, son discours et le ton dont elle le prononça firent sur moi une impression si étonnante, que je crus sentir une espèce de division dans mon âme. Prends garde, lui dis-je, prends garde, ma
1850 chère Manon. Je n'ai point assez de force pour supporter des marques si vives de ton affection ; je ne suis point accoutumé à ces excès de joie. Ô Dieu ! m'écriai-je, je ne vous demande plus rien. Je suis assuré du cœur de Manon. Il est tel que je l'ai souhaité pour être heureux, je ne puis plus cesser de l'être à présent. Voilà ma félicité bien établie.
1855 Elle l'est, reprit-elle, si vous la faites dépendre de moi, et je sais où je puis compter aussi de trouver toujours la mienne. Je me couchai avec ces charmantes idées, qui changèrent ma cabane en un palais digne du premier roi du monde. L'Amérique me parut un lieu de délices après cela. C'est au Nouvel Orléans qu'il faut venir, disais-je souvent
1860 à Manon, quand on veut goûter les vraies douceurs de l'amour. C'est ici qu'on s'aime sans intérêt, sans jalousie, sans inconstance. Nos compatriotes y viennent chercher de l'or ; ils ne s'imaginent pas que nous y avons trouvé des trésors bien plus estimables.

Nous cultivâmes soigneusement l'amitié du Gouverneur. Il eut la
1865 bonté, quelques semaines après notre arrivée, de me donner un petit emploi qui vint à vaquer[1] dans le fort. Quoiqu'il ne fût pas bien distingué, je l'acceptai comme une faveur du Ciel. Il me mettait en état de vivre sans être à charge à personne. Je pris un valet pour moi

....

1. **Qui vint à vaquer** : qui devint vacant, disponible.

et une servante pour Manon. Notre petite fortune s'arrangea. J'étais
1870 réglé dans ma conduite ; Manon ne l'était pas moins. Nous ne lais-
sions point échapper l'occasion de rendre service et de faire du bien
à nos voisins. Cette disposition officieuse[1] et la douceur de nos
manières nous attirèrent la confiance et l'affection de toute la colonie.
Nous fûmes en peu de temps si considérés, que nous passions pour
1875 les premières personnes de la ville après le Gouverneur.

L'innocence de nos occupations, et la tranquillité où nous étions
continuellement, servirent à nous faire rappeler insensiblement des
idées de religion. Manon n'avait jamais été une fille impie[2]. Je n'étais
pas non plus de ces libertins outrés[3], qui font gloire d'ajouter l'irréli-
1880 gion à la dépravation[4] des mœurs. L'amour et la jeunesse avaient
causé tous nos désordres. L'expérience commençait à nous tenir lieu
d'âge ; elle fit sur nous le même effet que les années. Nos conversations, qui étaient toujours réfléchies[5], nous mirent insensiblement
dans le goût d'un amour vertueux. Je fus le premier qui proposai ce
1885 changement à Manon. Je connaissais les principes de son cœur. Elle
était droite et naturelle dans tous ses sentiments, qualité qui dispose
toujours à la vertu. Je lui fis comprendre qu'il manquait une chose à
notre bonheur. C'est, lui dis-je, de le faire approuver du Ciel. Nous
avons l'âme trop belle, et le cœur trop bien fait, l'un et l'autre, pour
1890 vivre volontairement dans l'oubli du devoir. Passe d'y avoir vécu en
France, où il nous était également impossible de cesser de nous aimer
et de nous satisfaire par une voie légitime ; mais en Amérique, où
nous ne dépendons que de nous-mêmes, où nous n'avons plus à
ménager les lois arbitraires du rang et de la bienséance, où l'on nous
1895 croit même mariés, qui empêche que nous ne le soyons bientôt effectivement et que nous n'anoblissions[6] notre amour par des serments

....

1. **Officieuse** : qui aime rendre service.
2. **Impie** : sans religion.
3. **Outrés** : exagérés.
4. **La dépravation** : le dérèglement, la déchéance.
5. **Réfléchies** : recherchées, profondes.
6. **Que nous n'anoblissions** : que nous ne magnifiions.

que la religion autorise ? Pour moi, ajoutai-je, je ne vous offre rien
de nouveau en vous offrant mon cœur et ma main, mais je suis prêt
à vous en renouveler le don au pied d'un autel. Il me parut que ce
1900 discours la pénétrait [1] de joie. Croiriez-vous, me répondit-elle, que j'y
ai pensé mille fois, depuis que nous sommes en Amérique ? La
crainte de vous déplaire m'a fait renfermer ce désir dans mon cœur.
Je n'ai point la présomption [2] d'aspirer à la qualité de votre épouse.
Ah ! Manon, répliquai-je, tu serais bientôt celle d'un roi, si le Ciel
1905 m'avait fait naître avec une couronne. Ne balançons plus. Nous
n'avons nul obstacle à redouter. J'en veux parler dès aujourd'hui au
Gouverneur et lui avouer que nous l'avons trompé jusqu'à ce jour.
Laissons craindre aux amants vulgaires [3], ajoutai-je, les chaînes indissolubles [4] du mariage. Ils ne les craindraient pas s'ils étaient sûrs,
1910 comme nous, de porter toujours celles de l'amour. Je laissai Manon
au comble de la joie, après cette résolution.

Je suis persuadé qu'il n'y a point d'honnête homme au monde qui
n'eût approuvé mes vues dans les circonstances où j'étais, c'est-à-
dire asservi [5] fatalement [6] à une passion que je ne pouvais vaincre et
1915 combattu par des remords que je ne devais point étouffer. Mais se
trouvera-t-il quelqu'un qui accuse mes plaintes d'injustice, si je gémis
de la rigueur du Ciel à rejeter un dessein que je n'avais formé que
pour lui plaire ? Hélas ! que dis-je, à le rejeter ? Il l'a puni comme
un crime. Il m'avait souffert [7] avec patience tandis que je marchais
1920 aveuglément dans la route du vice, et ses plus rudes châtiments
m'étaient réservés lorsque je commençais à retourner à la vertu. Je
crains de manquer de force pour achever le récit du plus funeste [8]
événement qui fût jamais.

....

1. **La pénétrait** : l'inondait, la comblait.
2. **Présomption** : prétention.
3. **Vulgaires** : communs, ordinaires.
4. **Indissolubles** : qu'on ne peut rompre, ni dissoudre.
5. **Asservi** : soumis.
6. **Fatalement** : d'une manière qui mène à la mort.
7. **Souffert** : supporté.
8. **Funeste** : fatal.

J'allai chez le Gouverneur, comme j'en étais convenu avec Manon,
1925 pour le prier de consentir à la cérémonie de notre mariage. Je me
serais bien gardé d'en parler, à lui ni à personne, si j'eusse pu me
promettre que son aumônier [1], qui était alors le seul prêtre de la ville,
m'eût rendu ce service sans sa participation ; mais, n'osant espérer
qu'il voulût s'engager au silence, j'avais pris le parti d'agir ouverte-
1930 ment. Le Gouverneur avait un neveu, nommé Synnelet, qui lui était
extrêmement cher. C'était un homme de trente ans, brave, mais
emporté et violent. Il n'était point marié. La beauté de Manon l'avait
touché dès le jour de notre arrivée ; et les occasions sans nombre
qu'il avait eues de la voir, pendant neuf ou dix mois, avaient tellement
1935 enflammé sa passion, qu'il se consumait en secret pour elle. Cependant, comme il était persuadé, avec son oncle et toute la ville, que
j'étais réellement marié, il s'était rendu maître de son amour jusqu'au
point de n'en laisser rien éclater et son zèle s'était même déclaré pour
moi, dans plusieurs occasions de me rendre service. Je le trouvai avec
1940 son oncle, lorsque j'arrivai au fort. Je n'avais nulle raison qui m'obligeât de lui faire un secret de mon dessein, de sorte que je ne fis point
difficulté de m'expliquer en sa présence. Le Gouverneur m'écouta
avec sa bonté ordinaire. Je lui racontai une partie de mon histoire,
qu'il entendit avec plaisir, et, lorsque je le priai d'assister à la cérémo-
1945 nie que je méditais, il eut la générosité de s'engager à faire toute la
dépense de la fête. Je me retirai fort content.

Une heure après, je vis entrer l'aumônier chez moi. Je m'imaginai
qu'il venait me donner quelques instructions sur mon mariage ; mais,
après m'avoir salué froidement, il me déclara, en deux mots, que
1950 M. le Gouverneur me défendait d'y penser, et qu'il avait d'autres vues
sur Manon. D'autres vues sur Manon ! lui dis-je avec un mortel saisissement de cœur, et quelles vues donc, Monsieur l'aumônier ? Il me
répondit que je n'ignorais pas que M. le Gouverneur était le maître ;
que Manon ayant été envoyée de France pour la colonie, c'était à lui
1955 à disposer d'elle ; qu'il ne l'avait pas fait jusqu'alors, parce qu'il la

....

1. Aumônier : ecclésiastique qui assure le service religieux et procède aux
mariages.

croyait mariée, mais, qu'ayant appris de moi-même qu'elle ne l'était point, il jugeait à propos de la donner à M. Synnelet, qui en était amoureux. Ma vivacité l'emporta sur ma prudence. J'ordonnai fièrement [1] à l'aumônier de sortir de ma maison, en jurant que le Gouverneur, Synnelet et toute la ville ensemble n'oseraient porter la main sur ma femme, ou ma maîtresse, comme ils voudraient l'appeler.

Je fis part aussitôt à Manon du funeste message que je venais de recevoir. Nous jugeâmes que Synnelet avait séduit l'esprit de son oncle depuis mon retour et que c'était l'effet de quelque dessein médité depuis longtemps. Ils étaient les plus forts. Nous nous trouvions dans le Nouvel Orléans comme au milieu de la mer, c'est-à-dire séparés du reste du monde par des espaces immenses. Où fuir ? dans un pays inconnu, désert, ou habité par des bêtes féroces, et par des sauvages aussi barbares qu'elles ? J'étais estimé dans la ville, mais je ne pouvais espérer d'émouvoir assez le peuple en ma faveur, pour en espérer un secours proportionné au mal. Il eût fallu de l'argent ; j'étais pauvre. D'ailleurs, le succès d'une émotion populaire était incertain, et si la fortune nous eût manqué, notre malheur serait devenu sans remède. Je roulais toutes ces pensées dans ma tête. J'en communiquais une partie à Manon. J'en formais de nouvelles sans écouter sa réponse. Je prenais un parti ; je le rejetais pour en prendre un autre. Je parlais seul, je répondais tout haut à mes pensées ; enfin j'étais dans une agitation que je ne saurais comparer à rien parce qu'il n'y en eut jamais d'égale. Manon avait les yeux sur moi. Elle jugeait, par mon trouble, de la grandeur du péril, et, tremblant pour moi plus que pour elle-même, cette tendre fille n'osait pas même ouvrir la bouche pour m'exprimer ses craintes. Après une infinité de réflexions, je m'arrêtai à la résolution d'aller trouver le Gouverneur, pour m'efforcer de le toucher par des considérations d'honneur et par le souvenir de mon respect et de son affection. Manon voulut s'opposer à ma sortie. Elle me disait, les larmes aux yeux : Vous allez à la mort. Ils vont vous tuer. Je ne vous reverrai plus. Je veux mourir

....

1. **Fièrement** : vivement.

avant vous. Il fallut beaucoup d'efforts pour la persuader de la nécessité où j'étais de sortir et de celle qu'il y avait pour elle de demeurer
1990 au logis. Je lui promis qu'elle me reverrait dans un instant. Elle ignorait, et moi aussi, que c'était sur elle-même que devait tomber toute la colère du Ciel et la rage de nos ennemis.

Je me rendis au fort. Le Gouverneur était avec son aumônier. Je m'abaissai, pour le toucher, à des soumissions qui m'auraient fait
1995 mourir de honte si je les eusse faites pour toute autre cause. Je le pris par tous les motifs qui doivent faire une impression certaine sur un cœur qui n'est pas celui d'un tigre féroce et cruel. Ce barbare ne fit à mes plaintes que deux réponses, qu'il répéta cent fois : Manon, me dit-il, dépendait de lui ; il avait donné sa parole à son neveu. J'étais
2000 résolu de me modérer [1] jusqu'à l'extrémité. Je me contentai de lui dire que je le croyais trop de mes amis pour vouloir ma mort, à laquelle je consentirais plutôt qu'à la perte de ma maîtresse.

Je fus trop persuadé, en sortant, que je n'avais rien à espérer de cet opiniâtre [2] vieillard, qui se serait damné [3] mille fois pour son neveu.
2005 Cependant, je persistai dans le dessein de conserver jusqu'à la fin un air de modération, résolu, si l'on en venait aux excès d'injustice, de donner à l'Amérique une des plus sanglantes et des plus horribles scènes que l'amour ait jamais produites. Je retournais chez moi, en méditant sur ce projet, lorsque le sort, qui voulait hâter ma ruine, me
2010 fit rencontrer Synnelet. Il lut dans mes yeux une partie de mes pensées. J'ai dit qu'il était brave ; il vint à moi. Ne me cherchez-vous pas ? me dit-il. Je connais que [4] mes desseins vous offensent [5], et j'ai bien prévu qu'il faudrait se couper la gorge [6] avec vous. Allons voir qui sera le plus heureux. Je lui répondis qu'il avait raison, et qu'il n'y

....

1. **Me modérer** : me contenir.
2. **Opiniâtre** : obstiné, acharné.
3. **Qui se serait damné** : qui aurait attiré sur lui la condamnation et le châtiment de Dieu.
4. **Je connais que** : je sais que.
5. **Offensent** : blessent.
6. **Se couper la gorge** : se battre en duel.

2015 avait que ma mort qui pût finir nos différends [1]. Nous nous écartâmes
d'une centaine de pas hors de la ville. Nos épées se croisèrent ; je le
blessai et je le désarmai presque en même temps. Il fut si enragé de
son malheur, qu'il refusa de me demander la vie et de renoncer à
Manon. J'avais peut-être le droit de lui ôter tout d'un coup l'un et
2020 l'autre, mais un sang généreux ne se dément jamais. Je lui jetai son
épée. Recommençons, lui dis-je, et songez que c'est sans quartier [2].
Il m'attaqua avec une furie inexprimable. Je dois confesser que je
n'étais pas fort dans les armes, n'ayant eu que trois mois de salle [3] à
Paris. L'amour conduisait mon épée. Synnelet ne laissa pas de [4] me
2025 percer le bras d'outre en outre [5], mais je le pris sur le temps et je lui
fournis un coup si vigoureux [6] qu'il tomba à mes pieds sans mouvement. _il l'a tué_

   Malgré la joie que donne la victoire après un combat mortel, je
réfléchis aussitôt sur les conséquences de cette mort. Il n'y avait, pour
2030 moi, ni grâce ni délai de supplice à espérer. Connaissant, comme je
faisais, la passion du Gouverneur pour son neveu, j'étais certain que
ma mort ne serait pas différée d'une heure après la connaissance de
la sienne. Quelque pressante que fût cette crainte, elle n'était pas la
plus forte cause de mon inquiétude. Manon, l'intérêt de Manon, son
2035 péril et la nécessité de la perdre, me troublaient jusqu'à répandre de
l'obscurité sur mes yeux et à m'empêcher de reconnaître le lieu où
j'étais. Je regrettai le sort de Synnelet. Une prompte mort me semblait
le seul remède de mes peines. Cependant, ce fut cette pensée même
qui me fit rappeler vivement mes esprits et qui me rendit capable de
2040 prendre une résolution. Quoi ! je veux mourir, m'écriai-je, pour finir
mes peines ? Il y en a donc que j'appréhende plus que la perte de ce
que j'aime ? Ah ! souffrons jusqu'aux plus cruelles extrémités [7] pour
....

1. **Différends** : désaccords, conflits.
2. **Sans quartier** : sans pitié, sans demander grâce.
3. **Salle** : lieu où l'on s'entraîne à l'escrime.
4. **Ne laissa pas de** : ne manqua pas de.
5. **D'outre en outre** : de part en part.
6. **Vigoureux** : fort, puissant.
7. **Extrémités** : violences, souffrances.

secourir ma maîtresse, et remettons à mourir après les avoir souffertes inutilement. Je repris le chemin de la ville. J'entrai chez moi. J'y trou-
2045 vai Manon à demi morte de frayeur et d'inquiétude. Ma présence la ranima. Je ne pouvais lui déguiser le terrible accident qui venait de m'arriver. Elle tomba sans connaissance entre mes bras, au récit de la mort de Synnelet et de ma blessure. J'employai plus d'un quart d'heure à lui faire retrouver le sentiment [1].

2050 J'étais à demi mort moi-même. Je ne voyais pas le moindre jour à sa sûreté, ni à la mienne. Manon, que ferons-nous ? lui dis-je lorsqu'elle eut repris un peu de force. Hélas ! qu'allons-nous faire ? Il faut nécessairement que je m'éloigne. Voulez-vous demeurer dans la ville ? Oui, demeurez-y. Vous pouvez encore y être heureuse ; et
2055 moi, je vais, loin de vous, chercher la mort parmi les sauvages ou entre les griffes des bêtes féroces. Elle se leva malgré sa faiblesse ; elle me prit par la main, pour me conduire vers la porte. Fuyons ensemble, me dit-elle, ne perdons pas un instant. Le corps de Synne-let peut avoir été trouvé par hasard, et nous n'aurions pas le temps
2060 de nous éloigner. Mais, chère Manon ! repris-je tout éperdu, dites-moi donc où nous pouvons aller. Voyez-vous quelque ressource ? Ne vaut-il pas mieux que vous tâchiez de vivre ici sans moi, et que je porte volontairement ma tête au Gouverneur ? Cette proposition ne fit qu'augmenter son ardeur [2] à partir. Il fallut la suivre. J'eus encore
2065 assez de présence d'esprit, en sortant, pour prendre quelques liqueurs fortes que j'avais dans ma chambre et toutes les provisions que je pus faire entrer dans mes poches. Nous dîmes à nos domestiques, qui étaient dans la chambre voisine, que nous partions pour la prome-nade du soir, nous avions cette coutume tous les jours, et nous nous
2070 éloignâmes de la ville, plus promptement que la délicatesse [3] de Manon ne semblait le permettre.

Quoique je ne fusse pas sorti de mon irrésolution sur le lieu de notre retraite [4], je ne laissais pas d'avoir deux espérances, sans les-quelles j'aurais préféré la mort à l'incertitude de ce qui pouvait arriver

....

1. **Lui faire retrouver le sentiment** : la ranimer.
2. **Ardeur** : brûlant désir, empressement.
3. **Délicatesse** : faiblesse.
4. **Le lieu de notre retraite** : le lieu où l'on pouvait se mettre à couvert.

2075 à Manon. J'avais acquis assez de connaissance du pays, depuis près de dix mois que j'étais en Amérique, pour ne pas ignorer de quelle manière on apprivoisait les sauvages. On pouvait se mettre entre leurs mains, sans courir à une mort certaine. J'avais même appris quelques mots de leur langue et quelques-unes de leurs coutumes dans les

2080 diverses occasions que j'avais eues de les voir. Avec cette triste ressource, j'en avais une autre du côté des Anglais qui ont, comme nous, des établissements [1] dans cette partie du Nouveau Monde. Mais j'étais effrayé de l'éloignement. Nous avions à traverser, jusqu'à leurs colonies, de stériles campagnes de plusieurs journées de largeur, et

2085 quelques montagnes si hautes et si escarpées que le chemin en paraissait difficile aux hommes les plus grossiers et les plus vigoureux. Je me flattais, néanmoins, que nous pourrions tirer parti de ces deux ressources : des sauvages pour aider à nous conduire, et des Anglais pour nous recevoir dans leurs habitations.

2090 Nous marchâmes aussi longtemps que le courage de Manon put la soutenir, c'est-à-dire environ deux lieues [2], car cette amante incomparable refusa constamment de s'arrêter plus tôt. Accablée enfin de lassitude, elle me confessa qu'il lui était impossible d'avancer davantage. Il était déjà nuit. Nous nous assîmes au milieu d'une vaste plaine,

2095 sans avoir pu trouver un arbre pour nous mettre à couvert [3]. Son premier soin fut de changer le linge de ma blessure, qu'elle avait pansée [4] elle-même avant notre départ. Je m'opposai en vain à ses volontés. J'aurais achevé de l'accabler mortellement, si je lui eusse refusé la satisfaction de me croire à mon aise et sans danger, avant

2100 que de penser à sa propre conservation. Je me soumis durant quelques moments à ses désirs. Je reçus ses soins en silence et avec honte. Mais, lorsqu'elle eut satisfait sa tendresse, avec quelle ardeur la mienne ne prit-elle pas son tour ! Je me dépouillai de tous mes habits, pour lui faire trouver la terre moins dure en les étendant sous

....

1. **Établissements** : implantations, colonies.
2. **Deux lieues** : environ huit kilomètres.
3. **À couvert** : à l'abri.
4. **Qu'elle avait pansée** : qu'elle avait soignée, recouverte d'un pansement.

2105 elle. Je la fis consentir, malgré elle, à me voir employer à son usage tout ce que je pus imaginer de moins incommode. J'échauffai [1] ses mains par mes baisers ardents et par la chaleur de mes soupirs. Je passai la nuit entière à veiller près d'elle, et à prier le Ciel de lui accorder un sommeil doux et paisible. Ô Dieu ! que mes vœux
2110 étaient vifs et sincères ! et par quel rigoureux jugement aviez-vous résolu de ne les pas exaucer !

Pardonnez, si j'achève en peu de mots un récit qui me tue. Je vous raconte un malheur qui n'eut jamais d'exemple. Toute ma vie est destinée à le pleurer. Mais, quoique je le porte sans cesse dans ma
2115 mémoire, mon âme semble reculer d'horreur, chaque fois que j'entreprends de l'exprimer.

Nous avions passé tranquillement une partie de la nuit. Je croyais ma chère maîtresse endormie et je n'osais pousser le moindre souffle, dans la crainte de troubler son sommeil. Je m'aperçus dès le point du
2120 jour, en touchant ses mains, qu'elle les avait froides et tremblantes. Je les approchai de mon sein, pour les échauffer. Elle sentit ce mouvement, et, faisant un effort pour saisir les miennes, elle me dit, d'une voix faible, qu'elle se croyait à sa dernière heure. Je ne pris d'abord ce discours que pour un langage ordinaire dans l'infortune, et je n'y
2125 répondis que par les tendres consolations de l'amour. Mais, ses soupirs fréquents, son silence à mes interrogations, le serrement de ses mains, dans lesquelles elle continuait de tenir les miennes me firent connaître que la fin de ses malheurs approchait. N'exigez point de moi que je vous décrive mes sentiments, ni que je vous rapporte ses
2130 dernières expressions. Je la perdis ; je reçus d'elle des marques d'amour, au moment même qu'elle expirait [2]. C'est tout ce que j'ai la force de vous apprendre de ce fatal et déplorable événement.

Mon âme ne suivit pas la sienne. Le Ciel ne me trouva point, sans doute, assez rigoureusement puni [3]. Il a voulu que j'aie traîné, depuis,

....

1. **J'échauffai** : je réchauffai.
2. **Qu'elle expirait** : qu'elle délivrait son dernier souffle, qu'elle mourait.
3. **Assez rigoureusement puni** : puni avec assez de dureté.

2135 une vie languissante et misérable. Je renonce volontairement à la
mener jamais plus heureuse.

Je demeurai plus de vingt-quatre heures la bouche attachée sur le
visage et sur les mains de ma chère Manon. Mon dessein était d'y
mourir ; mais je fis réflexion, au commencement du second jour, que
2140 son corps serait exposé, après mon trépas [1], à devenir la pâture [2] des
bêtes sauvages. Je formai la résolution de l'enterrer et d'attendre la
mort sur sa fosse [3]. J'étais déjà si proche de ma fin, par l'affaiblisse-
ment que le jeûne et la douleur m'avaient causé, que j'eus besoin de
quantité d'efforts pour me tenir debout. Je fus obligé de recourir aux
2145 liqueurs que j'avais apportées. Elles me rendirent autant de force qu'il
en fallait pour le triste office [4] que j'allais exécuter. Il ne m'était pas
difficile d'ouvrir la terre, dans le lieu où je me trouvais. C'était une
campagne couverte de sable. Je rompis mon épée, pour m'en servir
à creuser, mais j'en tirai moins de secours que de mes mains. J'ouvris
2150 une large fosse. J'y plaçai l'idole [5] de mon cœur, après avoir pris soin
de l'envelopper de tous mes habits, pour empêcher le sable de la
toucher. Je ne la mis dans cet état qu'après l'avoir embrassée mille
fois, avec toute l'ardeur du plus parfait amour. Je m'assis encore près
d'elle. Je la considérai longtemps. Je ne pouvais me résoudre à fermer
2155 la fosse. Enfin, mes forces recommençant à s'affaiblir, et craignant
d'en manquer tout à fait avant la fin de mon entreprise, j'ensevelis
pour toujours dans le sein de la terre ce qu'elle avait porté de plus
parfait et de plus aimable. Je me couchai ensuite sur la fosse, le visage
tourné vers le sable, et fermant les yeux avec le dessein de ne les
2160 ouvrir jamais, j'invoquai le secours du Ciel et j'attendis la mort avec
impatience. Ce qui vous paraîtra difficile à croire, c'est que, pendant
tout l'exercice de ce lugubre ministère [6], il ne sortit point une larme

....
1. **Mon trépas** : ma mort.
2. **Pâture** : nourriture.
3. **Fosse** : trou où l'on dépose le cadavre.
4. **Office** : devoir.
5. **Idole** : objet d'un culte.
6. **Ce lugubre ministère** : cette occupation sacrée concernant la mort.

de mes yeux ni un soupir de ma bouche. La consternation profonde où j'étais et le dessein déterminé de mourir avaient coupé le cours à
2165 toutes les expressions du désespoir et de la douleur. Aussi, ne demeurai-je pas longtemps dans la posture où j'étais sur la fosse, sans perdre le peu de connaissance et de sentiment qui me restait.

Après ce que vous venez d'entendre, la conclusion de mon histoire est de si peu d'importance, qu'elle ne mérite pas la peine que vous
2170 voulez bien prendre à l'écouter. Le corps de Synnelet ayant été rapporté à la ville et ses plaies visitées[1] avec soin, il se trouva, non seulement qu'il n'était pas mort, mais qu'il n'avait pas même reçu de blessure dangereuse. Il apprit à son oncle de quelle manière les choses s'étaient passées entre nous, et sa générosité le porta sur-le-
2175 champ à publier les effets de la mienne. On me fit chercher, et mon absence, avec Manon, me fit soupçonner d'avoir pris le parti de la fuite. Il était trop tard pour envoyer sur mes traces ; mais le lendemain et le jour suivant furent employés à me poursuivre. On me trouva, sans apparence de vie, sur la fosse de Manon, et ceux qui me décou-
2180 vrirent en cet état, me voyant presque nu et sanglant de ma blessure, ne doutèrent point que je n'eusse été volé et assassiné. Ils me portèrent à la ville. Le mouvement du transport réveilla mes sens. Les soupirs que je poussai, en ouvrant les yeux et en gémissant de me retrouver parmi les vivants, firent connaître que j'étais encore en état
2185 de recevoir du secours. On m'en donna de trop heureux. Je ne laissai pas d'être renfermé dans une étroite prison. Mon procès fut instruit[2], et, comme Manon ne paraissait point, on m'accusa de m'être défait d'elle par un mouvement de rage et de jalousie. Je racontai naturellement ma pitoyable[3] aventure. Synnelet, malgré les transports de dou-
2190 leur où ce récit le jeta, eut la générosité de solliciter ma grâce[4]. Il l'obtint. J'étais si faible qu'on fut obligé de me transporter de la

....

1. **Visitées** : observées, étudiées.
2. **Mon procès fut instruit** : les éléments nécessaires à mon procès furent rassemblés.
3. **Pitoyable** : qui éveille la pitié, la compassion.
4. **Solliciter ma grâce** : demander que je sois innocenté.

prison dans mon lit, où je fus retenu pendant trois mois par une violente maladie. Ma haine pour la vie ne diminuait point. J'invoquais continuellement la mort et je m'obstinai longtemps à rejeter tous les remèdes. Mais le Ciel, après m'avoir puni avec tant de rigueur, avait dessein de me rendre utiles mes malheurs et ses châtiments. Il m'éclaira de ses lumières, qui me firent rappeler des idées dignes de ma naissance et de mon éducation. La tranquillité ayant commencé de renaître un peu dans mon âme, ce changement fut suivi de près par ma guérison. Je me livrai entièrement aux inspirations [1] de l'honneur, et je continuai de remplir mon petit emploi, en attendant les vaisseaux de France qui vont, une fois chaque année, dans cette partie de l'Amérique. J'étais résolu de retourner dans ma patrie pour y réparer, par une vie sage et réglée, le scandale de ma conduite. Synnelet avait pris soin de faire transporter le corps de ma chère maîtresse dans un lieu honorable.

Ce fut environ six semaines après mon rétablissement que, me promenant seul, un jour, sur le rivage, je vis arriver un vaisseau que des affaires de commerce amenaient au Nouvel Orléans. J'étais attentif au débarquement de l'équipage. Je fus frappé d'une surprise extrême en reconnaissant Tiberge parmi ceux qui s'avançaient vers la ville. Ce fidèle ami me remit de loin, malgré les changements que la tristesse avait faits sur mon visage. Il m'apprit que l'unique motif de son voyage avait été le désir de me voir et de m'engager à [2] retourner en France ; qu'ayant reçu la lettre que je lui avais écrite du Havre, il s'y était rendu en personne pour me porter les secours que je lui demandais ; qu'il avait ressenti la plus vive douleur en apprenant mon départ et qu'il serait parti sur-le-champ pour me suivre, s'il eût trouvé un vaisseau prêt à faire voile ; qu'il en avait cherché pendant plusieurs mois dans divers ports et qu'en ayant enfin rencontré un, à Saint-Malo, qui levait l'ancre pour la Martinique, il s'y était embarqué, dans l'espérance de se procurer de là un passage facile au Nouvel

....

1. **Inspirations** : mouvement intérieurs.
2. **M'engager à** : me persuader de.

Orléans : que, le vaisseau malouin [1] ayant été pris en chemin par des corsaires [2] espagnols et conduit dans une de leurs îles, il s'était échappé par adresse ; et qu'après diverses courses, il avait trouvé l'occasion du petit bâtiment qui venait d'arriver, pour se rendre heureusement [3] près de moi.

Je ne pouvais marquer trop de reconnaissance pour un ami si généreux et si constant. Je le conduisis chez moi. Je le rendis le maître de tout ce que je possédais. Je lui appris tout ce qui m'était arrivé depuis mon départ de France, et pour lui causer une joie à laquelle il ne s'attendait pas, je lui déclarai que les semences de vertu qu'il avait jetées autrefois dans mon cœur commençaient à produire des fruits dont il allait être satisfait. Il me protesta qu'une si douce assurance le dédommageait [4] de toutes les fatigues de son voyage.

Nous avons passé deux mois ensemble au Nouvel Orléans, pour attendre l'arrivée des vaisseaux de France, et nous étant enfin mis en mer, nous prîmes terre [5], il y a quinze jours, au Havre-de-Grâce. J'écrivis à ma famille en arrivant. J'ai appris, par la réponse de mon frère aîné, la triste nouvelle de la mort de mon père, à laquelle je tremble, avec trop de raison, que mes égarements n'aient contribué. Le vent étant favorable pour Calais [6] je me suis embarqué aussitôt, dans le dessein de me rendre à quelques lieues de cette ville, chez un gentilhomme de mes parents, où mon frère m'écrit qu'il doit attendre mon arrivée.

tragédie

il retourne en France

....

1. **Malouin** : originaire de Saint-Malo.
2. **Corsaires** : pirates.
3. **Heureusement** : d'une façon favorable.
4. **Le dédommageait** : le consolait.
5. **Nous prîmes terre** : nous débarquâmes.
6. **Calais** : port du nord de la France.

D'après Paul Dagnan-Bouveret, *L'Enterrement de Manon Lescaut*, 1878.

TOUT POUR RÉUSSIR

LE PARCOURS
+
VERS LE BAC

Personnages en marge, plaisirs du romanesque

L'intitulé du parcours associé invite à prendre en compte deux niveaux d'analyse : d'une part, celui de la fiction, qui présente les aventures romanesques de personnages en marge de la société ; d'autre part, celui de la réception, qui implique le plaisir de la lecture.

➤ La marginalité heureuse dans les romans

La question de la « marginalité » est complexe, dans la mesure où son appréciation dépend du point de vue adopté. En effet, entrevu comme négatif par la société, un phénomène de marginalité peut pourtant combler l'individu, auquel il est susceptible de conférer un surcroît de joie. De même, à l'opposé, il est des marginalités qui accablent les personnages qui les incarnent sans pour autant provoquer de rejet de la part d'un **lecteur tout entier versé dans le plaisir d'une immersion gratuite dans l'univers romanesque.** Toutefois, l'intitulé « personnages en marge » invite à interroger un écart volontaire à l'égard du corps social. À ce titre, la marginalité joyeuse que nous évoquons vaut comme **dénonciation d'un réel décevant**, et peut revêtir deux formes : d'une part, elle concerne **des personnages qui se séparent volontairement des autres** pour s'isoler de la société et se nourrir de leur propre solitude ; d'autre part, elle naît de la **transgression des limites**, du franchissement des interdits.

La fuite hors du monde

La thématique des « personnages en marge » se rapporte essentiellement à l'époque pré-romantique dans laquelle fleurit l'idée d'une **inadéquation de l'homme à un monde gagné par la corruption des mœurs**

et les progrès du matérialisme. En réaction au poids de plus en plus marqué du commerce et de la **place importante donnée à l'argent dans la société**, les écrivains doués d'une sensibilité romanesque, et porteurs d'un idéal spirituel qui se refuse de réduire l'homme à ses possessions, ne trouvent leur bonheur que dans l'échappée imaginaire au sein d'une nature vierge de toute présence. Ainsi, dans la lettre XI de son roman épistolaire *Oberman* (1804), Étienne Pivert de Senancour donne la parole à un héros qui se plaît à arpenter la forêt de Fontainebleau, en quête de « ces sables mobiles, dont nul pas d'homme ne marquait l'aride surface sillonnée çà et là par la trace inquiète de la biche ou du lièvre en fuite [1] ». La marginalité heureuse consiste ici en un **repli sur la nature**, voire en un fantasme de régression vers l'origine. Dans la cinquième promenade des *Rêveries du promeneur solitaire* (1776-1778), Jean-Jacques Rousseau [2] évoque son séjour sur une île au milieu du lac de Bienne, en Suisse, et affirme y avoir passé « le temps le plus heureux de [sa] vie ». Partageant les mêmes sentiments qu'Oberman, le philosophe se range dans la catégorie de ces « contemplatifs solitaires qui aiment à s'enivrer à loisir des charmes de la nature, et à se recueillir dans un silence que ne trouble aucun autre bruit que le cri des aigles, le ramage entrecoupé de quelques oiseaux, et le roulement des torrents qui tombent de la montagne [3] ». **Le plaisir de l'individu provient alors de sa situation en marge**, à l'écart de ses pairs, en communion avec un espace naturel et solitaire.

Pourtant, au sein même de cet espace d'isolement, il est possible de connaître des rencontres d'un type nouveau, et de reconstruire un lien affectif. C'est tout l'objet du romanesque à l'œuvre dans *La Chartreuse de Parme* de Stendhal : le héros délaisse son désir ambitieux de conquête du monde au profit d'une **quête vertueuse de soi-même**, qui passe par l'amour. Fabrice del Dongo ne trouve son salut que

....

1. Étienne Pivert de Senancour, *Oberman*, Paris, Charpentier, 1852, p. 78.
2. **Jean-Jacques Rousseau** (1712-1778) est un philosophe des Lumières.
3. Jean-Jacques Rousseau, *Les Rêveries du promeneur solitaire*, Flammarion, « GF », 2012, p. 95.

lorsqu'il est écarté des hommes et enfermé au sommet de la terrifiante tour Farnèse – lieu qui exprime plus que tout autre la marginalité. En effet, sa fenêtre donnant sur celle de Clélia, fille du général Conti, il se met à imaginer un langage fait de jeux de reflets, de mots griffonnés sur ses mains, de messages inscrits sur des pages de livres arrachées pour l'occasion : une expression libre recréée par l'amour. **C'est donc hors du cadre social commun que naît le bonheur du sujet.**

La transgression des limites

Certains personnages romanesques choisissent de **s'intégrer à la société pour mieux en déjouer les rouages** à des fins opportunistes. Il s'agit souvent de délinquants ou de figures immorales, en délicatesse avec les règles de la bienséance et bafouant les interdits. Dans le roman réaliste du XIXe siècle, il existe une profusion de ce type d'individus : nous pouvons évoquer par exemple Georges Duroy qui, dans *Bel-Ami* de Maupassant, est d'abord un marginal sans le sou à la recherche de sa subsistance, puis un intrigant qui se hisse jusqu'aux plus hautes fonctions de l'État en transgressant, en trompant, en volant et en trichant. De même, dans *La Curée* de Zola, le personnage d'Aristide Rougon (dit Saccard) est défini par l'auteur comme « un homme enjambant tous les obstacles, ne s'arrêtant en chemin que pour jouir. [...] Une volonté en somme, dans le mal, dans la coquinerie, volonté privée de sens moral et acceptant tout [1] ».

Plusieurs auteurs ont quant à eux embrassé le destin à la marge de leurs propres héros, menant une vie tumultueuse (Sade, Jean Genet, Céline). Mises en regard de leur œuvre, leurs existences nous interrogent nécessairement sur le statut de l'artiste et le métier d'écrivain. **L'acte d'écrire**, d'imaginer, de franchir les limites du réel en inventant d'autres possibles, **cet acte-là n'est-il pas en lui-même un acte de marginalisation ?** Dans l'« Avant-propos » de son célèbre roman *Le Voleur* (1897), Georges Darien affirme avoir volé l'ouvrage dont

....

1. *Documents préparatoires de l'« Avant-Propos » de La Curée*, NAF 10282, f° 294, 322.

il se présente comme l'auteur officiel. De la sorte, il s'exclut de la normalité littéraire et détourne la préface de ses fonctions habituelles, érigeant le lecteur en complice de son forfait, un forfait assumé avec humour : « J'avoue mon crime. Je ne cherche pas à éluder les responsabilités de ma mauvaise action ; et je suis prêt à comparaître, s'il le faut, devant le Procureur du Roi. (Ça se passe en Belgique) [1]. »

➤ Marginalités romanesques et plaisirs de la lecture

Les aventures romanesques de « personnages en marge » confèrent un plaisir de lecture certain, dans la mesure où elles peuvent fonctionner comme des compensations imaginaires par lesquelles le lecteur se donne l'**illusion de vivre par procuration des situations anticonformistes, dangereuses ou extraordinaires**. C'est vrai aussi bien dans les cas où la marginalité est revendiquée par les héros (le public partage alors leur délectation) que dans les occurrences où elle est subie (la lecture suscite alors de la pitié). Les grandes icônes marginales permettent des évasions romanesques à peu de frais – un roman de Sade [2], de Laclos [3], de Crébillon fils [4], mais encore (plus

....

1. Georges Darien, *Le Voleur*, Gallimard, 1987, p. 7.
2. Le **marquis de Sade** (1740-1814), qui, en raison de multiples scandales de mœurs et de débauches, a passé la quasi-totalité de sa vie en prison, est un écrivain libertin très controversé. Il est l'auteur de romans de la cruauté ayant donné lieu à l'invention de la vogue du « sadisme » (tendance transgressive et perverse des êtres prenant du plaisir dans l'acte de faire souffrir autrui). Parmi ses œuvres les plus célèbres, nous notons les *Cent-Vingt Journées de Sodome* (1785), *La Philosophie dans le boudoir* (1795) et *Les Crimes de l'amour* (1800).
3. **Choderlos de Laclos** (1741-1803) est l'auteur d'un célèbre roman épistolaire, *Les Liaisons dangereuses* (1782). Succès de librairie et scandale de société, cette œuvre met en scène deux libertins – le vicomte de Valmont et la marquise de Merteuil – qui tentent de corrompre une jeune fille pure, Cécile de Volanges, et une femme mûre, pieuse et bigote, Mme de Tourvel.
4. **Crébillon fils** (1707-1777) est un célèbre auteur libertin du siècle des Lumières, ennemi de la religion et du conformisme. Porteur d'une vision pessimiste de la société, il ne voit de salut que dans le désir et le plaisir, et considère l'amour

près de nous) de Selby Jr.[1], de William Burroughs[2] ou de Bret Easton Ellis est à même de nous faire goûter des plaisirs interdits, voire illicites, qui ne sont pas sans intérêt.

Il peut arriver également qu'un auteur mette en scène dans sa structure romanesque **des personnages qui sont aussi des figures de lecteur**. C'est le cas du fameux don Quichotte, héros éponyme du célèbre roman de Cervantès (1605). En effet, ayant l'âme pétrie de ses lectures de romans de chevalerie, ce personnage croit pouvoir transposer les actions des héros de fiction dans la réalité, mais il est victime de sa naïveté et de son inexpérience. La scène où il prend des moulins pour des géants symbolise les dangers d'une imagination romanesque incontrôlée. De même, c'est pour échapper à l'ennui d'une vie morose et au « mal du siècle[3] » romantique qu'Emma Bovary se « graiss[e] [...] les mains à cette poussière des vieux cabinets de lecture[4] » et se

....

comme une force négative qui dégrade les individus. C'est à une telle leçon que nous invitent par exemple *Les Égarements du cœur et de l'esprit* (1736-1738).

1. **Hubert Selby Jr.** (1928-2004) est un écrivain américain du XXe siècle. Il intègre la marine marchande à seize ans, contracte la tuberculose et est hospitalisé plusieurs années (de 1946 à 1950). Il est ensuite entraîné dans le cycle infernal des maladies, de la drogue, de l'enfermement psychiatrique et carcéral. Pour sortir de ce cercle vicieux, il se met à écrire. Son roman *Last Exit to Brooklyn* (1964), largement inspiré de ses déboires autobiographiques, lui permet d'accéder à la consécration, de dépasser ses problèmes personnels, et lui ouvre les portes d'une carrière prolifique.

2. **William Burroughs** (1914-1997) est, avec Jack Kerouac, le chef de file de la *beat generation*, mouvement littéraire et artistique né autour des années 1950 et promouvant le libertarisme et la libéralisation des mœurs. Successivement publicitaire, détective privé et destructeur de parasites à Chicago, Burroughs quitte les États-Unis en 1950. Il parcourt alors le Mexique, mais aussi l'Angleterre et la France, avant de s'installer à Tanger. Il est l'auteur de *Junkie* (1953) ou du *Festin nu* (1959). Ses romans sont d'abord interdits : ils mettent en scène l'univers de la drogue et ses excès.

3. Expression évoquée et théorisée par Alfred de Musset dans *La Confession d'un enfant du siècle*. Voir le chap. II.

4. Gustave Flaubert, *Madame Bovary*, Flammarion, « Étonnants Classiques », 2014, p. 96.

perd dans les spéculations romanesques diverses – qui vont des romans d'amour aux fresques historiques. La lecture est alors un refuge qui coupe de la réalité et dans lequel il est possible d'oublier les déceptions de son existence. **En marge par rapport aux idéaux bourgeois de son temps, Emma rejette le conformisme et rêve d'extraordinaire** : « Elle aurait voulu vivre dans quelque vieux manoir, comme ces châtelaines au long corsage, qui, sous le trèfle des ogives, passaient leurs jours, le coude sur la pierre et le menton dans la main, à regarder venir du fond de la campagne un cavalier à plume blanche qui galope sur un cheval noir [1]. » L'auteur se moque des croyances enfantines de son personnage qui se forge une vision idéalisée de la vie héroïque que mènent les dames d'exception et les princesses sublimées par la littérature. Le plaisir de son roman tient dans l'écart entre les représentations d'Emma et le regard critique que porte le lecteur sur celles-ci. Finalement, la femme de Charles Bovary se résoudra à trouver un amant pour **expérimenter, par l'infidélité, par la transgression des codes et des usages, de nouvelles configurations du désir** susceptibles de redonner du sel à sa vie et de réenchanter son monde. Elle ne fera que se marginaliser davantage en rompant sa foi envers son mari et en brisant les liens sacrés du mariage pour suivre la **mode romantique de l'amour passionnel**.

Dans ces deux romans, c'est le plaisir de la lecture lui-même qui devient marginalisant, quand il est poussé à l'excès et qu'il conduit à fuir le monde.

....
1. *Ibid.*

Marginalité et plaisirs dans Manon Lescaut

➤ **Un couple qui transgresse la morale ?**

Persécutés tout au long du roman, condamnés par diverses autorités (morales, sociales, religieuses), Manon et des Grieux sont sans conteste des personnages en marge de la société d'Ancien Régime. Trois causes peuvent expliquer le rejet dont ils sont victimes.

Deux tempéraments inadaptés

Aiguillonnée par son penchant pour les plaisirs de la chair, Manon est une figure sulfureuse que des Grieux rencontre par hasard. Doté d'une imagination qui le tire vers les **tendances courtoises de l'amour inconditionnel**, le héros s'attache immédiatement à cette amante, qu'il idéalise et qui devient l'unique support de sa passion. C'est ainsi leurs caractères respectifs (bien qu'antithétiques) qui amènent les amants à transgresser les cadres conventionnels de la société et à braver tous les interdits pour se réaliser.

Le manque d'argent

L'argent est, dans une perspective pré-romantique, un opposant à l'amour. C'est lui qui pousse Manon dans les bras d'amants multiples ; c'est lui qui contraint des Grieux à trouver des expédients pour garder près de lui celle dont le train de vie exorbitant nécessite une aisance matérielle ou une fortune relative ; c'est lui qui attire le héros vers les jeux de hasard, puis vers des entités sombres du Paris interlope (Lescaut, les membres de la Ligue de l'Industrie) ; c'est encore lui qui conduit les personnages vers des projets d'extorsion qui les rejettent en marge de la loi.

Un attachement immodéré à la liberté

Désireux de donner libre cours à leurs désirs, Manon et des Grieux ne cessent d'être freinés dans leur élan romanesque vers la quête du bien suprême qu'est l'amour ; mis en prison à plusieurs reprises, ils sont alors à la fois séparés du monde et arrachés l'un à l'autre. Mais, lorsqu'ils quittent le continent dans l'espoir d'une existence sans contraintes en **Amérique**, ils découvrent les confins du monde connu par l'auteur et les Européens de leur temps. **Acculés dans cette marge extrême**, ils n'ont plus d'autre échappatoire que la mort : « Où fuir ? dans un pays inconnu, désert, ou habité par des bêtes féroces, et par des sauvages aussi barbares qu'elles ? » (p. 209).

➤ Des personnages romanesques et « au-dessus du vulgaire » ?

Une sensibilité exacerbée...

Nous pouvons définir le « romanesque » comme ce qui a trait aux aventures du sentiment et de l'imagination. Des personnages romanesques sont des **personnages dominés par leurs tendances à la passion, à la rêverie, par leur goût des fantaisies et la recherche des plaisirs** qu'ils pensent à même de leur procurer de l'évasion. Plus encore, ils semblent se distinguer du commun des hommes par une sensibilité exacerbée. Dès le début du roman, contant sa rencontre avec des Grieux dans une auberge de Pacy, Renoncour évoque la façon dont, parmi « douze filles [...] enchaînées six par six par le milieu du corps », la personnalité de Manon ressortait. D'emblée, l'héroïne est exhibée comme une figure à part, extraordinaire : « [...] il y en avait une dont l'air et la figure étaient si peu conformes à sa condition, qu'en tout autre état je l'eusse prise pour une personne du premier rang » (p. 48). Des Grieux a d'ailleurs conscience de cette différence qui le caractérise, ainsi que son amante. C'est ce qu'il confie à Renoncour lorsqu'il lui raconte son enfermement à Saint-Lazare et qu'il affirme que « peu de personnes [...] connaissent la force [des] mouvements particuliers » (p. 110) qu'il ressent alors en son « cœur ». Selon lui, en effet, les hommes en général ne sont mus que par « cinq ou six passions, dans le cercle desquelles leur vie se passe, et où toutes leurs agitations se réduisent » (p. 110). Or le héros s'exclut de cette règle et se range dans la catégorie des « personnes d'un caractère plus noble [pouvant] être remuées de mille façons différentes » et possédant ainsi une « grandeur qui les élève au-dessus du vulgaire » (p. 110).

... jusque dans les émotions les plus violentes

Le chevalier paraît être traversé d'**émotions particulièrement violentes** dans les moments où son amour pour Manon connaît des obstacles tangibles. C'est ce dont rendent compte l'abondance d'une ponctuation affective (interrogations, exclamations) et la forte présence d'apostrophes et de jurons qui mettent en évidence la prégnance des passions négatives (jalousie, colère...) sur l'âme du héros. Ce dernier peut ainsi passer des démonstrations amoureuses les plus enthousiastes à la proféraction de malédictions féroces, comme c'est le cas quand Manon lui propose une jeune fille pour le consoler de son absence et qu'il crie à la « dissimulation » avant de lancer : « Je vois mieux que jamais que tu n'es qu'une coquine et une perfide. C'est à présent que je connais ton misérable caractère. Adieu, lâche créature » (p. 166).

➤ Une narration plaisante

Dans *Manon Lescaut*, la narration revêt une double dimension plaisante. D'une part, elle plaît à celui qui la reçoit, de manière fictive (Renoncour) ou réelle (nous, lecteurs et lectrices). D'autre part, elle confère des sentiments agréables à ceux-là mêmes qui la prennent en charge.

Le plaisir procuré par le contenu narratif

En premier lieu, loin d'être aux yeux du narrateur une tare, le romanesque dont font preuve les deux amants procure une **dimension
plaisante** au roman pour celles et ceux qui le lisent. Ainsi, dès « L'avis
de l'auteur », c'est la promesse du « plaisir d'une lecture agréable »
(p. 42) qui nous est faite. D'ailleurs, **Renoncour met lui-même en
scène son propre plaisir en endossant le costume de narrataire** et en
se représentant dans la posture attentive de l'auditeur qui se grise du
récit qu'il entend. À la fin de la première partie, il évoque la manière
dont ses amis et lui réagissent à la prestation de des Grieux : « Notre
attention lui fit juger que nous l'avions écouté avec plaisir » (p. 140).
De même, il nous est dit plus loin par le chevalier que le Gouverneur
avait « entend[u] » son « histoire [...] avec plaisir » (p. 208). Renoncour et le Gouverneur représentent alors des **figures de lecteur idéales**
auxquelles Prévost aimerait sans doute que nous nous identifiions
nous-même.

La consolation ressentie par celui qui raconte

En second lieu, il semblerait que le héros, narrateur interne de ses
propres aventures, prenne goût à dérouler le récit de son histoire.
Aussi Renoncour poursuit-il à propos du chevalier : « Il nous assura
que nous trouverions quelque chose encore de plus intéressant dans
la suite de son histoire » (p. 140). De fait, **des Grieux tend à devenir
romancier au fur et à mesure de son parcours**, se prenant au jeu de
la narration de sa vie tumultueuse. Toutefois, cette qualité ne lui
échoit pas uniquement, puisque nombre de personnages paraissent
l'imiter en s'érigeant eux-mêmes en conteurs. C'est le cas de Marcel,
qui se laisse aller à « une pensée fort plaisante » (p. 171) en imaginant
une vengeance possible de son maître envers G... M..., ou de Manon
qui, par exemple, à la fin d'une journée de promenade au bois de
Boulogne, lui « fit mille peintures plaisantes de la manière dont elle
avait passé le jour » (p. 147). **L'héroïne ne cesse d'ailleurs d'inventer
des romans ou des farces** qu'elle met en œuvre avec artifice au cœur

même de la fiction. Il n'est que d'évoquer la façon dont elle congédie le prince italien, s'accordant le plaisir d'une mise en scène dont il est la dupe, puis se faisant « un second plaisir de [...] faire entrer [des Grieux] dans son plan » (p. 150).

Ainsi, les « plaisirs du romanesque » renvoient aux événements décrits dans la fiction, mais aussi à la manière même dont l'histoire est contée. Inventés avec fantaisie et facétie, ces procédés narratifs suscitent des enchâssements multiples et des mises en abyme qui renforcent davantage encore le plaisir littéraire.

Les violences de la marginalité amoureuse

➤ Texte n° 1 : Charles Perrault, *La Barbe bleue*

Dans son texte intitulé *La Barbe bleue*, reprise d'un conte populaire transmis par une longue tradition, Charles Perrault met en scène un personnage d'amant maléfique, sorte d'ogre amoureux disgracieux et terrifiant, qui attire les femmes grâce à ses richesses avant de les assassiner et de les entasser dans un petit cabinet secret duquel il défend strictement l'entrée. Le personnage principal, d'abord stigmatisé par l'exceptionnelle laideur que lui confère la couleur de sa barbe, parvient à racheter sa réputation par sa fortune personnelle et ses biens matériels. Devenu notable grâce à son argent, il peut donner libre cours à ses tendances de psychopathe et à sa soif de domination. À travers ce héros controversé, Perrault dénonce la tyrannie de certains hommes débordant en fureur meurtrière et pose la question de l'émancipation des femmes.

[CURIOSITÉ FÉMININE ET VIOLENCE FÉROCE]

Il était une fois un homme qui avait de belles maisons à la Ville et à la Campagne, de la vaisselle d'or et d'argent, des meubles en broderie, et des carrosses tout dorés ; mais par malheur cet homme avait la Barbe bleue : cela le rendait si laid et si
5 terrible, qu'il n'était ni femme ni fille qui ne s'enfuît de devant lui. Une de ses Voisines, Dame de qualité, avait deux filles parfaitement belles. Il lui en demanda une en Mariage, et lui laissa le

choix de celle qu'elle voudrait lui donner. Elles n'en voulaient
point toutes deux, et se le renvoyaient l'une à l'autre, ne pouvant
10 se résoudre à prendre un homme qui eût la barbe bleue. Ce qui
les dégoûtait encore, c'est qu'il avait déjà épousé plusieurs
femmes, et qu'on ne savait ce que ces femmes étaient devenues.
La Barbe bleue, pour faire connaissance, les mena avec leur Mère,
et trois ou quatre de leurs meilleures amies, et quelques jeunes
15 gens du voisinage, à une de ses maisons de Campagne, où on
demeura huit jours entiers. Ce n'était que promenades, que parties de chasse et de pêche, que danses et festins, que collations :
on ne dormait point, et on passait toute la nuit à se faire des
malices les uns aux autres ; enfin tout alla si bien, que la Cadette
20 commença à trouver que le Maître du logis n'avait plus la barbe
si bleue, et que c'était un fort honnête homme. Dès qu'on fut de
retour à la Ville, le Mariage se conclut. Au bout d'un mois la
Barbe bleue dit à sa femme qu'il était obligé de faire un voyage
en Province, de six semaines au moins, pour une affaire de consé-
25 quence ; qu'il la priait de se bien divertir pendant son absence,
qu'elle fît venir ses bonnes amies, qu'elle les menât à la Campagne si elle voulait, que partout elle fît bonne chère [1]. « Voilà,
lui dit-il, les clefs des deux grands garde-meubles, voilà celles de
la vaisselle d'or et d'argent qui ne sert pas tous les jours, voilà
30 celles de mes coffres-forts, où est mon or et mon argent, celles
des cassettes [2] où sont mes pierreries, et voilà le passe-partout de
tous les appartements : Pour cette petite clef-ci, c'est la clef du
cabinet au bout de la grande galerie de l'appartement bas : ouvrez
tout, allez partout, mais pour ce petit cabinet, je vous défends d'y
35 entrer, et je vous le défends de telle sorte, que s'il vous arrive de
l'ouvrir il n'y a rien que vous ne deviez attendre de ma colère. »

....

1. **Elle fît bonne chère** : elle se fît servir de bons et agréables plats.

2. **Cassettes** : coffres.

Elle promit d'observer exactement tout ce qui lui venait d'être ordonné [...]

[Mais une fois seule, la femme de Barbe bleue, piquée par la
40 curiosité, commet l'imprudence de la désobéissance...]

Étant arrivée à la porte du cabinet, elle s'y arrêta quelque temps, songeant à la défense que son Mari lui avait faite, et considérant qu'il pourrait lui arriver malheur d'avoir été désobéissante ; mais la tentation était si forte qu'elle ne put la surmonter :
45 elle prit donc la petite clef, et ouvrit en tremblant la porte du cabinet. D'abord elle ne vit rien, parce que les fenêtres étaient fermées ; après quelques moments elle commença à voir que le plancher était tout couvert de sang caillé, et que dans ce sang se miraient les corps de plusieurs femmes mortes et attachées le long
50 des murs (c'étaient toutes les femmes que la Barbe bleue avait épousées et qu'il avait égorgées l'une après l'autre). Elle pensa mourir de peur, et la clef du cabinet qu'elle venait de retirer de la serrure lui tomba de la main.

Charles Perrault, « La Barbe bleue », dans *Contes*,
Flammarion, « Étonnants Classiques », 2017, p. 52-54 et 56.

1. Quels éléments permettent-ils au lecteur, dès l'entame du conte, de pressentir le drame qui risque de se jouer ?

2. Dans quelle mesure peut-on dire que la Barbe bleue se sert de ses richesses et de la puissance de son statut social pour arriver à ses fins ?

3. En quoi le personnage de la Barbe bleue symbolise-t-il la cruauté dans toute son horreur ?

4. Pourquoi ce récit est-il romanesque ? Quel plaisir suscite-t-il ?

La fin du livre IV des *Confessions* correspond pour le narrateur, Jean-Jacques, à un moment de pause. En effet, alors qu'il se trouve de passage dans la ville de Lyon – qu'il arpente en promeneur solitaire en phase avec les paysages d'une nature pleine de magnificence –, celui-ci attend Mme de Warens. C'est pourtant dans ce cadre enchanteur de la capitale des Gaules qu'il fera une double rencontre désagréable : d'abord, celle d'un taffetatier [1] pervers place Bellecour ; puis, dans l'extrait suivant, celle d'un abbé homosexuel qui le conduit dans sa chambre, animé d'intentions qui ne manquent pas d'effrayer le jeune homme. Dans ce texte, Rousseau exhibe la façon dont certains pervers se servent de leur statut pour exploiter la solitude et la vulnérabilité d'individus isolés.

[PIÉGÉ PAR UN ABBÉ PERVERS]

À ce voyage-ci j'eus une aventure à peu près du même genre, mais qui me mit en plus grand danger. Sentant mes espèces [2] tirer à leur fin, j'en ménageais le chétif reste. Je prenais moins souvent des repas à mon auberge, et bientôt je n'en pris plus du tout,
5 pouvant pour cinq ou six sous, à la taverne, me rassasier tout aussi bien que je faisais là pour mes vingt-cinq. N'y mangeant plus, je ne savais comment y aller coucher, non que j'y dusse grand'chose, mais j'avais honte d'occuper une chambre sans rien faire gagner à mon hôtesse. La saison était belle. Un soir qu'il
10 faisait fort chaud, je me déterminai à passer la nuit dans la place ; et déjà je m'étais établi sur un banc, quand un abbé qui passait, me voyant ainsi couché, s'approcha, et me demanda si je n'avais

....

1. **Taffetatier** : ouvrier qui prépare le taffetas, une étoffe de soie.
2. **Mes espèces** : mes ressources en argent.

point de gîte. Je lui avouai mon cas, il en parut touché. Il s'assit
à côté de moi, et nous causâmes. Il parlait agréablement : tout ce
15 qu'il me dit me donna de lui la meilleure opinion du monde.
Quand il me vit bien disposé, il me dit qu'il n'était pas logé fort
au large ; qu'il n'avait qu'une seule chambre, mais qu'assurément
il ne me laisserait pas coucher ainsi dans la place ; qu'il était tard
pour me trouver un gîte, et qu'il m'offrait, pour cette nuit, la
20 moitié de son lit. J'accepte l'offre, espérant déjà me faire un ami
qui pourrait m'être utile. Nous allons. Il bat le fusil [1]. Sa chambre
me parut propre dans sa petitesse : il m'en fit les honneurs fort
poliment. Il tira d'une armoire un pot de verre où étaient des
cerises à l'eau-de-vie ; nous en mangeâmes chacun deux, et nous
25 fûmes nous coucher.

Cet homme avait les mêmes goûts que mon Juif de l'hospice,
mais il ne les manifestait pas si brutalement. Soit que, sachant
que je pouvais être entendu, il craignît de me forcer à me
défendre, soit qu'en effet il fût moins confirmé [2] dans ses projets,
30 il n'osa m'en proposer ouvertement l'exécution, et cherchait à
m'émouvoir sans m'inquiéter. Plus instruit que la première fois,
je compris bientôt son dessein, et j'en frémis. Ne sachant ni dans
quelle maison ni entre les mains de qui j'étais, je craignis, en
faisant du bruit, de le payer de ma vie. Je feignis d'ignorer ce qu'il
35 me voulait ; mais, paraissant très importuné de ses caresses et très
décidé à n'en pas endurer le progrès, je fis si bien qu'il fut obligé
de se contenir. Alors je lui parlai avec toute la douceur et toute la
fermeté dont j'étais capable ; et, sans paraître rien soupçonner, je
m'excusai de l'inquiétude que je lui avais montrée sur mon

....
1. Fusil : pièce d'acier avec laquelle on bat un silex pour en faire jaillir des étin-
celles.
2. Confirmé : assuré.

⁴⁰ ancienne aventure [1], que j'affectai de lui conter en termes si pleins de dégoût et d'horreur, que je lui fis, je crois, mal au cœur à lui-même, et qu'il renonça tout à fait à son sale dessein. Nous passâmes tranquillement le reste de la nuit : il me dit même beaucoup de choses très bonnes, très sensées ; et ce n'était assurément pas
⁴⁵ un homme sans mérite, quoique ce fût un grand vilain [2].

Jean-Jacques Rousseau, *Les Confessions. Livres I à VI*,
Flammarion, « GF », 2012, p. 205-207.

1. Identifiez les différentes étapes de la mésaventure racontée par le narrateur et restituez alors l'organisation du texte (ses différents moments, le nombre de ses parties...).

2. Quelle est la situation du narrateur dans cet extrait ? En quoi peut-on dire que son dénuement relatif détermine la nature de l'expérience qu'il vit ?

3. En quoi est-ce grâce à son intelligence que le narrateur se tire du piège que lui tend l'abbé ?

4. Quels personnages de ce texte sont-ils marginaux, et pourquoi ?

➤ Texte n° 3 : Alexandre Dumas fils, *La Dame aux camélias* (1848)

Ce roman se présente sous la forme d'un récit enchâssé. Le narrateur recueille en effet les confidences d'un personnage – Armand – qui lui conte ses amours malheureuses avec Marguerite Gautier, une courtisane dont il s'est épris et avec laquelle il a vécu en secret les heures tumultueuses d'une passion à l'issue tragique. Lors d'une escapade romantique à l'écart de Paris, les deux amants découvrent

....

1. Sur mon ancienne aventure : en prenant prétexte d'une aventure contée au livre II – celle de la rencontre malencontreuse d'un Maure homosexuel à Turin.
2. Un grand vilain : un homme aux mœurs fort discutables.

Bougival, un village enchanteur dans lequel ils décideront de louer une maison où passer des moments de bonheur et de félicité à deux. Dans l'extrait suivant, Armand dépeint la possibilité d'une communion amoureuse dans ce *locus amœnus* (lieu idyllique), d'emblée menacée par l'ombre du duc, personnage riche qui se présente comme le partenaire officiel de Marguerite, qu'il entretient. Dumas fils traite ici de la thématique de l'idylle rendue caduque par le matérialisme de l'époque.

[L'IDYLLE IMPOSSIBLE]

La courtisane y disparaissait peu à peu. J'avais auprès de moi une femme jeune, belle, que j'aimais, dont j'étais aimé et qui s'appelait Marguerite : le passé n'avait plus de formes, l'avenir plus de nuages. Le soleil éclairait ma maîtresse comme il eût

5   éclairé la plus chaste fiancée. Nous nous promenions tous deux dans ces charmants endroits qui semblent faits exprès pour rappeler les vers de Lamartine [1] ou chanter les mélodies de Scudo [2]. Marguerite avait une robe blanche, elle se penchait à mon bras, elle me répétait le soir sous le ciel étoilé les mots qu'elle m'avait

10 dits la veille, et le monde continuait au loin sa vie sans tacher de son ombre le riant tableau de notre jeunesse et de notre amour.

Voilà le rêve qu'à travers les feuilles m'apportait le soleil ardent de cette journée, tandis que, couché tout au long sur l'herbe de l'île où nous avions abordé, libre de tous les liens

15 humains qui la retenaient auparavant, je laissais ma pensée courir et cueillir toutes les espérances qu'elle rencontrait.

Ajoutez à cela que, de l'endroit où j'étais, je voyais sur la rive une charmante petite maison à deux étages, avec une grille en

....

1. **Alphonse de Lamartine** (1790-1869) : poète romantique, qui met en scène la nature dans ses vers.

2. **Paul Scudo** (1806-1864) : compositeur et critique musical français, né à Venise et élevé en Allemagne.

hémicycle ; à travers la grille, devant la maison, une pelouse verte,
20 unie comme du velours, et derrière le bâtiment un petit bois plein
de mystérieuses retraites, et qui devait effacer chaque matin sous
sa mousse le sentier fait la veille.

Des fleurs grimpantes cachaient le perron de cette maison
inhabitée qu'elles embrassaient jusqu'au premier étage.

25 À force de regarder cette maison, je finis par me convaincre
qu'elle était à moi, tant elle résumait bien le rêve que je faisais.
J'y voyais Marguerite et moi, le jour dans le bois qui couvrait la
colline, le soir assis sur la pelouse, et je me demandais si créatures
terrestres auraient jamais été aussi heureuses que nous.

30 « Quelle jolie maison ! me dit Marguerite qui avait suivi la
direction de mon regard et peut-être de ma pensée.

— Où ? fit Prudence [1].

— Là-bas. » Et Marguerite montrait du doigt la maison en
question.

35 « Ah ! ravissante, répliqua Prudence, elle vous plaît ?

— Beaucoup.

— Eh bien ! dites au duc de vous la louer ; il vous la louera,
j'en suis sûre. Je m'en charge, moi, si vous voulez. »

Marguerite me regarda, comme pour me demander ce que je
40 pensais de cet avis.

Mon rêve s'était envolé avec les dernières paroles de Prudence,
et m'avait rejeté si brutalement dans la réalité que j'étais encore
tout étourdi de la chute.

Alexandre Dumas fils, *La Dame aux camélias*,
Flammarion, « GF », 2015, p. 170-172.

....
1. Amie de Marguerite et alliée du couple.

1. Pourquoi peut-on dire que cet extrait met en scène une idylle au sein d'un lieu enchanteur ? Répondez en justifiant votre réponse à l'appui du texte.

2. En quoi existe-t-il une tension dans ce texte entre l'idéal romantique d'un amour sans frein et la réalité matérielle qui en nie la possibilité ?

3. À ce titre, dans quelle mesure peut-on dire que Prudence joue le rôle d'un trouble-fête dans ce passage ?

4. Identifiez l'effet de chute. En quoi pouvez-vous dire qu'il participe du plaisir du romanesque ?

➤ Texte n° 4 : Jean-Philippe Toussaint, *La Salle de bain* (1985)

Le narrateur et sa compagne Edmondsson viennent d'emménager dans un appartement parisien dont ils arpentent les pièces en long et en large, notamment la salle de bain de laquelle le « je » affecte de ne plus vouloir sortir. Pourtant, dans la deuxième partie de ce récit, le narrateur s'est enfui à Venise où Edmondsson décide de le rejoindre. Là, de nombreuses disputes éclatent. La relation du narrateur et d'Edmondsson, caractérisée par le repli sur soi et l'enfermement dans la sphère amoureuse, n'est pas sans produire une double marginalisation : sociale, puisque les amants se confinent dans un appartement parisien puis dans le cœur même de la cité de l'amour – Venise –, et sentimentale, l'accident de fléchette conduisant à une sorte de désagrégation du rapport amoureux.

[Un banal accident d'amour ?]

75) Edmondsson me trouvait oppressant. Je laissais dire, continuais à jouer aux fléchettes. Elle me demandait d'arrêter, je ne répondais pas. J'expédiais les fléchettes dans la cible, allais les

rechercher. Debout devant la fenêtre, Edmondsson me regardait
5 fixement. Elle me demanda une nouvelle fois d'arrêter. Je lui
envoyai de toutes mes forces une fléchette, qui se planta dans son
front. Elle tomba à genoux par terre. Je m'approchai d'elle, retirai
la fléchette (je tremblais). Ce n'est rien, dis-je, une égratignure.

76) Edmondsson perdait du sang, je l'entraînai hors de la
10 chambre. Nous descendîmes à la réception. Nous courions dans
les couloirs, cherchions un médecin. Je l'installai sur une chaise
dans le hall de l'hôtel, sortis en courant. Mais où allais-je ? Je
courais, courais dans les rues. Je m'arrêtai, revins sur mes pas.
Lorsque je rentrai à l'hôtel, plusieurs personnes entouraient
15 Edmondsson, on avait recouvert ses épaules d'une couverture. Un
homme me dit à voix basse qu'on allait la conduire à l'hôpital,
que l'ambulance allait arriver. Je me sentais défaillir, je ne voulais
plus voir personne, je marchais dans l'hôtel, bus du whisky au
bar. Les infirmiers finirent par arriver. J'aidai Edmondsson à se
20 lever, je la soutenais à la taille, elle s'appuyait contre mon épaule.
Nous sortîmes dans la rue, montâmes dans la vedette [1]. Le hors-
bord démarra aussitôt, filant à pleine vitesse entre deux gerbes
immenses. Je restais à l'avant, gardais les yeux ouverts, prenais le
vent en pleine figure. Je me retournai et vis Edmondsson, assise
25 sur la banquette, le visage très pâle, les épaules couvertes de laine
rouge et noire.

77) Edmondsson s'allongea sur la banquette, se couvrit la poitrine avec la couverture. Elle demeurait étendue, la tête levée, les
yeux ouverts. Nous glissions à toute vitesse sur le canal, évitions
30 les autres embarcations. Je regardais l'infirmier qui manœuvrait
dans la cabine. À chaque virage, Edmondsson s'agrippait davantage à la banquette. Ses bras s'affaissèrent lors d'une courbe plus

....
1. **Vedette** : embarcation légère.

longue, ses mains se relâchèrent, elle tomba sur le sol. Un infirmier m'aida à la relever, nous la maintînmes assise par terre, le
35 dos contre la banquette. Elle avait perdu connaissance. Il fallut la
porter lorsque nous arrivâmes à l'hôpital. Je marchais à côté des
infirmiers, gardais la main d'Edmondsson serrée dans la mienne.
On me dit d'attendre là, dans un couloir.

78) J'attendis assis sur un banc. Le couloir était désert, d'une
40 longueur infinie, blanc. Il n'y avait aucun bruit, juste une odeur
d'éther : émanation de mort, concrète, qui me faisait mal. Je me
tassais sur le banc, fermais les yeux. De temps à autre, quelqu'un
entrait dans le couloir, passait devant moi et continuait à marcher
jusqu'à l'autre extrémité du couloir.

Jean-Philippe Toussaint, *La Salle de bain* (1985),
© Les Éditions de Minuit, p. 94-96.

1. En quoi le début de cet extrait présente-t-il une banale scène de
conflit ? Par quels moyens l'auteur fait-il passer le lecteur de l'anecdo-
tique au tragique ?

2. Quels sont les différents lieux fréquentés par les personnages ?
Montrez qu'il existe une tension entre les espaces intérieurs et les
espaces extérieurs, et que cette tension structure l'extrait.

3. À quoi reconnaît-on dans ce passage que les deux personnages
s'aiment passionnément ? Répondez en justifiant votre propos et en
vous appuyant sur des éléments précis du texte.

4. Pourquoi le narrateur apparaît-il comme un personnage marginal ?

5. Comment peut-on analyser les effets d'accélération puis de ralentissement du rythme narratif comme des signes du plaisir du romanesque ?

La lecture romanesque, plaisir de marginal ?

➤ Texte n° 5 : Jean-Jacques Rousseau, *Les Confessions* (1782)

Dans le livre I de son autobiographie *Les Confessions*, Jean-Jacques Rousseau évoque sa naissance, son enfance et ses années de formation. Alors qu'il se trouve chez son oncle Gabriel Bernard dans les années 1720, à Genève – ville où il effectue successivement l'apprentissage de deux métiers qui le déçoivent également –, il relate les mauvais traitements reçus par le maître-graveur dont il est à la charge, M. Ducommun, et la tendance à mentir et à voler qu'il développe alors à force d'insensibilité. L'extrait qui suit se situe à la fin du livre I. Jean-Jacques vient de commettre un nouveau larcin. Il s'en justifie, puis revient sur sa personnalité singulière, son goût pour la lecture et l'épanchement imaginaire.

[LA FUREUR DE LIRE]

Je ne finirais pas ces détails si je voulais suivre toutes les routes par lesquelles, durant mon apprentissage, je passai de la sublimité de l'héroïsme à la bassesse d'un vaurien. Cependant, en prenant les vices de mon état [1], il me fut impossible d'en prendre tout à
5 fait les goûts. Je m'ennuyais des amusements de mes camarades ; et quand la trop grande gêne m'eut aussi rebuté du travail, je

....
1. **Mon état** : ma condition sociale.

m'ennuyai de tout. Cela me rendit le goût de la lecture que j'avais perdu depuis longtemps. Ces lectures, prises sur mon travail, devinrent un nouveau crime qui m'attira de nouveaux châtiments.

10 Ce goût irrité par la contrainte devint passion, bientôt fureur. La Tribu, fameuse loueuse de livres, m'en fournissait de toute espèce. Bons et mauvais, tout passait ; je ne choisissais point : je lisais tout avec une égale avidité. Je lisais à l'établi, je lisais en allant faire mes messages, je lisais à la garde-robe [1], et m'y oubliais des

15 heures entières ; la tête me tournait de la lecture, je ne faisais plus que lire. Mon maître m'épiait, me surprenait, me battait, me prenait mes livres. Que de volumes furent déchirés, brûlés, jetés par les fenêtres ! que d'ouvrages restèrent dépareillés chez la Tribu ! Quand je n'avais plus de quoi la payer, je lui donnais mes

20 chemises, mes cravates, mes hardes [2] ; mes trois sous d'étrennes tous les dimanches lui étaient régulièrement portés.

Voilà donc, me dira-t-on, l'argent devenu nécessaire. Il est vrai, mais ce fut quand la lecture m'eut ôté toute activité. Livré tout entier à mon nouveau goût, je ne faisais plus que lire, je ne

25 volais plus. C'est encore ici une de mes différences caractéristiques. Au fort d'une certaine habitude d'être, un rien me distrait, me change, m'attache, enfin me passionne ; et alors tout est oublié, je ne songe plus qu'au nouvel objet qui m'occupe. Le cœur me battait d'impatience de feuilleter le nouveau livre que

30 j'avais dans la poche ; je le tirais aussitôt que j'étais seul, et ne songeais plus à fouiller le cabinet de mon maître. J'ai même peine à croire que j'eusse volé quand même j'aurais eu des passions plus coûteuses. Borné au moment présent, il n'était pas dans mon tour d'esprit de m'arranger ainsi pour l'avenir. La Tribu me faisait

35 crédit : les avances étaient petites ; et quand j'avais empoché mon

....
1. **À la garde-robe** : aux toilettes.
2. **Hardes** : vêtements misérables.

livre, je ne songeais plus à rien. L'argent qui me venait naturellement passait de même à cette femme, et quand elle devenait pressante, rien n'était plus tôt sous ma main que mes propres effets.
Voler par avance était trop de prévoyance, et voler pour payer
40 n'était pas même une tentation.

À force de querelles, de coups, de lectures dérobées et mal
choisies, mon humeur devint taciturne [1], sauvage ; ma tête commençait à s'altérer, et je vivais en vrai loup-garou.

Jean-Jacques Rousseau, Les Confessions. Livres I à VI,
Flammarion, « GF », 2012, p. 66-68.

1. En quoi peut-on dire que la passion pour la lecture marginalise
le personnage de Jean-Jacques ?

2. Comment s'explique la fureur boulimique de lecture qui s'empare
de Jean-Jacques ?

3. Dans quelle mesure la lecture apparaît-elle, dans cet extrait,
comme une activité criminelle et interdite ?

➤ Texte n° 6 : Gustave Flaubert, *Madame Bovary* (1857)

Placée dans un couvent de Rouen par son père, un fermier désireux
de la voir faire des études, Emma Rouault, future « Madame Bovary »,
découvre la lecture de romans et se prend à rêver à d'autres vies
possibles au contact des héroïnes d'exception et des personnages
historiques magnifiés par la geste littéraire.

....

1. **Mon humeur devint taciturne** : je me mis à peu parler.

[Romans volés et fantasmes d'ailleurs]

Il y avait au couvent une vieille fille qui venait tous les mois, pendant huit jours, travailler à la lingerie. Protégée par l'archevêché[1] comme appartenant à une ancienne famille de gentilshommes[2] ruinés sous la Révolution, elle mangeait au réfectoire à la table des
5 bonnes sœurs, et faisait avec elles, après le repas, un petit bout de causette avant de remonter à son ouvrage. Souvent les pensionnaires s'échappaient de l'étude pour l'aller voir. Elle savait par cœur des chansons galantes du siècle passé, qu'elle chantait à demi-voix, tout en poussant son aiguille[3]. Elle contait des histoires, vous apprenait
10 des nouvelles, faisait en ville vos commissions, et prêtait aux grandes, en cachette, quelque roman qu'elle avait toujours dans les poches de son tablier, et dont la bonne demoiselle elle-même avalait de longs chapitres, dans les intervalles de sa besogne. Ce n'étaient qu'amours, amants, amantes, dames persécutées s'évanouissant
15 dans des pavillons solitaires, postillons[4] qu'on tue à tous les relais, chevaux qu'on crève à toutes les pages, forêts sombres, troubles du cœur, serments, sanglots, larmes et baisers, nacelles au clair de lune, rossignols dans les bosquets, *messieurs* braves comme des lions, doux comme des agneaux, vertueux comme on ne l'est pas, toujours
20 bien mis, et qui pleurent comme des urnes[5]. Pendant six mois, à quinze ans, Emma se graissa donc les mains à cette poussière des vieux cabinets de lecture. Avec Walter Scott[6], plus tard, elle s'éprit

....

1. Archevêché : province ecclésiastique comprenant plusieurs évêchés et placée sous l'autorité d'un archevêque.
2. Gentilshommes : nobles.
3. En poussant son aiguille : en cousant.
4. Postillons : conducteurs de voiture de poste.
5. Qui pleurent comme des urnes : qui pleurent abondamment.
6. Walter Scott (1771-1832) est un écrivain écossais, auteur de romans historiques comme *Ivanhoé* (1819).

de choses historiques, rêva bahuts [1], salle des gardes et ménestrels [2].
Elle aurait voulu vivre dans quelque vieux manoir, comme ces châte-
25 laines au long corsage, qui, sous le trèfle des ogives [3], passaient leurs
jours, le coude sur la pierre et le menton dans la main, à regarder venir
du fond de la campagne un cavalier à plume blanche qui galope sur un
cheval noir. Elle eut dans ce temps-là le culte de Marie Stuart [4], et des
vénérations enthousiastes à l'endroit des femmes illustres ou infortu-
30 nées. Jeanne d'Arc, Héloïse, Agnès Sorel, la belle Ferronnière et Clémence Isaure [5], pour elle, se détachaient comme des comètes sur
l'immensité ténébreuse de l'histoire, où saillissaient encore çà et là,
mais plus perdus dans l'ombre et sans aucun rapport entre eux, saint
Louis avec son chêne, Bayard mourant, quelques férocités de Louis XI,
35 un peu de Saint-Barthélemy, le panache du Béarnais, et toujours le souvenir des assiettes peintes où Louis XIV était vanté.

Gustave Flaubert, *Madame Bovary*, Flammarion,
« Étonnants Classiques », 2014, p. 95-97.

1. Montrez comment la lecture romanesque apparaît comme le support d'évasions possibles, alimentant l'imaginaire et les rêves.

2. Dans quelle mesure peut-on dire que le contenu des livres lus par la « vieille fille » est proprement « romanesque » ? Quelle définition pouvez-vous donner de cet adjectif ?

3. Dites qui sont les différents personnages célèbres cités dans la seconde partie du texte et mettez en avant la naissance, dans le cœur d'Emma, d'une passion historique.

4. Peut-on dire que la lecture marginalise autant qu'elle distingue ?

....

1. **Bahuts** : coffres de voyage précieux.
2. **Ménestrels** : chanteurs ambulants et jongleurs dans la société féodale des XIIe et XIIIe siècle.
3. **Ogives** : arcs diagonaux sous une voûte gothique.
4. **Marie Stuart** (1542-1587) : reine d'Écosse au destin tragique.
5. Héroïnes du Moyen Âge.

➤ Texte n° 7 : Jean-Paul Sartre, *Les Mots* (1963)

Dans son autobiographie, intitulée *Les Mots* et divisée en deux parties (« Lire » et « Écrire »), Sartre revient sur son enfance hors du commun et la naissance de sa vocation d'écrivain. Jeune bourgeois élevé essentiellement par son grand-père, l'intellectuel Charles Schweitzer, il finit cependant par se révolter contre son milieu. Créatrice de « monstres », l'éducation enfante des névroses qui structurent l'être humain et dont il est difficile de se libérer. L'extrait suivant se situe dans la première partie. Le jeune Jean-Paul observe avec une curiosité toute naïve l'immense bibliothèque familiale et les habitudes livresques de ses proches.

[AU MILIEU DES LIVRES]

J'ai commencé ma vie comme je la finirai sans doute : au milieu des livres. Dans le bureau de mon grand-père, il y en avait partout ; défense était faite de les épousseter sauf une fois l'an, avant la rentrée d'octobre. Je ne savais pas encore lire que, déjà,
5 je les révérais[1], ces pierres levées ; droites ou penchées, serrées comme des briques sur les rayons de la bibliothèque ou noblement espacées en allées de menhirs, je sentais que la prospérité de notre famille en dépendait. Elles se ressemblaient toutes, je m'ébattais dans un minuscule sanctuaire, entouré de monuments
10 trapus, antiques qui m'avaient vu naître, qui me verraient mourir et dont la permanence me garantissait un avenir aussi calme que le passé. Je les touchais en cachette pour honorer mes mains de leur poussière mais je ne savais trop qu'en faire et j'assistais chaque jour à des cérémonies dont le sens m'échappait : mon

....

1. **Je les révérais** : je les traitais avec grand respect.

grand-père – si maladroit, d'habitude, que ma mère lui boutonnait ses gants – maniait ces objets culturels avec une dextérité d'officiant [1]. Je l'ai vu mille fois se lever d'un air absent, faire le tour de sa table, traverser la pièce en deux enjambées, prendre un volume sans hésiter, sans se donner le temps de choisir, le feuilleter en regagnant son fauteuil, par un mouvement combiné du pouce et de l'index puis, à peine assis, l'ouvrir d'un coup sec « à la bonne page » en le faisant craquer comme un soulier. Quelquefois je m'approchais pour observer ces boîtes qui se fendaient comme des huîtres et je découvrais la nudité de leurs organes intérieurs, des feuilles blêmes et moisies, légèrement boursouflées, couvertes de veinules noires, qui buvaient l'encre et sentaient le champignon.

Dans la chambre de ma grand-mère les livres étaient couchés ; elle les empruntait à un cabinet de lecture et je n'en ai jamais vu plus de deux à la fois. Ces colifichets [2] me faisaient penser à des confiseries de Nouvel An parce que leurs feuillets souples et miroitants semblaient découpés dans du papier glacé. Vifs, blancs, presque neufs, ils servaient de prétexte à des mystères légers. Chaque vendredi, ma grand-mère s'habillait pour sortir et disait : « Je vais *les* rendre » ; au retour, après avoir ôté son chapeau noir et sa voilette, elle *les* tirait de son manchon et je me demandais, mystifié : « Sont-ce les mêmes ? » Elle les « couvrait » soigneusement puis, après avoir choisi l'un d'eux, s'installait près de la fenêtre, dans sa bergère à oreillettes, chaussait ses besicles [3], soupirait de bonheur et de lassitude, baissait les paupières avec un fin sourire voluptueux que j'ai retrouvé depuis sur les lèvres de la Joconde ; ma mère se taisait, m'invitait à me taire, je pensais à la

....

1. **Officiant** : personne (souvent un prêtre) qui célèbre un office.
2. **Colifichets** : objets de fantaisie dépourvus de valeur.
3. **Besicles** : grosses lunettes.

messe, à la mort, au sommeil : je m'emplissais d'un silence sacré. De temps en temps, Louise avait un petit rire ; elle appelait sa
45 fille, pointait du doigt sur une ligne et les deux femmes échangeaient un regard complice.

Jean-Paul Sartre, *Les Mots*, © Éditions Gallimard, « Folio », 1977, p. 33-35.

1. Dans quelle mesure peut-on dire que le jeune Jean-Paul est intrigué face à l'objet « livre » ? Que représente-t-il pour lui ?

2. Montrez que le grand-père de Sartre entrevoit les livres comme des reliques sacrées.

3. En quoi la lecture est-elle, pour la grand-mère, un moment de plaisir ?

4. Quel(s) personnage(s) apparaît/aissent ici comme étant « en marge » ? Justifiez votre réponse.

➤ Texte n° 8 : Louis Calaferte, *Septentrion* (1963)

D'inspiration autobiographique, ce roman nous plonge dans l'univers glauque d'un employé d'usine forcé de s'isoler dans les toilettes pour s'adonner à sa passion de la lecture et échapper ainsi à la servitude du travail ouvrier.

[PLATON, DARWIN ET LE TROU EMBRENNÉ [1]]

Dans toutes les usines où je suis passé, lorsqu'il ne fallait pas en demander la clef à un gardien ou à un contremaître [2], les chiottes étaient occupées sans interruption ou presque. Refuge facile. Sensation d'échapper provisoirement à la contrainte des

....

1. **Embrenné** : recouvert d'excréments.
2. **Contremaître :** chef d'une équipe d'ouvriers.

5 horaires et à la surveillance humiliante qui pèse sur vous. Délicieuse, irremplaçable odeur d'isolement volé au cours des huit heures de servage quotidien.

C'est aux cabinets que j'ai lu le plus abondamment pendant toute une époque qui s'étend à peu près sur dix ans. Je m'y ren-
10 dais environ sept à huit fois par jour avec le plus de naturel possible, prétextant un dérangement chronique et suscitant de la part de mes compagnons de travail les plaisanteries que l'on devine. C'était ma manière à moi de m'offrir gratis à la barbe des autorités quelques joyeux moments d'indépendance royale. Le verrou
15 tiré, j'étais sûr qu'on ne viendrait pas me déloger avant la demi-heure suivante. Quelquefois même je ne me donnais pas la peine de faire le simulacre du déculottage, bien que pour une raison inconnue je me sois toujours senti plus à l'aise, dans la posture adéquate, le pantalon en boule sur les chaussures, les fesses nues,
20 le sexe vacant entre les cuisses, le ventre libre, dégagé jusqu'au nombril. L'usine et ses contingences, son bruit, sa graisse, son atmosphère de prison déguisée, ses hommes crasseux, pauvres, disparaissaient alors dans un lointain imperceptible, et je rouvrais le livre à la page où je l'avais laissé pendant la précédente séance
25 qui remontait parfois à moins d'une demi-heure. J'entamais ma lecture aussi serein que si je m'étais trouvé dans un coin de la grande bibliothèque seigneuriale au rez-de-chaussée du manoir de famille, les pieds sur les chenets[1] devant le feu de bûches pétillant, le verre de vieil armagnac à portée de la main, un cigare
30 de bonne taille entre les lèvres, confit de chaleur et de bien-être dans le fauteuil de cuir brun patiné par l'âge. Même sans livre, et pour peu qu'il y eût un siège à couvercle, chose rare dans les cabinets réservés aux ouvriers, je tirais ma révérence, rigolant tout

....

1. **Chenets** : armature métallique sur laquelle on dispose les bûches, dans une cheminée.

seul en pensant que j'étais bel et bien en train de m'accroupir au-
35 dessus de la Sacro-Sainte Société organisée, celle qui a lu Platon,
Darwin et les Droits de l'Homme ; le globe terrestre exactement
situé en la circonstance dans l'embouchure étroite du trou
embrenné[1] par tout le résidu fécal humain des cent années écou-
lées, la construction de l'édifice datant à peu près de cette époque.

Louis Calaferte, *Septentrion*, © Denoël, 1983 ;
Gallimard, « Folio », 1990, p. 21-23.

1. Que représentent les toilettes pour le narrateur ?

2. Sur quoi repose le plaisir de l'évasion romanesque dans cet extrait ?

3. En quoi peut-on dire que la marginalité se confond ici avec la liberté ?

Le parcours

....

1. Embrenné : voir note 1, p. 251.

L'esthétique
de Manon Lescaut

➤ Le siècle de Fragonard

S'il est un peintre qui représente tout l'esprit espiègle, galant, voire libertin, du XVIIIᵉ siècle, c'est bien Jean Honoré Fragonard (1732-1806). Ami de Jacques Louis David (1748-1825), élève de Jean Siméon Chardin (1699-1779) et de François Boucher (1703-1770), **il incarne la sensibilité rococo et annonce le romantisme.** Artiste sulfureux envisagé parfois comme une figure immorale, Fragonard est avant tout le contemporain de Choderlos de Laclos (1741-1803) et du marquis de Sade (1740-1814), écrivains ayant contribué à mettre au jour les instincts les plus brutaux des hommes dans des représentations crues. Néanmoins, il serait erroné de voir en lui un peintre grivois ignorant de toute finesse. Possesseur d'une maîtrise technique sans faille, habile au métier, il joue de toutes les nuances de sensualité pour produire une œuvre empreinte de subtilité. Ainsi, son célèbre tableau *Jeune Fille faisant jouer son chien dans son lit* (1770) met en avant une obscénité qui n'est pas exempte de raffinement et de complexité.

Loin des simplicités et des caricatures qui tendraient à réduire ce peintre à quelques tableaux tutoyant l'érotisme, son œuvre est porteuse d'une sorte d'angoisse face à une nature qui semble se désolidariser des hommes au point de devenir menaçante comme dans la *Fête à Rambouillet* (1770).

1. Dans quelle mesure le badinage auquel se prête la jeune fille avec son animal, dans *Jeune Fille faisant jouer son chien dans son lit* (cahier iconographique, p. I), revêt-il une dimension suggestive et érotique ?

2. Pourquoi, d'après vous, le tableau *Fête à Rambouillet* (cahier iconographique, p. II) a-t-il pour sous-titre *L'île d'amour* ? Justifiez en vous appuyant sur des éléments d'interprétation picturale.

3. Montrez que la nature décrite dans la *Fête à Rambouillet* est à la fois sauvage et inquiétante.

4. D'après vous, quelle est l'impression d'ensemble qui ressort des deux tableaux de Fragonard ? Répondez en vous appuyant sur des éléments précis vous permettant de justifier votre propos.

5. Recherchez les tableaux de Fragonard intitulés *Le Verrou* et *Le Baiser à la dérobée*. En quoi ces œuvres mettent-elles en scène la violence du désir amoureux et son ambiguïté ?

➤ Peindre la passion amoureuse au temps des Lumières

La période rococo, qui traverse le XVIIIe siècle, met au premier plan la question du **plaisir** et la **douceur d'un art de vivre** magnifié par une forme de grâce picturale. Adepte des fêtes galantes et initiateur d'une peinture empreinte d'un charme tout verlainien, Antoine Watteau (1684-1721) célèbre l'amour au cœur d'une nature vive et pleine de couleurs. Son tableau *La Gamme d'amour* (1717) semble donner à voir et à entendre les touchantes nuances musicales et chantées d'un discours amoureux traduit en mélodies harmonieuses. Dans un registre moins idéalisé, Nicolas Lancret (1690-1743) travaille avec talent à la représentation du motif de l'oiseau en cage, symbolisant les amours difficiles et parfois contrariées qui sont propres à l'univers de la pastorale (*Les Amours du bocage*, 1740). **L'image de la cage pourrait référer à la dimension tourmentée qu'implique toute passion amoureuse.** Elle éclaire l'idée que Prévost se fait du jeu des sentiments dont les logiques sont commandées par de violents rapports de force.

La richesse picturale au siècle des Lumières permet d'envisager **l'amour dans sa double dimension, idéale et charnelle.** Il n'est par

Le parcours

exemple qu'à considérer les différences de registre entre la *Lettre d'amour* de François Boucher (1750) et *Le Baiser à la dérobée* de Fragonard (1787) pour comprendre combien la passion se nourrit de suggestions galantes autant que d'excitation érotique et de transgression.

6. En quoi *La Déclaration d'amour* (cahier iconographique, p. III) de Jean-François de Troy apparaît-elle comme une scène d'intérieur galante ?

7. Quelle représentation traditionnelle du dieu de l'Amour (Éros) est reprise par François Boucher dans son tableau *Lettre d'amour* (cahier iconographique, p. IV) ?

8. Pourquoi peut-on dire que les tableaux *Lettre d'amour* et *Amoureux dans un parc* (cahier iconographique, p. IV) de François Boucher sont d'inspiration très différente ?

9. Lequel des trois tableaux envisagés vous semble le plus à même d'illustrer les amours de Manon et de des Grieux ? Justifiez votre propos.

➤ L'iconographie associée à *Manon Lescaut*

Parmi une iconographie abondante, certaines illustrations permettent de retracer les grandes étapes du roman de Prévost : la rencontre amoureuse, l'exil en Amérique, la mort de Manon dans le désert. Les représentations choisies dessinent un **parcours qui va de la galanterie et des jeux de séduction à la tragédie finale**, rappelant la gravité du sentiment amoureux ballotté entre Éros, dieu de l'amour, et Thanatos, dieu de la mort.

10. En quoi le dessin de J.J. Pasquier (p. 54) est-il fidèle aux circonstances de la première rencontre des amants de Prévost ? Et dans quelle mesure représente-t-il bien la société dans sa diversité ? Pour répondre, vous vous attacherez à analyser finement les détails de l'illustration.

11. Pourquoi peut-on dire que le tableau de Joseph Caraud (p. 45) met en relief une bonne société friande de récits galants et d'aventures amoureuses ?

12. En quoi ce tableau, qui transforme l'écrivain en lecteur de son œuvre, est-il un hommage à un roman qui enchâsse lui-même les points de vue et dédouble les figures d'auteur ?

13. Qu'est-ce qui frappe au premier abord dans le tableau de Charles Édouard Delort (p. 200) ? Ce qu'il représente vous semble-t-il en rapport direct avec son titre ?

14. Dans quelle mesure l'illustration de Dagnan-Bouveret (p. 219) est-elle radicalement différente de toutes les autres ? Est-elle fidèle à la représentation de la mort de Manon construite par Prévost ? Justifiez votre réponse.

15. À quels autres couples d'amants célèbres de la littérature séparés par la mort des Grieux et Manon font-ils écho ?

Poursuivre la lecture...

➤ **L'aventure**

Trois romans majeurs du XVIIIe siècle s'inscrivent dans la tendance picaresque inspirée des romans espagnols tel *Don Quichotte* [1605] de Cervantès :

– **Alain René Lesage, *Histoire de Gil Blas de Santillane*** [1715-1735] : le héros de ce roman est un *picaro*, personnage traditionnel des romans d'aventures qui parvient à progresser dans la société, dépassant sa condition modeste. Il peut être intéressant de considérer le chapitre 1 du premier livre, où il est question de la naissance de Gil Blas et de son éducation. Le héros-narrateur s'y exprime avec une liberté de ton caractéristique du style picaresque.

– **Marivaux, *La Vie de Marianne*** [1731] et ***Le Paysan parvenu*** [1734] : ces deux romans inachevés proposent de très nombreux épisodes d'actions et des rebondissements mettant en scène Marianne et Jacob, deux personnages ballottés par le destin. L'*incipit* de *La Vie de Marianne* pourra être lu avec profit : la mise en abyme narrative intensifie le plaisir du romanesque. De même, les premières pages du *Paysan parvenu*, particulièrement offensives, peuvent rendre sensible la question sociale à l'époque pré-révolutionnaire.

➤ **Le libertinage**

– **Denis Diderot, *Les Bijoux indiscrets*** [1748]. Roman publié anonymement et dressant le tableau d'une cour dans laquelle règnent l'inconstance et la débauche.

– **Choderlos de Laclos**, *Les Liaisons dangereuses* [1782]. Deux aristocrates, le vicomte de Valmont et la marquise de Merteuil, mettent tout en œuvre pour pervertir une jeune innocente, Cécile de Volanges. La forme épistolaire permet de révéler les progrès et les ressorts de la stratégie libertine. Trois adaptations cinématographiques très différentes peuvent constituer des élargissements fructueux : *Les Liaisons dangereuses 1960*, Roger Vadim (1959) ; *Les Liaisons dangereuses*, Stephen Frears (1988) ; *Sex Intentions*, Roger Kumble (1999).

➤ Une sensibilité nouvelle

Exotisme, désir d'évasion, retour à la nature et utopie

– **Bernardin de Saint-Pierre**, *Paul et Virginie* [1788]. Ce roman du bonheur insulaire et de l'amour tragique trouve de nombreux échos avec *Manon Lescaut* de Prévost.

– L'engouement pour la thématique de l'île où toutes les expérimentations sociales sont possibles, mais encore pour l'utopie se vérifie dans les pièces de **Marivaux**, comme *L'Île des esclaves* [1725] ou *L'Île de la Raison* [1727].

Œuvres romantiques

– **Johann Wolfgang von Goethe**, *Les Souffrances du jeune Werther* [1774]. Roman fondateur du mouvement romantique en Europe. L'œuvre a un tel retentissement qu'elle provoque le célèbre « effet Werther », entraînant une vague de suicides parmi les jeunes Allemands.

– **Victor Hugo**, *Ruy Blas* [1838]. Ce drame romantique met en scène un héros du peuple s'éprenant d'une reine : « Ver de terre amoureux d'une étoile » (II, 2).

Commentaire guidé

Lisez le texte n° 2, p. 236, puis répondez aux questions suivantes.

➤ I. Jean-Jacques, personnage naïf au cœur d'un piège ?

1. Menez une recherche sur le terme « picaro ». À quoi fait-il référence dans l'histoire littéraire, et dans quelle mesure le personnage de Jean-Jacques s'apparente-t-il ici à une sorte de héros picaresque ?

2. Pourquoi peut-on dire qu'en suivant l'abbé, Jean-Jacques cherche à conjurer sa solitude ?

3. En quoi l'abbé apparaît-il comme un personnage avenant, affichant les apparences de la générosité ?

4. Quels sont les signes textuels par lesquels Rousseau met en avant la relative naïveté qui était la sienne au moment de l'action ?

5. Citez au moins un verbe au conditionnel. Que permet d'exprimer ce temps ?

6. Quelles sont les différentes étapes du récit qui est ici dressé ? Divisez le texte en plusieurs parties qui vous semblent significatives et proposez un court résumé de chacune.

➤ II. Une scène dynamisée par la narration

7. Relevez l'emploi du présent de narration dans le premier paragraphe, et déterminez quel est l'effet que recherche l'auteur à travers cet emploi.

8. Que signifie le substantif « aventure » (l. 1). Identifiez ses sens étymologique, propre et figuré. En quoi met-il en avant la péripétie vécue par Jean-Jacques ?

9. Relevez les termes qui mettent en avant la comparaison entre cet épisode et celui du taffetatier [1] pervers de la place Bellecour. Quels sont les points communs et les différences entre les deux scènes ?

10. Montrez que dans le récit qu'il fait de l'épisode, le narrateur ménage des moments d'accélération et de ralentissement pour finalement achever son texte de manière apaisée. En quoi cela révèle-t-il un véritable art de la narration ?

➤ III. Une stratégie gagnante, ou le triomphe par l'intelligence

11. Expliquez en quoi il s'agit d'une scène de conflit larvée pleine de dangers possibles.

12. Pourquoi l'abbé fait-il preuve de précaution dans sa façon d'exécuter « ses projets » ? Quelles sont les deux hypothèses avancées par le narrateur ?

13. Relevez l'antithèse qui clôt le texte. Que nous dit-elle du personnage de l'abbé ?

14. Quelle est la stratégie adoptée par Jean-Jacques ? Quel est le sentiment initial qui le force à choisir précisément cette stratégie ? Répondez en vous appuyant sur des éléments précis du second paragraphe.

15. En quoi est-ce précisément sa capacité de bien raconter les histoires qui permet à Jean-Jacques de se tirer de la situation difficile dans laquelle il se trouve.

16. Relevez les preuves montrant que le narrateur se félicite d'être parvenu à déjouer le « sale dessein » de l'abbé. En quoi mettent-elles en avant une forme de satisfaction de soi ?

....

1 . **Taffetatier** : voir note 1, p. 236.

Dissertation guidée

Sujet : *Lorsqu'il raconte à Renoncour la duperie et l'humiliation du prince italien par Manon à son profit, des Grieux confie : « [...] et l'ivresse de l'amour triomphant me fit tout approuver. » Dans quelle mesure peut-on transposer cette phrase à l'ensemble du roman, analysant le héros comme une victime de « l'ivresse de l'amour triomphant » ? Vous traiterez ce sujet en vous appuyant sur l'œuvre de Prévost, le parcours associé ainsi que sur votre culture personnelle et les textes que vous aurez vus en cours.*

➤ I. Un héros en proie à la violence du sentiment amoureux

1. Analysez la rencontre entre des Grieux et Manon. En quoi est-elle emblématique des scènes de première vue soumises à la loi du coup de foudre ?

2. Comparez le regard que porte le héros sur Manon lors de cette rencontre et celui que jette le narrateur, Renoncour, sur la jeune femme lorsqu'il la croise. En quoi peut-on dire que Manon est une séductrice hors du commun ?

3. Dans quelle mesure l'amour apparaît-il, dès ses prémisses, puis tout au long du parcours du chevalier, comme un sentiment dangereux exacerbant les passions négatives (colère, jalousie...) ?

4. Peut-on dire que des Grieux est un amant exclusif sans cesse menacé par des accès de violence passionnelle ?

5. Quels autres exemples de héros empruntés à la littérature (notamment romantique) sont-ils à même d'éclairer l'idée d'une violence passionnelle étreignant l'amant et l'assujettissant ?

6. Relisez précisément le passage portant sur la duperie et l'humiliation du prince italien. En quoi des Grieux y est-il instrumentalisé, de la même manière que le prince ?

➤ II. L'illusion de « l'amour triomphant »

7. En quoi peut-on analyser l'ensemble du parcours de des Grieux sous l'angle de l'illusion amoureuse ?

8. Effectuez un parallèle entre le chevalier et Armand Duval, amant de la « dame aux camélias » célébrée par le roman d'Alexandre Dumas fils. En quoi les deux héros sont-ils des figures similaires ? De même, de quelle manière la courtisane Marguerite Gautier présente-t-elle des similitudes de caractère avec Manon Lescaut ?

9. Revoyez le mythe de Tristan et Iseut. En quoi des Grieux s'apparente-t-il au héros médiéval, fin amant qui se sacrifie totalement à son amour pour sa Dame ?

10. Dans quelle mesure peut-on douter que Manon ait la même conception de l'amour que son amant ? Répondez en vous appuyant sur les moments où s'affirme le caractère libertin de la jeune femme.

11. Dressez la liste des trahisons que des Grieux essuie de la part de Manon tout au long du roman, et montrez qu'il pardonne sans cesse à sa bien-aimée ses infidélités. Que traduit cette tendance chez le héros ?

12. Lisez le chapitre VI de la première partie du roman de Musset, *La Confession d'un enfant du siècle*. En quoi la thématique de la duplicité amoureuse de la femme peut-elle éclairer votre lecture de *Manon Lescaut* ?

➤ III. Du chevalier passionné au narrateur enthousiaste : la question de la distance narrative

13. En quoi Manon est-elle finalement une femme érigée par la passion en figure idéalisée ?

14. Lisez la fin du roman de Proust, *Du côté de chez Swann*, et considérez la critique de la sensibilité romantique à laquelle se prête Flaubert dans *L'Éducation sentimentale*. En quoi ces œuvres mettent-elles en avant une forme de sagesse amoureuse qui défait les ressorts de la passion ?

15. Dans l'expression « l'ivresse de l'amour triomphant », de qui ou de quoi triomphe l'amour ? En quoi « l'ivresse de l'amour » est-elle une des formes de la passion ? Quelles autres passions étreignent-elles les personnages tout au long de leur évolution ?

16. Montrez que l'amour est une « ivresse » qui conduit le héros à braver toutes les autorités au risque de se couper du reste de la société.

17. En quoi le roman, en se présentant comme un récit rétrospectif, met-il nécessairement à distance la passion amoureuse ?

18. Dans quelle mesure peut-on dire qu'en devenant le narrateur de sa propre histoire, des Grieux se dissocie de l'amant naïf qu'il fut ? En quoi toute la saveur du roman repose-t-elle sur cet écart que crée le récit rétrospectif ?

19. Montrez que *Manon Lescaut* peut être analysé comme un savant jeu de construction mettant en écho des voix multiples et enchâssant les points de vue.

20. Reportez-vous à quelques romans de Diderot et demandez-vous en quoi le roman de Prévost participe à sa façon d'une forme de modernité romanesque.

Explications linéaires guidées

➤ Extrait n° 1 : une scène de rencontre

Relisez l'extrait de la première partie de « Mais il en resta une » (p. 56) à « s'il n'opérait souvent des prodiges » (p. 57), puis répondez aux questions suivantes.

Conseil pour la lecture à voix haute

Cette scène de rencontre charrie des émotions particulières et fait se croiser le discours du narrateur, celui du héros, mais aussi celui de son amante. Ainsi, l'extrait doit être l'occasion de restituer la diversité des tons et des voix exprimés. Il faut donc être sensible et attentif aux sentiments qui traversent chaque personnage, pour bien manifester l'expression qui est la sienne. De même, la présence d'une ponctuation chargée (multiplicité de virgules) nécessite de jalonner sa lecture de courtes pauses permettant précisément de souligner la complexité de la construction narrative.

Scannez ce code

pour écouter l'extrait !

Vers le bac

I. Une traditionnelle scène de première vue
(de « Mais il en resta une », l. 206, à « de connaissance », l. 218)

1. En vous appuyant sur les paragraphes qui précèdent directement l'extrait, montrez que la rencontre de des Grieux et de Manon détourne le héros de son ami Tiberge et contribue à le marginaliser dans la société.

2. Dans quelle mesure peut-on dire que des Grieux idéalise Manon dès leur première rencontre ? Répondez en vous appuyant sur des éléments précis du texte.

3. En quoi peut-on dire ici que des Grieux fait l'objet d'un coup de foudre ? Justifiez votre réponse.

4. En quoi peut-on dire que des Grieux ne s'attache qu'aux apparences extérieures et fait preuve d'inexpérience en matière amoureuse ?

5. Quel portrait de lui-même avant sa rencontre avec Manon le narrateur dresse-t-il ? En quoi l'amour provoque-t-il en lui un changement radical ?

6. Montrez que le narrateur oppose les deux personnages sur le plan du caractère.

II. Les manipulations de l'amour
(de « Elle me répondit », l. 218, à « ni dédain », l. 228)

7. Que signifie la phrase : « L'amour me rendait déjà si éclairé, depuis un moment qu'il était dans mon cœur, que je regardai ce dessein comme un coup mortel pour mes désirs » ? Qu'est-ce que des Grieux s'était imaginé, d'après vous ?

8. Pourquoi, selon le narrateur, Manon est-elle dirigée vers la vie religieuse ?

9. Dans quelle mesure peut-on dire que Manon tente de manipuler des Grieux en se servant de compétences d'actrice ?

10. Quel portrait ce début d'extrait permet-il de brosser du personnage féminin ?

11. Relevez les commentaires du narrateur sur l'action. En quoi orientent-ils la lecture ?

III. Un amour fatal ?
(de « Elle me dit », l. 228, à « des prodiges », l. 240)

12. Comment comprenez-vous l'expression « la volonté du Ciel » ?

13. En quoi peut-on dire que le narrateur est fataliste ? Justifiez votre propos.

14. Quelle promesse des Grieux fait-il à Manon ? Pourquoi peut-on dire que cette promesse apparaît comme le signe d'une étrange précipitation ?

15. Analysez l'emploi du conditionnel dans la phrase suivante : « Je l'assurai que, si elle voulait faire quelque fond sur mon honneur et sur la tendresse infinie qu'elle m'inspirait déjà, j'emploierais ma vie pour la délivrer de la tyrannie de ses parents, et pour la rendre heureuse. » En quoi témoigne-t-il de l'enfermement du personnage dans ses fantasmes ?

16. À quelle vérité aboutit le narrateur à la fin du texte ? Comment cette vérité préfigure-t-elle les événements qui vont suivre ?

Synthèse

17. Montrez que le « je » narrant est en décalage avec le « je » narré dont il critique après coup la naïveté.

La subordination

« Mais il en resta une, fort jeune, qui s'arrêta seule dans la cour, pendant qu'un homme d'un âge avancé, qui paraissait lui servir de conducteur, s'empressait pour faire tirer son équipage des paniers. »

a. Identifiez dans cette séquence la proposition principale. Comment la reconnaît-on ?

b. Quelle est, dans cette même phrase, la fonction des deux pronoms relatifs « qui » ? Quel type de subordonnée introduisent-ils ? Quel est leur antécédent respectif ?

c. Relevez la proposition subordonnée circonstancielle, nommez les mots qui l'introduisent et donnez sa fonction.

➤ Extrait n° 2 : une tromperie comique

Relisez l'extrait de « L'heure du souper étant venue » (p. 106) à « rigoureusement punie » (p. 107), puis répondez aux questions suivantes.

Conseil pour la lecture à voix haute

Le croisement des discours direct, indirect et narratif rend ce texte particulièrement complexe. La lecture à voix haute doit cependant, par les intonations, souligner les expressions affectées, ironiques, ou l'investissement émotionnel. Elle doit nécessairement restituer à la fois le conflit qui est à l'origine d'un véritable théâtre de la parole, mais aussi la dimension drôle et cruelle de la facétie jouée à M. de G... M....

Scannez ce code

pour écouter l'extrait !

I. Une friponnerie orchestrée
(de « L'heure du souper », l. 1661, à « d'un si bon modèle », l. 1679)

1. En quoi consistent les premières actions du vieillard envers Manon ? Quelle est son intention ?

2. En quoi les « baisers » que Manon adresse à M. de G... M... sont-ils intéressés ?

3. Effectuez une recherche sur le terme « courtisane » et son acception durant les XVIIIe et XIXe siècles. Dans quelle mesure Manon correspond-elle au type de femme auquel renvoie ce substantif ?

4. Quel rôle des Grieux joue-t-il dans cet extrait ? En quoi sa naïveté feinte permet-elle précisément de tromper le vieillard ?

5. Pourquoi peut-on dire que Lescaut s'apparente, dans ce début d'extrait, à un metteur en scène ? Justifiez votre propos en vous appuyant sur des éléments précis du texte.

6. Peut-on dire que des Grieux est entraîné malgré lui dans une action qui contribue à le marginaliser de la société en l'amenant à transgresser la morale ?

II. <u>Un vieillard aveuglé et dupé</u>
(de « Le vieil amant », l. 1679, à « qui le menaçait », l. 1697)

7. Par quels mots et quelle attitude M. de G... M... fait-il preuve d'une morgue et d'une supériorité ridicules envers le jeune des Grieux ?

8. Dans quelle mesure Lescaut se moque-t-il du vieillard en brossant le portrait d'un des Grieux provincial, versé dans la religion et frère de Manon ?

9. Pourquoi peut-on dire que M. de G... M... tombe totalement dans le piège qui lui est tendu ?

10. Montrez que, dans les propos qu'il tient au discours direct, des Grieux utilise la double énonciation pour s'adresser à Manon à l'insu de M. de G... M... À ce titre, en quoi peut-on dire que le verbe « aimer » contient ici un sens qui échappe au barbon ?

11. Comment expliquer les « éclats de rire » de Manon ? Qui visent-ils ?

12. « Je trouvai l'occasion, en soupant, de lui raconter sa propre histoire, et le mauvais sort qui le menaçait » : comment comprenez-vous cette phrase ? Quelle est l'« histoire » dont il est ici question ?

13. Certains critiques voient en des Grieux un personnage qui devient romancier. En quoi, ici, prend-il plaisir à « raconter » des fables, à la manière de l'auteur de *Manon Lescaut* lui-même ?

III. Une « ridicule scène »

(de « Lescaut et Manon », l. 1697, à « rigoureusement punie », l. 1713)

14. Feuilletez les *Maximes* de La Rochefoucauld (1665). Relevez plusieurs fragments portant sur l'orgueil ou l'amour-propre, et déterminez la nature du regard du moraliste sur ces phénomènes. Pourquoi son défaut d'amour-propre empêche-t-il M. de G... M... de se reconnaître dans le portrait que le héros brosse de lui ?

15. « Vous verrez que ce n'est pas sans raison que je me suis étendu sur cette ridicule scène » : à qui le narrateur s'adresse-t-il ici ? En quoi le verbe « s'étendre » peut-il alimenter l'idée d'un plaisir du récit ?

16. Comment le trio des fripons (Manon, des Grieux et Lescaut) parvient-il à se débarrasser de M. de G... M... et à repartir avec l'argent ? Montrez que le texte scande les différentes étapes d'un vol parfait.

17. Quelle lecture rétrospective le « je » narrant propose-t-il de cette aventure ?

18. « J'avais plus de scrupule sur l'argent que j'avais acquis au jeu » : à quel épisode du roman le narrateur réfère-t-il ici ? En quoi peut-on dire que la passion du jeu habite le chevalier ? Répondez en vous aidant de l'ensemble du roman.

19. À quoi fait référence le narrateur lorsqu'il évoque le « Ciel » ? Citez au moins deux autres passages du roman dans lesquels ce terme revient. Comment analysez-vous la récurrence de ce motif ?

a. « L'heure du souper étant venue, M. de G... M... ne se fit pas attendre longtemps. » Combien cette phrase complexe contient-elle de propositions ?

b. Quelle est la proposition principale ? Comment la reconnaît-on ?

c. Quelle est la proposition participiale ? Comment la reconnaît-on ? Quelle est sa fonction dans la phrase ?

Rappel

Une « proposition subordonnée participiale » a pour noyau un verbe conjugué au **participe présent** (ex. : « [...] puis, <u>son esprit</u> <u>se fatiguant</u>, [...] il entrait dans une sorte d'assoupissement », Flaubert, *Madame Bovary*, 1857) ou au **participe passé** (ex. : « <u>Cette résolution **m'ayant rendu**</u> plus tranquille, je payai libéralement la jeune fille », p. 162).

Deux écueils sont à éviter face à ce type de constructions :

– Le verbe de la subordonnée participiale s'appuie sur un support nominal autonome qui constitue le thème de la proposition et qui ne peut être analysé comme sujet. Son statut est donc problématique.

– La subordonnée participiale est difficile à identifier car aucun mot subordonnant ne l'introduit. Elle est simplement séparée du reste de la phrase par la ponctuation. Elle peut, par ailleurs, se situer devant, derrière ou au milieu de la proposition principale (à la faveur d'une incise). Cela étant, il faut prendre garde de ne pas la confondre avec l'apposition. Pour les distinguer, nous noterons que dans le cas de l'apposition, l'agent a le même référent que le sujet de la proposition principale (ex. : « Le supérieur, **ayant ordonné à ses religieux de le conduire**, demeura seul avec moi », p. 114 : le sujet de la principale, « le supérieur », est également l'agent non exprimé de la subordonnée) ; en revanche, une subordonnée participiale a un agent distinct du sujet de la principale (ex. : « **Le matin étant venu**, je m'habillai le plus proprement qu'il me fut possible », p. 126 : le sujet de la principale, « je », est distinct de l'agent de la subordonnée participiale, « le matin »).

➤ Extrait n° 3 : Manon s'amuse

Relisez l'extrait de « Pendant cette folle harangue » (p. 149) à « à croire mon récit fidèle » (p. 150), puis répondez aux questions suivantes.

Conseil pour la lecture à voix haute

Afin de produire une lecture efficace de ce texte, il est nécessaire de bien faire entendre les émotions de chaque personnage : le ton outragé du prince, les sentiments mêlés d'un narrateur mal à l'aise, l'attitude badine de Manon. En outre, il faut parvenir à restituer le décalage entre la voix du « je » narré et celle du « je » narrant qui ne cesse de commenter une action qu'il se remémore et qu'il fait passer au tamis de son jugement critique.

Il pourrait être intéressant de jouer sur des effets d'accélération, de ralentissement puis de pause rendant sensibles la vivacité des échanges ainsi que les moments plus réflexifs.

Scannez ce code *pour écouter l'extrait !*

I. Une scène de conflit méditée et préparée
(de « Pendant cette folle harangue », l. 174, à « du beau sexe », l. 184)

1. Quelle est la « folle harangue » dont parle le narrateur ? Reportez-vous aux lignes qui précèdent immédiatement l'extrait pour répondre.

2. « [...] qu'elle avait apparemment méditée » : que sous-entend le narrateur à travers cette incise ? En quoi cela nous permet-il de mieux comprendre le caractère de Manon ?

3. En quoi la position de des Grieux, au milieu de cette scène de conflit, semble-t-elle inconfortable ?

4. « Rien ne m'invitait, dans cette occasion, à lui faire prendre une meilleure idée du beau sexe » : que signifie ce commentaire de des Grieux ?

5. Quelle est l'accusation que le prince italien lance à Manon ? Quel est le mot qu'il emploie et qui permet de le prouver ?

6. Quels sont les deux groupes de femmes que le prince oppose ? En quoi son propos est-il alors polémique ?

II. Le plaisir du récit
(de « Manon quitta mes cheveux », l. 185, à « me fit tout approuver », l. 203)

7. Au début du deuxième paragraphe, comment peut-on qualifier l'attitude de Manon ? Justifiez votre réponse.

8. Dans quelle mesure peut-on dire que Manon utilise les autres comme des instruments au service de l'assouvissement de ses intentions plaisantes ?

9. Quelles sont les différentes étapes du récit que Manon dresse de son « aventure » avec le prince italien ? En quoi ce récit permet-il de reconstruire *a posteriori* le sens de la scène qui s'est déroulée ?

10. Comment Manon justifie-t-elle le traitement cruel qu'elle réserve au prince ? Quelle intention affirme-t-elle avoir depuis le début ?

11. Comment Manon parvient-elle, à l'aide du discours rapporté, à faire naître un véritable théâtre de la parole ?

12. En quoi la passion du prince italien pour Manon peut-elle être comparée à celle que des Grieux nourrit également pour la jeune femme ? L'amour que le héros pense recevoir de cette dernière est-il dès lors crédible ?

III. <u>Des Grieux, victime collatérale de la scène ?</u>
(de « J'ai remarqué », l. 204, à « mon récit fidèle », l. 211)

13. Effectuez une recherche sur la symbolique de la « roue de la fortune ». En quoi peut-elle enrichir votre compréhension de la fin du texte ?

14. Relevez les mots ou expressions révélant la tendance du narrateur à l'auto-victimisation.

15. Identifiez au moins une hyperbole. Qu'indique-t-elle sur le type de registre vers lequel le texte risque de glisser ?

16. À quel moment du texte le narrateur nous renvoie-t-il en évoquant Pacy ? À qui s'adresse-t-il alors ?

17. Pourquoi, selon vous, le narrateur anticipe-t-il les « rudes châtiments » de la fortune qui nous seront narrés plus loin ? Quel est l'intérêt d'une telle anticipation ?

Discours rapporté et subordonnées complétives

a. Analysez le discours rapporté dans le premier paragraphe.

b. Quelle prise de parole est exprimée au style direct ? En quoi le recours à ce type de discours est-il plus expressif ?

c. Relevez, dans le deuxième paragraphe, les propositions subordonnées complétives introduites par un verbe de parole. Quelle est leur fonction grammaticale ? Quel type de discours rapporté permettent-elles de prendre en charge ?

Il existe quatre formes possibles de discours rapporté :

– **Le discours narrativisé** : c'est un discours qui est intégré au récit et qui résume à l'aide d'un verbe les paroles qui ont été prononcées. Pourtant, le contenu exact de ces paroles n'est en général ni connu, ni restitué. Ex. : « [...] je lui racontai le détail de tout ce qui était arrivé à Manon et à moi » (p. 126).

– **Le discours direct** : les propos du locuteur y sont présentés tels quels, comme dans une citation. Ils offrent une objectivité et une authenticité maximales. Les émotions du locuteur sont transmises sans filtre ni intermédiaire. Intégré en général à l'aide d'un verbe de parole suivi de points d'explication, ce discours est précédé d'un tiret ou de guillemets qui permettent d'en marquer le début. Il est ainsi adjoint au récit. Ex. : « **Monsieur Lescaut**, m'écriai-je en fermant les yeux comme pour écarter de si chagrinantes réflexions, **si vous avez eu dessein de me servir, je vous rends grâces. Vous auriez pu prendre une voie plus honnête ; mais c'est une chose finie, n'est-ce pas ?** » (p. 102).

– **Le discours indirect** : contrairement au discours direct, il n'est pas indépendant syntaxiquement et est enchâssé dans la proposition principale. Le discours indirect est un discours de seconde main. En général, introduit par un verbe de parole ou de pensée suivi d'une conjonction de subordination « que », ce discours est ramassé dans une proposition subordonnée conjonctive pure en position de COD. Ex. : « Il **me répondit qu'**il arrivait, par mer, du Havre-de-Grâce, où il était revenu de l'Amérique peu auparavant » (p. 52).

– **Le style indirect libre** : il est une combinaison subtile des discours direct et indirect qui permet d'estomper les frontières syntaxiques entre récit et discours (ou pensée) de manière à rendre le passage de l'un à l'autre indiscernable. Ex. : « Emma se repentit d'avoir quitté si brusquement le percepteur. Sans doute, il allait faire des conjectures défavorables » (Flaubert, *Madame Bovary*, 1857).

Vers le bac

Mettre Manon Lescaut *en perspective pour l'entretien*

➤ *Manon Lescaut*, un roman amoureux ?

Préparation

1. Dressez le profil sentimental de des Grieux et celui de Manon. En quoi les deux personnages apparaissent-ils, sur le plan amoureux, comme antithétiques ?

2. Quelles sont les principales figures d'adjuvants et d'opposants à l'amour qui unit le chevalier et Manon ?

3. Renseignez-vous sur l'amour courtois (aussi appelé *fin'amor*). Quelles en sont les principales caractéristiques ? En quoi pourriez-vous considérer des Grieux comme un fin amant ayant conservé les anciennes valeurs de la chevalerie courtoise ?

Questions à partir d'une citation

À propos du roman de Prévost, Montesquieu écrit en 1734 : « Toutes les actions [...] ont pour motif l'amour qui est toujours un motif noble, quoique la conduite soit basse [1]. »

Préparation

4. En quoi la citation de Montesquieu offre-t-elle à vos yeux une interprétation possible de l'œuvre de Prévost ?

5. Les amants sont-ils tous deux mus par l'amour dans le roman ? En quoi pouvez-vous dire que Manon suit davantage son intérêt, n'espérant que la satisfaction de ses plaisirs ?

....

1. *Pensées* [1899].

6. En vous aidant de l'œuvre, montrez qu'il existe un écart entre l'idéal amoureux et sa réalisation dans la société.

➤ *Manon Lescaut*, un roman moderne ?

7. Effectuez une recherche sur le mouvement romantique afin d'en dégager les principales thématiques. En quoi le roman de Prévost propose-t-il une vision de la société qui annonce les grands questionnements du romantisme ?

8. D'après vous, les personnages de Manon et de des Grieux sont-ils des figures d'inadaptés au monde ?

9. En quoi diriez-vous que *Manon Lescaut* est un roman moderne, au sens où il se concentre principalement sur l'analyse des sentiments ? Vous répondrez en vous appuyant sur des exemples précis tirés du roman.

Questions à partir d'un tableau

Observez le tableau d'Albert Matignon, *Manon Lescaut sur le navire qui l'emporte sur la terre d'exil* (1903), reproduit en verso de couverture, puis répondez aux questions suivantes.

10. À votre avis, pourquoi le peintre choisit-il de représenter Manon seule, le regard perdu vers l'horizon ?

11. Quelle expression lisez-vous sur le visage de l'héroïne ? En quoi permet-elle d'illustrer la situation de Manon au moment de sa déportation en Amérique ?

12. Ce tableau ne fait pas apparaître des Grieux. De même, les éditeurs ont choisi, au fil du temps, de modifier le titre du roman de Prévost, réduit aujourd'hui au seul nom de l'héroïne. Comment comprenez-vous ce recentrement sur la figure de Manon ? Vous semble-t-il cohérent ?

Conseils pour le commentaire

Le commentaire littéraire porte sur un texte appartenant à l'un des objets d'étude du programme de Première, mais qui n'est pas tiré d'une œuvre étudiée en classe. En 4 heures, vous devez proposer une interprétation de ce texte grâce à une analyse précise et organisée, c'est-à-dire qu'il vous faut mettre en lumière ce qui est écrit et comment c'est écrit.

	LES ÉTAPES	DURÉE
AU BROUILLON	**I. Appropriez-vous le texte**	**1 heure**
	Lisez plusieurs fois l'extrait.	5 minutes
	Notez vos premières impressions, qu'elles soient générales (ce qui vous frappe, ce que vous ressentez...) ou précises (ce que vous repérez d'emblée: un procédé, un registre...).	5 minutes
	Formulez des hypothèses pour définir les caractéristiques de l'extrait en complétant la formule « ce texte est... ». Vous obtiendrez ainsi 2 ou 3 définitions qui seront des ébauches d'axes.	5 minutes
	Sous forme de notes, faites une analyse linéaire du texte: relevez les citations importantes, repérez les procédés saillants et analysez leur sens et leurs effets.	45 minutes
	II. Concevez la trame du commentaire	**1 h 20**
	Élaborez votre plan détaillé grâce au travail précédent. Il doit comporter 2 ou 3 axes avec leurs 2 ou 3 sous-parties ainsi que, pour chacune, vos idées et arguments.	1 heure
	Composez l'introduction et la conclusion.	20 minutes

	III. Rédigez l'ensemble du devoir	1 h 40
AU PROPRE	Recopiez l'introduction, rédigez le développement des axes (n'oubliez pas les transitions), puis recopiez la conclusion.	1 h 30
	Relisez attentivement votre copie pour supprimer les fautes d'orthographe et de syntaxe.	10 minutes

– L'introduction : 15 lignes

• Présentez l'auteur ou l'autrice, son œuvre en général, le contexte historique ou littéraire en vous aidant du paratexte.
• Décrivez le texte : précisez son titre, sa date de parution, et résumez-le en une ou deux phrases.
• Formulez votre problématique.
• Annoncez votre plan.

> *Organisez vos idées de la plus évidente à la plus complexe en utilisant les connecteurs logiques !*

– Le développement : 1 page par axe

• Pour chaque axe, commencez par une phrase qui annonce le contenu général que vous allez développer.
• Dans chaque sous-partie, exposez d'abord votre idée, puis justifiez-la à l'aide de 2 ou 3 citations du texte en montrant comment la forme (c'est-à-dire les procédés) met en valeur le sens.
• Faites une transition à la fin de l'axe : récapitulez ce qui précède et annoncez ce qui va suivre.

> *Justifiez vos analyses à l'aide de citations courtes et employez le vocabulaire d'analyse littéraire !*

– La conclusion : 10 lignes

• Faites un bilan du développement.
• Proposez un élargissement, une ouverture : comparez le texte avec une autre œuvre (du même auteur, du même genre, sur le même thème... ou appartenant à un autre art).

> *Explicitez les points communs ou les différences entre les œuvres que vous rapprochez !*

Conseils pour la dissertation

La dissertation est une réflexion littéraire structurée, fondée sur l'analyse précise d'une œuvre au programme du bac, éventuellement éclairée par les textes du parcours associé. Elle soulève un problème auquel vous devez répondre, en 4 heures, en avançant des arguments et des exemples précis.

LES ÉTAPES	DURÉE
I. Appropriez-vous le sujet	**15 minutes**
Analysez la consigne : soulignez les mots clés, obligez-vous à les définir et à en donner des synonymes, puis reformulez le sujet.	5 minutes
Dégagez la problématique : demandez-vous pourquoi on vous pose cette question et mettez au jour ce qui est sous-entendu par le sujet.	5 minutes
Déterminez le type de plan approprié. Si le sujet doit être simplement développé, on adopte un plan analytique ; si le sujet appelle la discussion, on construit un plan dialectique.	5 minutes
II. Mobilisez vos connaissances	**15 minutes**
Listez toutes les idées qui vous viennent à l'esprit ainsi que les textes étudiés ou lus en classe : ils vous serviront d'arguments et d'exemples.	15 minutes
III. Concevez la trame de la dissertation	**1 h 40**
Élaborez votre plan détaillé autour de 2 ou 3 axes qui doivent apporter une réponse à la problématique. Chaque axe doit comporter 2 ou 3 sous-parties et chaque sous-partie un argument, justifiant l'idée directrice de l'axe et illustré par un ou deux exemples tirés des œuvres étudiées ou lues.	1 h 20
Composez l'introduction et la conclusion.	20 minutes

AU BROUILLON

IV. Rédigez l'ensemble du devoir	1 h 50
Recopiez l'introduction, puis développez chaque axe sur votre copie, sans oublier de les relier entre eux par des transitions.	1 h 40
Relisez attentivement votre copie pour supprimer les fautes d'orthographe et de syntaxe.	10 minutes

AU PROPRE

– L'introduction : 15 lignes

• Commencez par une phrase d'amorce qui évoque l'époque, le mouvement littéraire, le genre, le thème abordé, ou qui définit un mot clé du sujet.

• Reprenez l'énoncé du sujet.

• Formulez votre problématique.

• Annoncez votre plan : juste les grands axes !

Annoncez le sujet grâce à la tournure « C'est pourquoi on pourra se demander », et s'il comporte une citation, recopiez-la.

– Le développement : 1 page par axe

• Dans un plan analytique, chacun de vos axes mettra en valeur un aspect de l'opinion formulée par le sujet : organisez-les du plus évident au plus subtil.

• Dans un plan dialectique, vous montrerez d'abord la validité de la position exprimée par le sujet (1er axe), puis les limites de cette thèse (2e axe), avant de proposer une idée qui dépasse cette opposition (3e axe).

• Pour chaque axe, annoncez en une phrase l'idée directrice. Puis développez deux ou trois sous-parties. Dans chacune, explicitez en quelques phrases votre argument et justifiez-le à l'aide d'un ou deux exemples précis.

• Liez chaque axe au suivant par une transition.

• Sautez des lignes : après l'introduction, entre chaque grande partie et avant la conclusion.

– La conclusion : 10 lignes

• Répondez à la problématique en synthétisant les axes de votre développement.

• Proposez une ouverture littéraire qui élargit la réflexion à d'autres époques, à d'autres genres littéraires…

Utilisez des connecteurs logiques pour relier vos idées, faites des alinéas et n'employez pas « je » mais « nous » ou « on » !

Ne commencez pas par « en conclusion » ni « pour conclure », mais par « ainsi » !

Conseils pour l'oral

L'épreuve orale du bac de français s'appuie sur l'ensemble du travail fait en classe pendant l'année de première (œuvres lues dans le cadre du programme et étude de la langue). Elle dure 50 minutes en tout : 30 minutes de préparation, puis 20 minutes d'un examen composé de trois parties qui s'enchaînent.

	LES ÉTAPES	DURÉE
EN ENTRANT	**I. L'accueil**	/
	L'examinateur ou l'examinatrice vérifie votre identité et prend connaissance du descriptif du travail effectué dans l'année. Il ou elle vous indique le texte à expliquer et vous donne une question de grammaire.	/
AU FOND DE LA SALLE	**II. La préparation**	**30 minutes**
	Sur des feuilles de brouillon fournies, répondez d'abord à la question de grammaire.	5 minutes
	Puis développez sous forme de notes l'explication linéaire du texte.	25 minutes
EN FACE À FACE	**III. L'explication linéaire** *(10 points)*	**10 minutes**
	Introduisez le texte, puis faites-en une lecture expressive à voix haute. Dégagez ensuite les différentes étapes de sa progression et formulez une problématique. *(2 points)*	3 minutes
	Expliquez le texte de manière linéaire. Proposez ensuite une brève conclusion. *(8 points)*	7 minutes
	IV. La réponse à la question de grammaire *(2 points)*	**2 minutes**
	Répondez à la question qui vous a été posée.	2 minutes

	V. L'entretien *(8 points)*	**8 minutes**
EN FACE À FACE	Présentez l'œuvre lue ou étudiée en classe que vous avez retenue et justifiez votre choix à l'aide de deux ou trois arguments.	3 minutes
	Répondez aux questions : l'examinateur ou l'examinatrice vous demandera d'expliciter, de préciser ou de nuancer votre point de vue.	5 minutes

– Lors de la préparation :

Numérotez vos feuilles de brouillon !

• Ne vous précipitez pas : relisez attentivement le texte et la consigne de la question de grammaire.
• Ne rédigez pas tout, vous n'avez pas le temps.

Ne dépassez pas les 10 minutes imparties !

– Lors de l'explication linéaire :

• Pour introduire le texte, présentez son auteur ou son autrice et l'œuvre dont il est tiré, puis résumez-le en une phrase.
• Lisez le texte lentement en respectant la ponctuation et les liaisons, et en mettant le ton : il faut rendre le texte vivant !
• Une explication linéaire ne consiste pas à redire le texte : appuyez-vous sur des repérages précis pour mettre en valeur le sens du texte et analysez les procédés littéraires. Aidez-vous du travail fait en classe.
• Dans votre conclusion, reprenez les grandes idées développées, avant d'ouvrir sur un autre passage de l'œuvre ou sur un texte du parcours associé.
• Soyez attentif à votre expression orale : bannissez tout langage familier, ainsi que les formules floues comme « il y a », ou inutiles comme « l'auteur dit que ». Préférez les tournures comme « on repère », « l'autrice souligne », « ce terme exprime », « cette phrase révèle »...

– Lors de la question de grammaire :

• Cette question porte sur un bref passage du texte que vous avez expliqué. Répondez-y de la manière la plus précise possible.

Préparez à l'avance votre présentation et la justification de votre choix : vous n'en serez que plus convaincant(e) !

– Lors de l'entretien :

• Soyez synthétique lorsque vous présentez l'œuvre choisie : il ne s'agit pas d'en faire un résumé exhaustif.
• Pour justifier votre choix, essayez de trouver un argument littéraire, un argument personnel et un argument sur l'intérêt général de l'œuvre.
• Impliquez-vous et soyez honnête !

Termes d'analyse littéraire

ACTION : suite des événements dans un récit. Elle peut jouer un rôle secondaire si l'auteur a préféré mettre en valeur la psychologie des personnages ou l'atmosphère d'un lieu ou d'une époque.

ADJUVANT : dans le schéma actantiel d'un récit, personnage dont la fonction est d'aider celui qui accomplit l'action.

ANALEPSE (n. f.) : retour en arrière, récit d'une action qui appartient au passé.

ANTI-HÉROS : personnage principal qui ne possède aucune des qualités remarquables du héros traditionnel.

ANTITHÈSE : figure de style qui rapproche deux idées contraires.

AUTOBIOGRAPHIE : récit qu'une personne réelle fait de sa propre existence.

BIOGRAPHIE : récit qui a pour objet l'histoire d'une vie en particulier.

CADRE SPATIO-TEMPOREL : désigne les lieux et l'époque où l'action se déroule.

DÉNOUEMENT : résolution des conflits qui font le nœud de l'action au théâtre ou dans un récit.

DIÉGÈSE : « univers spatio-temporel désigné par le récit » (Gérard Genette, *Figures III*, 1972) ; puis, par extension et par opposition à la notion de *mimêsis* (imitation du réel), narration des actions dans une œuvre de fiction.

DISCOURS RAPPORTÉ : paroles d'un personnage transcrites dans un récit au style direct ou indirect, ou encore au style indirect libre.

ELLIPSE (n. f.) : portion du temps de l'histoire que le récit passe sous silence.

ÉPOPÉE : récit de style élevé où la légende se mêle à l'histoire pour célébrer un héros ou de grands faits.

FOCALISATION : point de vue adopté par le narrateur pour rapporter son récit ; elle peut être externe (le narrateur reste extérieur aux personnages et aux événements), interne (le narrateur se place à l'intérieur de la conscience d'un personnage), ou omnisciente (le narrateur peut tout dire des événements et des pensées des personnages).

HÉROS : principal protagoniste d'un récit ; personnage légendaire ou non auquel on prête un courage et des exploits remarquables.

HYPERBOLE (n. f.) : figure de style fondée sur l'exagération.

IDENTIFICATION : mécanisme psychologique par lequel on se met à la place du héros des aventures que l'on est en train de lire.

INCIPIT : première page d'un livre, début d'un récit.

IN MEDIAS RES : locution latine qualifiant le début d'un récit qui entre directement dans le vif du sujet.

INTRIGUE : enchaînement des événements dans un récit de fiction.

MISE EN ABYME : procédé consistant à enchâsser un récit à l'intérieur d'un autre dans une sorte de dédoublement mimant le geste artistique.

NARRATAIRE : instance à laquelle s'adresse le narrateur ; destinataire du message.

NARRATEUR : dans un récit, celui qui raconte l'histoire. C'est en général un personnage imaginaire, distinct de l'auteur.

NARRATION : façon de raconter, de faire le récit d'une histoire.

OPPOSANT : actant hostile à l'action du héros.

PÉRIPÉTIE : retournement de situation.

PROLOGUE : première partie d'un récit, servant à situer les personnages et l'action.

RÉCIT : texte narratif racontant un événement ou une histoire composée d'une série d'événements.

ROMANESQUE : désigne tout ce qui se rapporte au roman, mais aussi tout ce qui rappelle le côté très sentimental et aventureux de certaines intrigues.

SCHÉMA NARRATIF : succession logique d'actions qui comporte traditionnellement une situation initiale, un élément perturbateur, des péripéties, un élément de résolution et une situation finale.

STYLE DIRECT/INDIRECT : types de discours : les paroles ou les pensées peuvent être rapportées directement, entre guillemets ou indirectement à l'aide de subordonnées.

TONALITÉ ou **REGISTRE** : effet produit par le texte sur le lecteur en fonction et à l'aide de certains thèmes ou **PROCÉDÉS** ; il existe les registres fantastique, comique, pathétique, épique…

TOPOS : lieu commun, procédé ou motif habituel dans une tradition littéraire (au pluriel : des *topoï*).

Imprimé à Barcelone par:
CPI Black Print

ISBN : 978-2-0802-7819-7
ISSN : 1269-8822
© Flammarion, 2022.
N° d'édition : 622714-1
Dépôt légal : août 2023